COLOMBIA CONTEMPORANEA

Fernando Cepeda
Hugo Fazio
Saúl Franco
Juan Gabriel Gómez
Socorro Ramírez
Alejandro Reyes
Florence Thomas
Alvaro Tirado
Juan Gabriel Tokatlian
Luis Guillermo Vasco
Jaime Zuluaga

Saúl Franco
(Editor)

Primera edición: Santa Fe de Bogotá, D.C., octubre de 1996
ISBN: 958-648-130-1

©   Instituto de Estudios Políticos y Relaciones Internacionales, Universidad
    Nacional, IEPRI
©   ecoe ediciones

Autoedición: Computextos Laser - Yolanda Madero T.
Fotolito: Imagen Gráfica Ltda.
Carátula: Diseño Gráfico & Sistemas
Impresión: Lito Camargo Ltda.
Impreso y hecho en Colombia

ecoe ediciones - apartado aéreo 30969
Santa Fe de Bogotá, D.C. - Colombia

TABLA DE CONTENIDO

PRESENTACION

Este libro es ante todo un producto colectivo. No sólo por el hecho evidente de la pluralidad de autores que en él participan, sino porque su gestación está indisolublemente asociada a un equipo de debate y producción permanente, el Instituto de Estudios Políticos y Relaciones Internacionales de la Universidad Nacional, que justamente cumplió diez años de fundado en julio de 1996.

Pues bien, a lo largo del segundo semestre de 1995, el Instituto asumió la conducción de la *Cátedra Manuel Ancízar,* un exitoso experimento pedagógico que congrega semanalmente, los sábados, en el Auditorio León de Greiff, a centenares de docentes y estudiantes universitarios de Bogotá e incluso de la provincia. Los sábados, este escenario se convierte, como en los tiempos de Sócrates, en ágora, en punto de multitudinario encuentro, sin otra pretensión que compartir un saber. Dado el carácter multidisciplinario de la Universidad, el espectro temático es virtualmente muy amplio. El Instituto, por invitación de las directivas y con la valiosa colaboración de otros investigadores de la Universidad, ofreció lo que le correspondía: un conjunto de elementos de reflexión y de aproximación a la Colombia contemporánea. La profesora Flor Alba Romero tuvo la responsabilidad de coordinar, con su característico empeño, el desarrollo del ciclo de conferencias, fase embrionaria de este libro.

Pero aquella visión panorámica que en su momento fue considerada útil por el auditorio, se convirtió luego, ante la precipitación de la crisis nacional, en elemento indispensable para comenzar a pensar los nuevos rumbos del país, o mejor, para frenar los rumbos indeseables que ya se advertían. Con variables niveles de visibilidad y de eficacia, los diferentes actores -partidos, iglesia, gremios- fueron irrumpiendo en la escena política, en lo que parecía la exhibición de una larga cadena de debilidades. Y en ese contexto, los intelectuales colombianos, tradicionalmente carentes de sentido orgánico, tampoco pudieron escapar a la fragmentación. Pero tarde o temprano, y sin renunciar a la diversidad, tendrán que plantearse colectivamente la superación de la crisis, si no quieren ser una víctima más de la misma. Esta fue de alguna manera la preocupación que movió al colega Saúl Franco a entrar en un segundo diálogo con los autores para buscar que escribieran, ampliaran y actualizaran sus reflexiones originales. Así surgió finalmente este libro, que esperamos cumpla una doble función: por un lado, la de dar respuesta parcial a la creciente demanda de intervención de los intelectuales frente al desconcierto reinante y, por otro lado, la de servir de reafirmación, diez años después de su creación, del compromiso fundacional del Instituto de contribuir a la consolidación de una cultura democrática en Colombia. Los contenidos y alcances de esta tarea, como se desprenderá de la lectura del libro, van desde luego mucho más allá de lo que se sugería en 1986, cuando inició labores el Instituto. Hay pues, que reasumir el reto que nos plantea el momento actual: repensar el país y nuestro papel como intelectuales en una sociedad en crisis.

Gonzalo Sánchez Gómez
Director del Instituto de Estudios Políticos y
Relaciones Internacionales

Santa Fe de Bogotá, D.C., agosto de 1996

INTRODUCCION

Intentamos una aproximación a algunas de las principales facetas de la compleja realidad que llamamos *Colombia Contemporánea*. A pesar del margen de relativa libertad que deja la temporalidad delimitada por el adjetivo *contemporánea*, la velocidad de vértigo con que se vienen sucediendo los acontecimientos político-sociales en Colombia hace que el presente sea muy corto, el pasado y el futuro demasiado próximos y muy efímera la vida útil de los análisis y las propuestas. Por eso resulta tan riesgoso atreverse a escribir sobre el tema. Pero, paradójicamente, por la misma razón resulta tan necesario correr el riesgo y tratar de captar y ayudar a captar no sólo las escenas sino el propio guión de la película.

Hace casi dos décadas un grupo de intelectuales colombianos, varios de ellos fundadores de la llamada *Nueva Historia*, lograron publicar un libro con el título aún más riesgoso de *Colombia Hoy*. En buena medida lo fue de la Colombia de los sesenta y principios de los setenta. La de ahora, la Colombia de final de milenio, es, sin duda, una Colombia mucho más inextricable. Adentro y afuera del país han acontecido y continúan aconteciendo demasiadas cosas y a rítmos difíciles de acompañar. Fin de la guerra fría, transición traumática e inconclusa a un nuevo ordenamiento geopolítico internacional, rehegemonización regional por parte de los Estados Unidos - según la categoría introducida por uno de los autores -, globalización, e incremento de la pobreza y de las inequidades sociales, son algunos de los procesos y acontecimientos que marcan la contemporaneidad económica y político-social en el escenario internacional. Y a nivel nacional profundas transformaciones en el ordenamiento agrario, persistencia de la confrontación político-militar, insurgencia y consolidación del fenómeno del narcotráfico con grandes implicaciones en todos los niveles de la vida nacional, mantenimiento de una economía relativamente estable hasta hace muy poco, incremento desmesurado de múltiples formas de violencia, en especial de los homicidios y el secuestro, intentos de adecuar el ordenamiento constitucional y legal a las nuevas realidades y de darle una oportunidad a la paz y a la resolución civilizada de los conflictos, son algunos de los componentes de la actual coyuntura.

A mitad de la década pasada un dirigente industrial expresó sintéticamente que *la economía va bien, pero el país va mal.* Desafortunadamente la parodia hoy sería *la economía va mal y el país peor.* Los recientes acontecimientos políticos y, en especial, la crisis generada por las evidencias del ingreso de grandes sumas de dinero procedente del narcotráfico a la financiación de campañas políticas, incluida la del Presidente Ernesto Samper Pizano, han puesto de manifiesto varios de los problemas estructurales del país, han agudizado algunos latentes y han descubierto algunos otros no diagnosticados previamente. Y es preciso también decirlo, la crisis actual ha evidenciado una capacidad de aguante y adaptación casi sin límites tanto de las personas como de las instituciones, una pasividad alarmante de amplísimos sectores de población y una sorprendente capacidad para desfigurar o desconocer la realidad y para vivir y hacer vivir como si los problemas no existieran, o como si fueran ajenos. Desde afuera del país muchos se sorprenden de que las cosas puedan funcionar y la gente pueda negociar, estudiar, divertirse y amar en medio de semejante caos. Y desde dentro uno se sorprende de que se vaya perdiendo la capacidad de sorpresa y, sobre todo, de que después de una noche tan larga, todavía no sea posible vislumbrar el amanecer.

Los once documentos que componen esta obra y que, como se indicó en la Presentación, hicieron parte casi en su totalidad de un ciclo universitario que originó también el nombre del libro, no pretenden ni dar cuenta de la totalidad de la actual situación nacional, ni menos aún proponer fórmulas salvadoras. En su mayor parte pretenden suministrar información sistematizada, hacer claridad sobre aspectos específicos, introducir algunos elementos de análisis y provocar tanto el debate como la búsqueda de interpretaciones y alternativas. Como podrá observarse, no es un trabajo unívoco, ni de consenso. Cada autor plantea sus puntos de vista, relata hechos y elabora análisis desde su propia perspectiva sin un cuerpo de tesis e hipótesis comunes. Esto le quita organicidad pero enriquece el texto y le da mayores espacio y oportunidades a los pares y a los lectores.

En su conjunto los trabajos conforman cuatro grupos temáticos en función de los cuales se organizó su presentación. Los dos primeros tratan el problema de las guerras y de los intentos de paz y de resolución del conflicto. Los cuatro siguientes ubican al país en diferentes contextos y escenarios internacionales. Se presentan luego tres trabajos relacionados con los problemas específicos de la violencia y la salud, la cuestión de las minorías étnicas y la constitución de la mujer como sujeto histórico en el país. Y termina con dos materiales de muy distinto perfil sobre la crisis actual.

Los trabajos de Juan Gabriel Gómez y Jaime Zuluaga resumen la historia de la confrontación armada desde los años sesenta y de los esfuerzos tanto por someter la guerra a los imperativos del derecho internacional humanitario como por llegar a una solución negociada del conflicto. Los logros hasta el presente son realmente modestos en ambos campos. Las lecciones de los recorridos ya hechos, la problematización inteligentemente formulada por los autores a ambos procesos y el reconocimiento de que su resolución es precondición esencial para el despegue o el fortalecimiento de otros procesos en los campos político, económico y social, constituyen argumentos sólidos para impulsar nuevos esfuerzos que traten de evitar errores ya reconocidos.

Los internacionalistas hacen un valioso aporte en la contextualización de la situación y la problemática nacional en las intrincadas y cambiantes coordenadas del mundo contemporáneo.

Hugo Fazio introduce la caracterización de la coyuntura internacional post guerra fría, destacando la conformación de bloques subregionales, el primado de la economía y del mercado, la transnacionalización, la globalización y las aperturas. Destaca la débil presencia y participación de América Latina en ese orden globalizado y el carácter premonitorio de la crisis mexicana de finales del 94. Termina con un interrogante no resuelto ni por los políticos ni por los economistas del modelo: ¿cómo conjugar estas políticas con más equidad, con el agravante de que hasta ahora la brecha en lugar de disminuir se ha aumentado?

Los tres trabajos siguientes tienen en común la temática de Colombia y el Movimiento de los No Alineados, pero en dosis y con enfoques distintos. Es preciso señalar que el año pasado Colombia fue sede de la XI Cumbre de dicho Movimiento y que el actual Presidente de la República desempeña (?) desde entonces la Presidencia del Movimiento.

Socorro Ramírez, experta en el tema, describe con precisión las razones históricas, culturales y político-económicas que motivaron tanto la ausencia inicial de América Latina y El Caribe del Movimiento, como su escaso acercamiento posterior. Identifica los principales interrogantes actuales sobre el sentido y el papel del Movimiento en la actualidad y advierte el hecho de que la crisis política nacional y del gobierno del Presidente Samper puede contribuir tanto a disminuir notablemente las posibilidades de acción de los NOAL como a desalentar la participación de algunos países de la Región que estaban a la espera del desempeño colombiano en la Presidencia del Movimiento.

Juan Gabriel Tokatlian explora las metas y métodos de la política exterior contemporánea de Colombia. Presenta su tesis de la rehegemonización de los Estados Unidos en América Latina y El Caribe desde los ochenta - categoría asumida también por Fazio y Ramírez -. Formula la validez y vigencia de un Neo-No Alineamiento, cuyos lineamientos esboza. Conviene anotar que los hechos ya han superado una de las aspiraciones del autor en el sentido de que la presidencia por parte de Colombia de los NOAL pudiera contribuir para trazar una estrategia mejor hacia los Estados Unidos. Un Presidente del País y de los NOAL debilitado internamente por procesos aún inconclusos y por interrogantes no resueltos con la absolución de la Cámara de Representantes, y puesto en el ojo del huracán por la radicalización de la posición de los Estados Unidos en ejercicio pleno de su nueva hegemonía, más parece un obstáculo que un facilitador de nuevas relaciones y estrategias.

Alvaro Tirado, de manera muy didáctica y a raíz de la celebración de los cincuenta años de la Organización, hace una síntesis de la historia, estructura, dinámica y encrucijadas actuales de las Naciones Unidas y de las posiciones y el papel que ha jugado Colombia. En su concepto la Organización puede tener su *segunda juventud*, pero advierte los nudos problemáticos que enfrenta. Introduce una discusión sobre dos temas de especial relevancia internacional y de gran sensibilidad en el país: la injerencia humanitaria y el sentido actual de la soberanía nacional.

En mi trabajo sobre Violencia y Salud en Colombia trato de contextualizar el problema. Destaco el incremento de las diferentes formas de violencia, en especial lo que puede considerarse una verdadera epidemia de homicidios. LLamo la atención sobre la cotidianidad de la violencia, hasta el punto de plantear que estamos empezando a vivir un *orden violento*, y sobre los problemas del sicariato, los *desechables* y las masacres. Presento algunas consideraciones sobre los costos económicos, en años de vida perdidos y en calidad de vida, y señalo los límites y posibilidades del sector salud para contribuir al enfrentamiento social del problema.

Luis Guillermo Vasco hace varios recorridos por el mundo de las minorías étnicas del país: indígenas y negros o afrocolombianos. Textualmente desenmascara el discurso de las élites bipartidistas e incluso de reconocidos intelectuales sobre las etnias. Contrasta la retórica y aún la nueva legalidad constitucional con las prácticas persistentes y con las nuevas formas de despojo territorial, saqueo y negación de su pensamiento y su cultura. Enriquece la discusión con diferentes elementos de las culturas indígenas: *todos no somos los mismos, la tierra y su riqueza es de nosotros y de ustedes también,* como filosofía alterna a la expropiación y el aniquilamiento. Sin populismos constata los problemas y contradicciones al interior de las etnias y en las relaciones interétnicas.

Florence Thomas hace una madura disertación sobre el desarrollo y el papel de la mujer en este siglo. Se detiene en el caso colombiano, en especial a partir de 1950, señalando el ingreso de la mujer al mercado laboral y a la educación formal, la disminución de las tasas de fecundidad, el surgimiento de movimientos de mujeres y el reconocimiento por parte de la Constitución de 1991 de la mujer como sujeto de derecho. Identifica algunos de los nuevos marcadores de la feminidad y advierte los costos y los conflictos de los cambios hacia el nuevo paradigma. En su conjunto estos tres trabajos permiten identificar tres de los núcleos duros y trascendentes de la crisis nacional: la no asunción de la diversa identidad étnica, el crónico sometimiento y subvaloración de la mujer, y la sustitución de casi todas las formas de resolución de conflictos por una extrema: la violencia.

Cierran el libro dos trabajos relacionados con la crisis política actual. Alejandro Reyes arriesga hipótesis y propuestas. Considera la crisis actual como evidencia de la quiebra del sistema liberal de representación del poder, cuyo deterioro había provocado anteriormente la sustitución de la política por la guerra. Presenta tres dimensiones de la crisis: crisis de legitimidad, de gobernabilidad y de credibilidad. Se extiende en su principal campo de investigación actual: la expansión de la propiedad de tierras en manos de las mafias en regiones estratégicas, su significado, su impacto en costos y productividad, la penetración de esta riqueza en todos los actores de la guerra y la configuración y actuación del paramilitarismo. Ve posible que la no resolución de la crisis precipite la guerra civil y plantea como esencial para la resolución la reconstrucción del poder del Estado.

Por su parte Fernando Cepeda aporta una crónica en caliente de los capítulos más recientes de la actual crisis política, hilvanando la trama, describiendo actores, relacionando eventos, formulando interrogantes. Lo advirtió y es bueno resaltarlo: no es una propuesta analítica ni pretende una reconstrucción completa de los acontecimientos. Es un aporte ágil y muy valioso, formulado desde una ilustrada óptica particular para contribuir a orientarse en el laberinto. Sin duda será material de consulta obligada para las elaboraciones que, desde varias ópticas y ya en frío, habrán de formularse para entender e interpretar la mayor crisis política de la historia reciente del país. En ambos trabajos queda claro que el problema narco no es la raíz histórica de todos los problemas nacionales. Pero que sí está en la substancia de la crisis actual. Y uno puede entonces pensar si no estaremos perdiendo un costoso y escaso momento de verdad para asumir nacionalmente y proponer en el escenario internacional un enfoque del problema narco - producción, distribución, comercialización y consumo de sustancias sicoactivas - y un conjunto de alternativas que trasciendan tanto el prohibicionismo neointervencionista de los Estados Unidos como el pretendido e insostenible ocultamiento colombiano y la doble moral de todos. Sería un paso realmente histórico y un aporte a la humanidad en la socialización y resolución de un problema que nos está costando demasiado caro.

Inevitablemente faltan en la obra muchas caras de la Colombia Contemporánea. Es obvio que también falte la perspectiva que dan temporalidades mayores en la apreciación y el juicio históricos. Otros trabajos ya han descrito - y continuarán haciéndolo - las caras no incluidas. Y desde otro tiempo futuro se mirará más panorámicamente a estos hechos cuando ya no sean contemporáneos. Quedan aquí algunos perfiles de lo que somos y un aporte para la construcción de lo que queremos llegar a ser.

Saúl Franco Agudelo
Editor.

Santa Fe de Bogotá, D.C., agosto de 1996.

I
Conflicto armado y derecho internacional humanitario en Colombia

Juan Gabriel Gómez Albarello

Para Hernando Valencia Villa,
procurador de los derechos humanos.

"Qué importa la batalla de Junín si es una gloriosa memoria, una fecha que se aprende para un examen o un lugar en el atlas, la batalla es eterna y puede prescindir de la pompa de visibles ejércitos con clarines; Junín son dos civiles que en una esquina maldicen a un tirano, o un hombre oscuro que se muere en la cárcel".

Jorge Luis Borges

El conflicto armado colombiano es una de las pocas guerras irregulares que todavía persisten en el mundo. Para la Colombia urbanizada aceleradamente en la última mitad de siglo, el conflicto armado tiene la apariencia de un atavismo, de un pesar crónico que arrastramos pesadamente y miramos por televisión, y que, esporádicamente, interrumpe la marcha cotidiana con alarma e indignación. Pero más que un atavismo, esta guerra irregular tiene raíces en conflictos sociales no resueltos como el conflicto por la tierra y sigue imponiendo límites a la ampliación y profundización de la democracia y, también, a no negarlo, a la buena marcha de los negocios, al crecimiento de la economía tanto como a su reforma. Distinta de otras guerras, en el devenir del conflicto armado colombiano se tejen inextricables juegos de alianza y convivencia de los actores armados y de diversos sectores de la sociedad. Por ello, éste siempre suscita preguntas difíciles de resolver acerca de su propia lógica, así como sobre el Estado y la sociedad que se ven atravesados por él.

Durante los últimos años, el reclamo de poner fin al conflicto armado sirvió para iluminar el horizonte de la paz y para reformar la esfera política. Ese mismo reclamo también ha puesto de presente la urgencia de humanizarlo, de acotarlo. Esta es la urgencia de las víctimas que precisan alivio, pero es también la esperanza todavía frustrada de relativizar las enemistades para poner en la mesa de negociación, de una vez por todas, a los actores de la guerra. El conflicto armado y el derecho internacional humanitario son, por todo esto, un tema de la Colombia contemporánea, un referente obligado para la discusión, una cuestión que requiere comprensión y, desde luego, voluntad.

El propósito de estas páginas es ofrecer una mirada crítica sobre la guerra irregular colombiana y los frustrados intentos por regularizarla. Tres son los puntos sobre los cuales concentraré mi exposición: en el primero haré una presentación de los orígenes y evolución del conflicto armado; en el segundo, examinaré su estado actual; finalmente, me concentraré en la larga y difícil recepción del tema del derecho internacional humanitario en Colombia, así como de las dificultades de su aplicación.

1. Un poco de historia

El conflicto armado se ha extendido sobre el espacio nacional tanto como sobre su tiempo. Tiene como trasfondo largas querellas sectarias y un continuo uso de la violencia como medio político. Esto no deja de ser inquietante en un país que se precia de tener una larga tradición democrática, o al menos, una tradición de gobiernos que se han sucedido mediante procesos electorales. Quisiera comenzar mi reflexión sobre el tema abordando estas dos cuestiones, indagando sobre las líneas continuas y discontinuas de la violencia política y sobre la relación existente entre el surgimiento de las guerrillas y el carácter de la democracia colombiana. Sobre esta base, presentaré luego una periodización del desarrollo del conflicto armado.

La continuidad y discontinuidad de la violencia política

Las guerras no son nada nuevo en Colombia. Basta examinar la historia política y constitucional del siglo XIX: casi todas las Constituciones de la época fueron, como lo señalara Hernando Valencia Villa, cartas de batalla, la afirmación simbólica de los vencedores sobre los vencidos en las guerras civiles[1]. El mismo siglo XX surgió bajo la égida violenta de la *Guerra de los Mil Días*, y la mitad de la centuria se conmovió con esa guerra civil no declarada a la que llamamos *la Violencia*, la que para Eric Hosbawm representó "la mayor movilización armada de campesinos (...) en la historia reciente del hemisferio occidental (...)"[2]. La guerra irregular de hoy tiene su origen en los años siguientes a este último enfrentamiento. Por eso no resulta vano preguntar si esta guerra irregular tiene algo que ver con las del pasado, si hay o no líneas de continuidad en los surcos de la violencia política.

El conflicto armado ha tenido como protagonistas a guerrillas comunistas formadas, en su mayoría, a la sombra de la revolución cubana, en los años sesenta. Un examen comparado de la experiencia latinoamericana indica que su surgimiento no tuvo nada de particular. En muchos países del hemisferio la izquierda participó de la euforia insurgente de la época[3]. En este momento de la historia está situado el origen de varias de nuestras guerrillas: el Movimiento Obrero, Estudiantil y Campesino (MOEC) surgió en 1961, el Ejército de Liberación Nacional (ELN) en 1965 y el Ejército Popular de Liberación (EPL) en 1967. En sus motivación y propósitos, estas guerrillas se diferenciaban profundamente de las guerrillas liberales que se enfrentaron al gobierno conservador en la década anterior, así como de las autodefensas comunistas y de las bandas que se formaron durante *la Violencia*.

---

[1] Valencia Villa, Hernando. *Cartas de batalla. Una crítica del constitucionalismo colombiano.* CEREC-Instituto de Estudios Políticos y Relaciones Internacionales de la Universidad Nacional, Bogotá, 1987.

[2] Hosbawm, Eric. *Rebeldes primitivos* (1959). Ariel, Barcelona. 1974, p 264.

[3] Cfr. Wickham-Crowley, Timothy P. *Guerrillas & Revolution in Latin America. A comparative study of insurgents and regimes since 1956.* Princeton University Press, Princeton, 1993.

No obstante, de inmediato aparecen líneas de continuidad entre esa *Violencia* y el conflicto armado. En primer lugar, la liga guerrillera estuvo integrada en Colombia desde sus inicios por uno de esos cuerpos de autodefensa, las Fuerzas Armadas Revolucionarias de Colombia (FARC), quienes se convirtieron en insurgentes en 1964. Se trata de un hecho excepcional en el panorama insurgente latinoamericano. En segundo lugar, cada una de las nuevas guerrillas de los sesenta buscó los apoyos y la experiencia de guerrilleros liberales de *la Violencia*, e incluso se sirvió de sus antiguos escenarios. En tercer lugar, esta temprana vocación por la lucha militar revolucionaria de la izquierda colombiana apareció enmarcada y teñida del mismo sectarismo e intolerancia propios de los enfrentamientos entre liberales y conservadores. La retórica de las enemistades construida por los guerrilleros y por el establecimiento (el señalamiento de los *enemigos de clase*, por los unos y del *enemigo interior* -bajo el modelo doctrinario de la Seguridad Nacional-, por el otro), recuerda el gesto y la entonación de las antiguas querellas partidistas[4]. La guerra irregular que hoy se libra en suelo colombiano tiene, pues, como trasfondo histórico sectarismo y violencia política. Aquí no se agotan las líneas de continuidad. El conflicto armado colombiano de hoy arrastra la carga de conflictos sociales no resueltos tales como el conflicto por la tierra[5]. Este era uno de los sustratos de la movilización campesina durante *la Violencia* y constituye una de las reivindicaciones históricas que dan identidad a uno de los grupos guerrilleros más importantes: las FARC.

Los orígenes del conflicto armado y la democracia colombiana

¿Fue el surgimiento de estas guerrillas una respuesta al carácter limitado de la democracia colombiana? Este ha sido uno de los tópicos del debate sobre el conflicto armado. Eduardo Pizarro y

---

4 Malcom Deas ha tenido el mérito de subrayar esta cuestión en su ensayo *Canjes violentos: reflexiones sobre la violencia política en Colombia*. Cfr. Deas, Malcom; Gaitán, Fernando. *Dos ensayos especulativos sobre la violencia en Colombia*. FONADE-Departamento Nacional de Planeación, Bogotá, 1995, pp 29 ss.

5 Cfr. Sánchez Gómez, Gonzalo. *Guerra y política en la sociedad colombiana*. El Ancora, Bogotá, 1991.

William Ramírez dieron una respuesta positiva a esa pregunta[6]. Sin embargo, observadores foráneos han cuestionado severamente la consistencia de una estrategia explicativa de esta clase. Daniel Pécaut y Malcom Deas han insistido en el hecho de que las limitaciones impuestas a la oposición política durante el Frente Nacional (1958-1974, época durante la cual surgieron las guerrillas) no le dieron al régimen colombiano el carácter excluyente y cerrado que le han imputado sus críticos[7]. Tales limitaciones habrían restringido el campo de la acción política legal, pero nunca al grado de dejar como única alternativa la lucha armada. Esta afirmación la sustentan al realizar un ejercicio comparativo, al poner de presente que la democracia colombiana ha estado lejos del carácter excluyente de los regímenes militares conocidos durante los sesenta y setenta en el resto del continente latinoamericano.

En su último libro *Insurgencia sin revolución* Pizarro le ha dado un nuevo giro al debate al señalar que la aparición de las guerrillas está vinculada primariamente a la decisión subjetiva de ciertos grupos de levantarse en armas, clarificando, sin embargo, que dicho levantamiento estaba asociado a la percepción de éstos de que el régimen colombiano era un régimen autoritario[8]. En el contexto actual de la discusión, creo que se olvida que actores políticos de diferente coloratura coinciden en el mismo diagnóstico: la precariedad y estrechez del régimen democrático ha sido una de las causas y de los principales alimentos de la rebeldía. En efecto, líderes de los partidos tradicionales, en diversos momentos, también han explicado el surgimiento de las guerrillas en función de las limitaciones de la democracia colombiana. Por eso en 1982, en 1989 y en 1990, Betancur, Barco y Gaviria, respectivamente, pro-

---

[6] Cfr. Pizarro, Eduardo. "Democracia restringida y desinstitucionalización política", en Medellín, Pedro (compilador). *La reforma del Estado en América Latina.* FESCOL, Bogotá., 1989; Ramírez, William. *Violencia y Democracia en Colombia,* en Ramírez, William. *Estado, Violencia y Democracia.* Tercer Mundo-Instituto de Estudios Políticos y Relaciones Internacionales de la Universidad Nacional, Bogotá, 1990.

[7] Cfr., Pécaut, Daniel. "Colombia: violencia y democracia", en *Análisis Político* No 13, 1991; Deas, Malcom. *Canjes violentos: reflexiones sobre la violencia política en Colombia.* Op. cit.

[8] Cfr. Pizarro, Eduardo. *Insurgencia sin revolución. La guerrilla en Colombia en una perspectiva comparada.* Tercer Mundo-Instituto de Estudios Políticos y Relaciones Internacionales de la Universidad Nacional, Bogotá, 1995, p 118.

movieron profundas reformas políticas con el fin de dar una respuesta civil al desafío guerrillero. La interpretación del fenómeno guerrillero por parte de los últimos presidentes no es presa del argumento de Ramírez y Pizarro: al contrario, lo valida. Y de este ejercicio hermenéutico no dan cuenta Deas y Pécaut. En efecto, de izquierda a derecha se pregona o se admite que el Frente Nacional sirvió para detener la violencia entre los partidos tradicionales, pero al costo de hacer el régimen impermeable a las demandas populares. La falta de canales institucionales adecuados para la expresión de la inconformidad y para poner en marcha la reforma del orden económico y social proporcionó un contexto favorable a la lucha revolucionaria. Por ello, creo que puede seguirse vinculando el surgimiento de las guerrillas al carácter restringido, limitado de nuestra democracia.

Etapas del conflicto armado

Las guerrillas nacidas durante los años sesenta correspondían en buena medida a un proyecto de modernización revolucionaria, que interpelaba privilegiadamente a los marginados del proyecto de modernización económica de las élites: los campesinos. Los intelectuales revolucionarios se propusieron en un comienzo asediar el capitalismo colombiano desde el mundo rural. Combinación de todas las formas de lucha, en las FARC; foco revolucionario, en el ELN, o guerra popular prolongada, en el EPL, todas las estrategias guerrilleras tenían como columna vertebral a los campesinos. Estuviesen orientadas hacia la participación política o hacia la sustitución completa del orden social mediante la violencia, todas arrancaban del mismo substrato telúrico. Quizá en este carácter original esté una de las razones que expliquen la marginalidad de la guerrilla respecto de la vida política nacional entre 1965 y 1980. El mensaje guerrillero apareció dislocado de la agitación popular urbana. Por lo demás, ese carácter marginal se vio agravado por el hecho de que, a finales de los sesenta y comienzos de los setenta, la respuesta militar del establecimiento logró neutralizar los primeros intentos de consolidación guerrillera en varias regiones campesinas[9]. Además, los cismas y pur-

---

[9] En 1968 y 1969, las fuerzas armadas realizaron varias operaciones en el departamento de Córdoba con las cuales estuvo a punto de aniquilar completamente al EPL. En 1973, todo el aparato militar del ELN fue destruido en una operación del ejército en el Nordeste antioqueño, la operación *Anorí*.

gas internas de las guerrillas durante esas décadas sumieron a los insurgentes en una profunda crisis interna[10]. Durante los setenta, por sustracción de materia, el conflicto armado tuvo poco de conflicto.

Los rebeldes volvieron a levantar cabeza en los años ochenta. Ello se explica por varias razones. En primer lugar, el triunfo de los sandinistas en Nicaragua revivió las esperanzas de toma del poder mediante la revolución. En segundo lugar, el agotamiento de la terapia represiva aplicada por el gobierno de Turbay (1978-1982) a la oposición política y a la protesta social, dejó en evidencia la precaria legitimidad del régimen político colombiano. Había pues en el contexto nacional e internacional factores favorables a la rebelión. En tercer lugar, la guerrilla encontró en el secuestro y, posteriormente, en la protección de cultivos ilícitos y en la extorsión a empresas petroleras, una fuente inagotable de recursos con la cual recreó y fortaleció su aparato militar[11]. Finalmente, en esos años, la guerrilla descubrió su capacidad para convertirse en un interlocutor político de carácter nacional.

El *descubrimiento* de la política fue obra de una guerrilla nueva: el M-19. El M-19 corresponde a lo que Pizarro ha llamado "segunda generación" guerrillera[12]: este era un movimiento armado ale-

---

[10] Refiriéndose a esta etapa, en la cual las diferencias internas se resolvían con fusilamientos, Ernesto Rojas, líder del EPL dijo: "(...) fue la más oscura. Nuestro principal mérito fue habernos mantenido, no haber desaparecido". Cfr. Rojas, Ernesto. "El Ejército Popular de Liberación", en Behar, Olga. *Las guerras por la paz*. Planeta, Bogotá. Tercera edición, 1986, p 48. Un fenómeno similar se registró en las del ELN, marcado por las purgas desde sus comienzos. Como lo dijera uno de sus antiguos integrantes, Jacinto Ruiz, las condiciones de aislamiento político del ELN contribuyeron a que se recurriera a una metodología de señalamiento, de contradicciones y de manejo violento de las mismas", citado por Villarraga S, Alvaro; Plazas N., Nelson. *Para reconstruir los sueños. Una historia del EPL*. Colcultura-Progresar-Fundación Cultura Democrática, Bogotá, 1994, p 32.

[11] El peso del secuestro en el crecimiento de la guerrilla como instrumento privilegiado de financiación dio lugar a que Gonzalo Sánchez lo llamara el mecanismo de "acumulación primitiva de la guerrilla". Cfr., Sánchez Gómez, Gonzalo. "Guerra y política en la sociedad colombiana", en *Análisis Político* No 11, 1990.

[12] Pizarro, Eduardo. "La insurgencia armada: raíces y perspectivas", en Sánchez, Gonzalo; Peñaranda, Ricardo (compiladores). *Pasado y presente de la violencia en Colombia*. Segunda edición. CEREC, Bogotá, 1991, p 398. A esta misma generación corresponden el movimiento urbano Autodefensa Obrera (ADO), el Partido Revolucionario de los Trabajadores (PRT) y el Movimiento Armado Quintín Lame, guerrilla de carácter indígena.

18

jado del doctrinarismo ideológico, que estaba orientado a la acción urbana. Estos nuevos guerrilleros hicieron del fraude electoral consumado en 1970 el motivo declarado de su alzamiento[13]. Así, levantaron de nuevo el tema del carácter restringido de la democracia colombiana. En 1980, y después de otras acciones espectaculares como el robo de la espada de Bolívar o la ejecución del líder sindical Mercado acusado de traicionar a la clase obrera, al secuestrar al grueso del cuerpo diplomático acreditado en Colombia, el M-19 le exigió al gobierno la concesión de una amnistía y la realización de un *diálogo nacional* para ponerle fin al conflicto armado. De esta forma adquirió un reconocimiento público sin precedentes y relanzó políticamente el sentido de la insurgencia.

El gobierno de Belisario Betancur (1982-1986) dio respuesta al desafío guerrillero formulando una propuesta de paz. El experimento de diálogos con las FARC, el M-19 y el EPL -las organizaciones que aceptaron la oferta-, no tuvo mayores frutos dada la falta de voluntad real de paz de los insurgentes, así como de la clase política, las élites económicas y las fuerzas armadas. A la sombra de los diálogos se consolidaron dos procesos: por una parte, los guerrilleros aprovecharon el espacio político para solidificar su presencia política y militar en varias regiones. Los años del proceso de paz fueron testigos de un crecimiento sin precedentes de las fuerzas guerrilleras[14]; por otra, sin el amparo legal para la represión que tuvieron con el gobierno de Turbay, las fuer-

---

[13] En la elección presidencial realizada ese año, el General Rojas Pinilla, candidato de la Alianza Nacional Popular (ANAPO), movimiento de carácter populista, fue derrotado por el candidato conservador Misael Pastrana Borrero. La suspensión de la transmisión de los resultados parciales de las elecciones el mismo día de la votación puso en evidencia la decisión del gobierno de impedir el triunfo de un movimiento político no controlado por los partidos tradicionales.

[14] En 1982, las FARC duplicaron su número de frentes: pasaron de nueve a dieciocho, y a finales de la década de los ochenta contaban ya con cincuenta; el ELN, que capitalizó el rechazo de algunos sectores radicales al proceso de paz, contaba ya en 1984 con nueve frentes; el EPL, después de un proceso de *rectificación* que los condujo a abandonar el maoísmo y a insertarse en las luchas sociales de los trabajadores agrícolas -especialmente en la región de Urabá-, tenía ya ese mismo año otros nueve frentes; y el M-19, había aumentado sus frentes a catorce. Según cálculos del General Fernando Landazábal Reyes, las FARC tenían en 1984 ,12.260 combatientes; el ELN, 2.510; el EPL, 600 y el M-19, 895 combatientes; citado por Pécaut, Daniel. *Crónica de dos décadas de política colombiana 1968-1988*. Siglo XXI, Bogotá, 1989, pp 390.

zas armadas apoyaron la constitución de grupos paramilitares. Dichos grupos dirigieron sus acciones hacia quienes presumiblemente constituían la base social de la guerrilla o hacían las veces de portavoces políticos de los insurgentes. Con el fracaso de los diálogos de paz a finales de 1985[15], el conflicto armado entró en una fase de escalada, interrumpida parcialmente en 1990 y 1991.

Para el conflicto armado vale la idea según la cual el desarrollo de un juego depende no solamente de sus reglas sino también del tipo y consistencia de los jugadores. En la segunda mitad de los años ochenta, el ejército se enfrentó a una guerrilla con mayores recursos económicos, con un aparato militar más fuerte, que se extendía a varias regiones del país. Pero al enfrentamiento concurrió con los grupos paramilitares, cuyo accionar fue respaldado por narcotraficantes que habían invertido su dinero en la compra de grandes extensiones de tierras, además de terratenientes locales de zonas controladas por la guerrilla. Esto permite entender por qué la violencia homicida de carácter político se intensificó notablemente a partir de 1986: el mayor número de víctimas ha correspondido al crecimiento cuantitativo y cualitativo de los victimarios. Desde 1988 hasta hoy, hay en Colombia cada día, en promedio, diez muertos por razones políticas[16].

Durante esta época, se hizo patente el carácter sectario y polarizado de las posiciones de los actores involucrados en el conflicto armado. No obstante, la sociedad colombiana no se polarizó. Ello es explicable en buena medida por la difusión de la violencia en la sociedad. La violencia política y no política se han interferido sistemáticamente[17]. Esta es una de las principales razones por las cuales el conflicto armado colombiano nunca ha alcanzado a convertirse en la piedra angular de la política nacional.

---

[15] Dicho fracaso se consumó en noviembre 1985 con la doble toma del Palacio de Justicia por parte del M-19 y del Ejército, y con el asesinato del líder del EPL, Oscar William Calvo.

[16] Cfr. Comisión Andina de Juristas, Seccional Colombiana. *Las ilusiones perdidas. Panorama de derechos humanos y derecho internacional humanitario en Colombia 1992*. Comisión Andina de Juristas Seccional Colombiana, Bogotá, 1992.

[17] Cfr. Pécaut, Daniel. *Crónica de dos décadas de política colombiana 1968-1988*. Siglo XXI, Bogotá, 1989, p 34.

La realización de diálogos de paz entre el gobierno y el M-19, y la posterior desmovilización de este grupo a comienzos de 1990 interrumpió parcialmente la dinámica de escalada del conflicto armado. A la desmovilización del M-19 siguió la del Partido Revolucionario de los Trabajadores (PRT) a finales de ese mismo año, y la del EPL y el Movimiento Armado Quintín Lame en 1991. La interrupción de la escalada fue parcial dado que sólo una parte del movimiento insurgente estuvo dispuesta a encontrar en la reforma política y en la acción civil legal su horizonte de lucha. Los diálogos realizados por el gobierno con las FARC, el ELN y la disidencia del EPL en 1991 y 1992 fracasaron. Fue claro que estas dos guerrillas no estaban dispuestas a abandonar su proyecto de sustitución del orden social.

Desde ese momento hasta ahora hemos entrado en un nuevo ciclo de la confrontación armada. Este ciclo estuvo presidido por la puesta en marcha de ofensivas y contraofensivas, con magros resultados para cada una de las partes. En el polo insurgente se desató un proceso de removilización política y militar. Antes, durante y después de los diálogos con el gobierno, desplegaron todo su arsenal político y militar: político, puesto que aprovecharon el escenario de las negociaciones para convencer a la opinión pública de la justicia de la causa rebelde; militar, puesto que el número de combates y actos de sabotaje aumentó considerablemente. En ese momento, la guerrilla consideró que podía encontrar en los efectos sociales excluyentes de la política económica del gobierno de César Gaviria el caldo de cultivo adecuado para promover un colapso del gobierno. Sin embargo, subestimó otros factores tales como la pérdida de legitimidad de la lucha revolucionaria (después del derrumbe del Bloque Socialista y la profunda reforma a la institución política colombiana operada con la convocatoria a la Asamblea Nacional Constituyente y la promulgación de la nueva Constitución); y, la respuesta militar del gobierno.

Después del fracaso de los diálogos de paz en 1992, el gobierno declaró la llamada *guerra integral* a la guerrilla. En noviembre de ese año, el Ministro de Defensa de entonces, Rafael Pardo, anunció que los insurgentes serían derrotados en dieciocho meses. Para ese entonces, el gobierno reorientó la acción de las fuerzas armadas sobre la base de tres componentes: el aumento del presupuesto y la profesionalización de las fuerzas militares, la constitución de unidades móviles[18] y la modernización de los organismos de inteligencia[19].

Cumplido el plazo a finales del gobierno de Gaviria sin que el accionar guerrillero hubiese sido menguado considerablemente, la idea de buscar una solución política al proceso de paz se abrió paso de nuevo. En 1994, el recién elegido presidente Samper presentó una oferta generosa de negociación a los insurgentes. La actitud vacilante y reticente frente a temas tales como el derecho internacional humanitario -en el caso del ELN- o en la elección y las condiciones del sitio para el primer encuentro -en el caso de las FARC-, hizo visible la falta de voluntad de paz de los insurgentes. Desde luego, el fracaso del proceso de paz también es atribuible a la debilidad e incoherencia del gobierno en materias tales como el tratamiento a los grupos paramilitares, así como por las resistencias de las fuerzas militares a cualquier concesión a la guerrilla. Así, la guerra irregular colombiana ha seguido. ¿En qué estado se encuentra hoy por hoy?

2. El estado actual del conflicto armado

Para caracterizar sintéticamente el estado actual del conflicto armado, se le puede comparar con un juego que representa y posee el sentido de lo bélico: el ajedrez. En efecto, la guerra irregular colombiana puede ser vista como una partida en la cual los juga-

---

[18] La necesidad de fortalecer la movilidad del ejército fue una de las lecciones de la guerra de guerrillas en El Salvador. La formación de unidades móviles le permitió al ejército salvadoreño romper la capacidad ofensiva del Frente Farabundo Martí para la Liberación Nacional (FMLN), obligando a éste a desconcentrar sus fuerzas en pequeñas unidades. Las ofensivas de noviembre de 1989, cuando el FMLN ocupó San Salvador, y la de finales de 1990, fueron los únicos momentos en los cuales las guerrillas salvadoreñas volvieron a concentrar sus fuerzas. En la reformulación de la estrategia militar en El Salvador incidió notablemente el "Informe Kissinger", divulgado a principios de 1984. En este informe se cuestionaba el hecho de que las tres cuartas partes del ejército salvadoreño estuviesen en posiciones defensivas y fijas. Cfr. Benítez Manaut, Raúl. "Guerra e intervención norteamericana", en Benítez, Raúl y otros. *El Salvador. Guerra, política y paz (1979-1988)*. CINAS-CRIES, San Salvador, 1988.

[19] Presidencia de la República. *Seguridad para la gente. Segunda fase de la Estrategia Nacional contra la Violencia*. Presidencia de la República, Bogotá, octubre de 1993.

dores cuentan todavía con una amplia gama de jugadas. Si estuviesen en tablas, ya se habrían sentado a negociar la paz. Sin embargo, se trata de un juego en el cual hay más de dos adversarios y, en el que la composición de cada uno es plural. Cada jugador es, en realidad, un conjunto de jugadores. Esto hace mucho más compleja la partida puesto que la estrategia de cada jugador es interferida no sólo por los diversos rivales sino también por los miembros del propio equipo[20]. Son jugadores las guerrillas, los paramilitares, las fuerzas armadas y el gobierno, tanto como otros actores legales e ilegales como los partidos políticos, los narcotraficantes, los terratenientes tradicionales y los campesinos.

Para concluir el símil, podría decirse que esta guerra tiene la forma de un tablero con múltiples dimensiones o, si se quiere, de un tablero que contiene a su vez otros tableros. Por un lado, las batallas se libran en el espacio y en el tiempo. En el espacio, las guerrillas juegan a expanderse en todas las regiones del país; y los militares y paramilitares, juegan a limitar esa expansión recuperando territorios, constituyendo *zonas liberadas* de la guerrilla. Y el tiempo se juega una batalla crucial justamente porque un rasgo particular de la guerra irregular, más que cualquier otra guerra, es la de ser un juego de *desgaste*[21]. Por el otro lado, el conflicto armado como juego a la vez militar, político, social, económico y regional tiene por ello una estructura de pagos compleja. Los resultados positivos en cada una de las dimensiones podrían ser acumulados para provocar el colapso del contrario o para obligarlo a deponer su voluntad de lucha. Pero la nota dominante parece ser la de que los resultados positivos y negativos de cada jugador se equilibran de manera extraña asegurando su supervivencia:

---

[20] Opera en este último caso el fenómeno del *recuerdo imperfecto* descrito por la teoría de juegos: dado el carácter descentralizado de la toma de decisiones, un jugador puede no estar adecuadamente enterado de sus propias jugadas anteriores. Cfr. Shubik, Martin. *Teoría de juegos en ciencias sociales. Conceptos y soluciones* (1982). Fondo de Cultura Económica, México, 1992, p 45.

[21] Un *juego de desgaste* es aquel en el cual "cada jugador tiene ciertas cantidades de tipos distintos de armas u otros artículos; cada *combate* ocasiona que cierto número de éstos se pierdan o sean capturados, dependiendo de las elecciones estratégicas y tal vez del azar. Puede haber o no un ciclo de remplazo (sic), y el juego puede continuar hasta que uno de los jugadores sea aniquilado. El resultado puede ser ganar-perder, o el pago puede depender del número de supervivientes". Shubik, Martin. *Teoría de juegos en ciencias sociales. Conceptos y soluciones*. Op. cit., p 65.

así, de un lado, aislada políticamente en el escenario nacional, mediante los abundantes recursos económicos, la guerrilla se fortalece militarmente y adquiere una gran preeminencia en la política local de varias regiones del país; de otro lado, el gobierno y las fuerzas armadas, con legitimidad en el plano nacional, no son capaces de revertir a su favor el control que las guerrillas tienen de muchas zonas.

Creo que esta imagen es adecuada para iluminar inicialmente el carácter complejo del estado actual del conflicto armado. A continuación, quisiera aludir específicamente a varios elementos: en primer lugar, al grado de equilibrio alcanzado por las partes y al efecto que esto ha tenido en el sentido del accionar guerrillero; en segundo lugar, a los factores contextuales que avivan la continuación del conflicto armado; en tercer lugar, los costos de la confrontación en que seguimos envueltos los colombianos.

El estancamiento y la pérdida de racionalidad política nacional del conflicto armado

En Colombia las guerrillas no han alcanzado el grado de capacidad militar que les permita enfrentar en una amplia escala a las fuerzas armadas. Los insurgentes han podido durante largo tiempo neutralizar las acciones del ejército dirigidas a destruir sus fuerzas y a arrebatarles el control que tienen en algunas regiones. Pero aún en aquellas donde las guerrillas tienen un alto grado de poder político-militar no sólo no han podido asestarle al ejército derrotas contundentes sino que es claro que su estrategia no es la de atacar u hostigar continuamente al ejército. Entre agosto de 1994 y agosto de 1995, durante el primer año de gobierno de Samper, se registró un total de 598 acciones bélicas (incluyendo además de combates, asaltos, emboscadas y tomas de poblaciones, otras acciones de menor envergadura tales como hostigamientos e instalación de retenes). Si este número se divide por el número de frentes de la guerrilla (60 de las FARC y 32 del ELN), el resultado puede sorprender: ¡cada frente, en promedio, sólo realiza entre seis y siete acciones bélicas al año![22]. Por supuesto es posible que

---

[22] Cfr. Centro de Investigación y Educación Popular (CINEP). *Estadísticas período Samper. Acciones bélicas y violaciones al derecho internacional humanitario*. Mimeo, 1995.

algunos puedan alegar que la capacidad militar de las guerrillas no se ve reflejada en el número de combates pues éste es un indicador inapropiado para un conflicto armado interno en el cual las acciones de las guerrillas comprenden un alto número de sabotajes. Pero en este caso no nos debemos llamar a engaños: tales acciones representan un incremento artificial de la capacidad militar de las guerrillas pues son dos cosas muy distintas atacar una patrulla militar y dinamitar una torre de energía eléctrica. Lo cual no implica negar el alto poder de perturbación que tienen las guerrillas o la capacidad que éstas tienen para neutralizar las ofensivas de las fuerzas armadas.

Vale la pena señalar que en una guerra de guerrillas el objetivo estratégico de los rebeldes es el de "reducir la fortaleza militar y política del poder gobernante al tiempo que aumentan la suya propia, hasta que la fuerza guerrillera se pueda organizar e instruir como un ejército regular capaz de derrocar al ejército del poder gobernante en el campo de batalla o provocar el colapso del poder gobernante (...)"[23]. Una observación similar fue realizada por Eric Hosbawm al analizar la guerra de guerrillas en Vietnam. Según Hosbawm la "limitación más decisiva de la guerra de guerrillas es que no se puede vencer hasta que se convierte en guerra *regular* (...)". Sin embargo, advierte, que "la auténtica fuerza de las guerrillas no reside en su capacidad para convertirse en ejércitos regulares capaces de derrotar a otras fuerzas convencionales sino en su poderío político". Esto es, en su capacidad de hacer su lucha "genuinamente nacional en carácter y en alcance territorial (...)"[24].

La experiencia de la revolución sandinista en Nicaragua, la única exitosa en América después de la revolución cubana, indica que el triunfo guerrillero sólo pudo darse bajo el supuesto del colapso del régimen y de una insurrección popular de carácter nacional. Fue bajo estas condiciones que los sandinistas pudieron

---

[23] Osanka, Franklin M. "Guerra de guerrillas", en *Enciclopedia de las Ciencias Sociales*, Volumen 5. Aguilar, Bilbao, 1974, p 296.

[24] Cfr. Hosbawm, Eric. "Vietnam y la dinámica de la guerra de guerrillas", en Hosbawm, Eric. *Revolucionarios. Ensayos Contemporáneos* (1973). Ariel, Barcelona. 1978, pp 241 ss.

romper la solidez del aparato militar estatal[25]. Si los sandinistas hubiesen invertido su accionar de manera principal en el incremento de su potencial bélico, el ejército habría hecho lo propio generándose un juego de escalada en la cual el último habría tenido siempre la ventaja. Antes bien, los sandinistas se sirvieron de la formación de un frente antidictatorial contra Somoza que vinculó a grupos sociales diversos. Aquí radica la limitación decisiva de las guerrillas colombianas. Sin negar el carácter restringido de la democracia en nuestro país, es cierto que la existencia de un régimen de elecciones competitivas, así como de ciertas garantías para la participación política para diversos grupos sociales es uno de los principales factores que le impide a las guerrillas convertir su lucha en *genuinamente nacional*. Su aislamiento político en el plano nacional le resta mucho de lo que puede ganar en otros planos[26].

En estas condiciones, considerando la capacidad que tienen en este momento ambas partes para neutralizar las acciones de sus oponentes, podría caracterizarse la situación actual del conflicto como de estancamiento. En el corto plazo ninguna de las partes

---

[25] Cfr. Benítez Manaut, Raúl. *La teoría militar y la guerra civil en El Salvador*. UCA, San Salvador. 1989, pp 159 ss. Esta misma observación vale para el caso de El Salvador donde el fracaso de la propuesta insurreccional del FMLN fue uno de los factores decisivos que condujeron al proceso de paz en ese país. Tal y como lo señalé hace algunos años, "en los análisis sobre los efectos de la Ofensiva Final del FMLN sobre San Salvador de noviembre de 1989, se ha tratado principalmente el tema del empate militar. Sin embargo, no se ha subrayado suficientemente el impacto político que tuvo sobre el FMLN el fracaso de su propuesta insurrecional. En efecto, el objetivo último de la ofensiva rebelde era desequilibrar al ejército para provocar una insurrección revolucionaria. Sin embargo, la población permaneció aterrorizada, lejos de las calles y los aparatos y centros de poder que debían ser tomados. Este hecho le mostró al FMLN que a pesar de su capacidad militar, estaban cerrados los caminos de la revolución. Si había dudas respecto de que la salida negociada al conflicto era la única, el reconocimiento dramático del fracaso de la propuesta insurreccional determinó el nuevo curso que siguió el FMLN". Cfr., Gómez Albarello, Juan Gabriel. "La construcción de la paz y la democracia en El Salvador. Un balance de los Acuerdos de Paz y su cumplimiento", en *Análisis Político* No 19, 1993.

[26] Sobre este punto, véase Pizarro, Eduardo. *Insurgencia sin revolución*. Op. cit., pp 2 ss. Timothy P. Wickham-Crowley ha propuesto entender el éxito o el fracaso de las guerrillas en función del grado del apoyo de los campesinos a los insurgentes, el poder militar de las fuerzas que se le oponen y la lealtad del conjunto de la población. (Cfr. Wickham-Crowley, Timothy. *Guerrillas & Revolution in Latin America*. Op. cit., p 51.). Es claro que las dos últimas condiciones no son, en nada, favorables a los insurgentes en Colombia.

cuenta con los medios para modificar el equilibrio militar relativo alcanzado en esta etapa. A pesar del aumento de recursos y de nuevos ordenamientos tácticos de sus fuerzas, ninguna de las partes ha logrado modificar la situación al grado de alcanzar una ventaja clara sobre su oponente, y no se ve en el futuro inmediato que puedan obtener una ventaja semejante. Vale la pena aclarar que con ello no se está diciendo que la capacidad de crecimiento político y/o militar de cada una de las partes esté estancada completamente. Pero es claro que hay una situación de estancamiento del conflicto reflejada en el hecho de que no se ven en el corto plazo las condiciones que le permitan a una de las partes obtener una amplia ventaja sobre su oponente.

Hoy como ayer, el campo es el principal y casi único escenario de la confrontación armada. El ELN y las FARC han tratado de urbanizar su lucha mediante la realización de atentados terroristas y la constitución de milicias urbanas. Sin embargo, éste es, hasta ahora, un componente marginal de sus acciones. Y en el campo, el enfrentamiento asume dos tipos básicos, casi opuestos: en las regiones en las cuales hay una fuerte disputa por el control territorial y político impera el terror. Cada una de las partes recurre sistemáticamente al terror para mantener su domino o quebrar el del rival. El mejor ejemplo de este tipo es Urabá. En esta región, tanto las FARC como los paramilitares, éstos últimos con la tolerancia de las fuerzas armadas, han recurrido a la realización de masacres para afianzar su poder político y militar. Por el contrario, en las regiones en las cuales no hay trabada una intensa disputa, entre unos y otros impera la ley del *live and let live*, del *vivir y dejar vivir*. Se trata de un equilibrio inestable que es sostenido tanto por los guerrilleros como por los militares presentes en dichas regiones. En medio del conflicto, se desarrolla una suerte de convivencia cooperativa en la que cada cual trata de minimizar los costos que se derivarían de atacar al contrario. Cada uno sabe que a sus ataques seguirían fuertes represalias y por ello hay un incentivo racional para abstenerse de emprender campañas ofensivas[27].

---

[27] Esta situación puede ser comparada con la singular convivencia que desarrollaron el ejército alemán y los ejércitos francés y británico en la primera guerra mundial. En la *guerra de trincheras* la estrategia óptima para cada lado fue abstenerse durante largo tiempo de atacar. Una interesante descripción de este fenómeno de cooperación en medio del conflicto se encuentra en el libro de Robert Axelrod, *La evolución de la cooperación. El dilema del prisionero y la teoría de juegos* (1982). Alianza Editorial, Madrid, 1984, pp 77 ss.

En sus variantes de terror concentrado y convivencia táctica, el efecto de la situación prolongada de estancamiento del conflicto armado sobre la lucha insurgente ha sido, sin duda, el de la modificación del sentido que a ella le atribuye el grueso de los guerrilleros. Se ha operado así un cambio profundo en los objetivos atribuidos por los comandantes guerrilleros, por un lado, y la amplia masa de combatientes por el otro: los primeros siguen pensando en la toma del poder, los segundos están insertados en una *forma de vida*, en una *cultura marginal*, tal como caracterizara recientemente William Ramírez a las FARC[28]. De esta forma, al decir de Hernando Valencia Villa,

> "Se ha producido entonces un tránsito de la guerra programática o revolucionaria, entendida como medio, a la guerra metodológica o insurreccional, entendida como fin, en la medida en que el alzamiento ya no apunta a una utopía socialista a través de la sustitución de la legitimidad establecida por una nueva y más alta legitimidad, sino más bien a una forma de vida que afirma la lucha armada por la lucha armada misma y que bien podría denominarse insurgencia crónica o delincuencia política endémica"[29].

Esta observación también vale para los miembros del ejército. En su interior conviven oficiales, suboficiales y soldados fuertemente motivados para combatir a la guerrilla, con otros que evitan sistemáticamente los enfrentamientos con los insurgentes. En suma, el estancamiento del conflicto armado lo ha desposeído de su racionalidad política nacional. La violencia como medio político ha perdido su eficacia como instrumento para introducir modificaciones sustanciales en la realidad política global del país. Pero no por ello el enfrentamiento carece de una lógica, de una racionalidad que alimente su continuación, como trataré de

---

[28] Molano, Alfredo. *Trochas y fusiles* (Prólogo de William Ramírez). Instituto de Estudios Políticos y Relaciones Internacionales de la Universidad Nacional-El Ancora Editores, Bogotá, 1994, p 19.

[29] Valencia Villa, Hernando. *La justicia de las armas. Una crítica normativa de la guerra metodológica en Colombia.* Tercer Mundo-Instituto de Estudios Políticos y Relaciones Internacionales Universidad Nacional, Bogotá, 1993, p 21.

mostrarle enseguida. Si hoy la guerra irregular es una forma de vida es porque hay condiciones que la alimentan.

Factores estructurales que favorecen la continuación del conflicto armado

El continuado uso de la violencia por parte del ejército, los paramilitares y la guerrilla se sustenta, en buena medida, en el carácter débil y autoritario del Estado colombiano. Mucho se ha discutido sobre el significado de la primera parte de esta proposición. Siguiendo en este punto a Hall e Ikenberry, creo que la debilidad del Estado está referida a la incapacidad del aparato estatal para "penetrar en la sociedad y organizar las relaciones sociales"[30], sobre la base de proveer un marco de orden y seguridad. Gracias a Adam Smith sabemos que el Estado tiene como función central evitar el asedio al orden social por parte de enemigos públicos, tanto como mantener ese orden impidiendo que cada individuo haga justicia por su propia cuenta[31]. Esto supone la existencia de un monopolio y un control público sobre la coerción legítima. Sin embargo, el orden político en Colombia parece reposar más bien sobre resortes privados y sobre un uso privado de la violencia. Como lo dijera Pécaut,

> "La violencia es consustancial al ejercicio de una democracia que, lejos de referirse a la homogeneidad de los ciudadanos, reposa en la preservación de sus diferencias *naturales*, en las adhesiones colectivas y en las redes privadas de dominio social y que, lejos de aspirar a institucionalizar las relaciones de fuerzas que irrigan la sociedad, hace de ellas el resorte de su continuidad"[32].

---

[30] Hall, John; Ikenberry, G. John. *El Estado*. Alianza Editorial, Madrid, 1993, p 30.

[31] Smith pensaba en los enemigos externos, en potencias enemigas que quisieran sojuzgar la nación a su dominio. Carl Schmitt ha apuntalado su reflexión hacia los enemigos externos e internos (Cfr. Smith, Adam. *Investigación sobre la naturaleza y causas de la riqueza de las naciones*. Fondo de Cultura Económica, México, 1958). Según Schmitt, la realidad del Estado como unidad política se encuentra en el hecho de ser una unidad cerrada hacia afuera como soberano y hacia adentro como pacificada, esto es, no amenazada por enemigos internos (Cfr. Schmitt, Carl. *El concepto de lo político* [1932, segunda edición 1963]. Alianza Editorial, Madrid, 1987).

[32] Pécaut, Daniel. *Orden y Violencia: Colombia 1930-1954* (). Tomo I. Siglo XXI, Bogotá. 1987, p 17.

En efecto, el papel de arbitraje del Estado en los conflictos sociales es supremamente débil. Su capacidad para institucionalizar su resolución ha sido muy limitada[33]. El capitalismo colombiano ha tenido por ello mucho de salvaje, en el sentido literal del término. En muchas regiones el código laboral llegó en las manos de la guerrilla, como en Urabá. En otras, los beneficiarios del orden terrateniente tradicional han impedido cualquier intervención racionalizadora sobre el control y uso de la tierra. En otras más donde los cultivos son ilegales y están vinculados a un mercado ilegal -léase tráfico de drogas- el Estado es inexistente. Allí donde no aparece el Estado o su presencia es muy limitada, se instala la guerrilla. No es, de ningún modo, una coincidencia que en la actualidad los insurgentes estén presentes en el 93% de los municipios de colonización interna y en el 79% de los de colonización de zonas de frontera del país[34] donde cumplen el papel de agentes judiciales y de policía: en tales municipios ellos son *la ley*[35].

Además de agente judicial y de policía, la guerrilla cumple el papel de interlocutor privilegiado del Estado como vocero de necesidades locales y regionales. Si bien es cierto que la guerrilla colombiana no representa a ningún sector específico de la socie-

---

[33] En la discusión sobre este tópico, algunos han cuestionado este tipo de afirmaciones calificándolas de especulativas y han propuesto patrones de medida con los cuales pueda comprobarse su verdad. Orientada la crítica con un exagerado sesgo positivista, busca apoyarse en correlaciones estadísticas entre diversos fenómenos. Sin embargo, por esta vía podemos perdernos entre espejismos numéricos. Me limitaré a señalar un caso. El Ministerio de Justicia realizó un estudio sobre reordenamiento territorial de los distritos judiciales del país, sobre la base del número de asuntos presentados a los jueces y en consideración a su capacidad para tramitarlos y resolverlos (Cfr. Ministerio de Justicia. *Propuesta para una nueva división judicial territorial*. Imprenta Nacional de Colombia, Bogotá, 1992). Sin embargo, estos pueden ser indicadores no muy adecuados para aproximarse a la pregunta sobre la debilidad del Estado. En muchos casos, la demanda de justicia es atendida por la guerrilla y/o los paramilitares, dada la ineficacia e ineficiencia del aparato judicial. Esa demanda no es captada en la red del estudio citado y, por lo tanto, no permite contrastar la dimensión real de la presencia del Estado en muchas regiones.

[34] Cfr. *El Tiempo*, 9 de julio de 1995, p 1B.

[35] Entre otros, Fernando Gaitán atribuye a este papel una de las principales motivos por los cuales la población apoya a la guerrilla. Cfr. Gaitán, Fernando. "Una indagación sobre las causas de la violencia en Colombia", en Deas, Malcom; Gaitán, Fernando. *Dos ensayos especulativos sobre la violencia en Colombia*. Op. cit., pp 372-373.

dad colombiana -no es ni el proletariado ni el campesinado en armas-, no es menos verdadero que ha tenido la capacidad para articular los intereses de grupos sociales subordinados con el fin de plantear demandas al Estado. Las movilizaciones de campesinos cultivadores de coca registradas en los departamentos de Guaviare y Putumayo en 1994 tuvieron como soporte el accionar de las FARC[36]. Cuanto más se niega el gobierno central para reconocer la legitimidad de demandas como ésta de los campesinos coqueros, más aliciente ofrece a la acción política de las guerrillas. Esto permite entender por qué William Ramírez escribiera en 1992, después del fracaso de las negociaciones en Tlaxcala con las guerrillas, que la única estrategia consistente del Estado para someterlas era la de la reconstrucción profunda de la democracia[37].

La dimensión autoritaria del Estado también alimenta la continuación del conflicto armado de otra forma. Así como hay regímenes autoritarios por definición -como las dictaduras militares-, hay otros empotrados sobre situaciones autoritarias[38]. El control de los gamonales respecto de la vida política local limita la democracia como poliarquía. El lugar efectivo para la participación y la oposición se ve seriamente afectado en regímenes en los cuales los partidos se aprovechan del control sobre los recursos públicos para mantener inalterado el capital político y social de dominación de las élites. En este contexto, dada la debilidad o ausencia de fuerzas de oposición a los partidos tradicionales, la guerrilla ha empezado a ocupar un papel claramente definido: hoy ha puesto en marcha una política de *clientelismo armado*[39]: se dedica, me-

---

[36] Cfr. Reyes, Alejandro. "La erradicación de cultivos: un laberinto", en *Análisis Político* No 24, 1994.

[37] Ramírez Tobón, William. "¿Alguien quiere volver a Tlaxcala?", en *Análisis Político* No 16, 1994.

[38] Sobre este tema, véase Rouquié, Alain. "El análisis de las elecciones no competitivas: control clientelista y situaciones autoritarias", en Hermet, Guy; Rouquié, Alain; Linz, J.J. *¿Para qué sirven las elecciones?* (1978). Fondo de Cultura Económica, México. 1986, pp 54 ss.

[39] Cfr. Deas, Malcom. "Canjes violentos: reflexiones sobre la violencia política en Colombia". Deas, Malcom; Gaitán, Fernando. *Dos ensayos especulativos sobre la violencia en Colombia*. Op. cit., p 76; y Rangel, Alfredo. "La guerrilla de ayer y de hoy", en *Ciencia Política* No 39, 1994, pp 52-53.

diante la presión a las autoridades locales, a la redistribución de recursos públicos. En la debilidad de la acción colectiva civil y en el marco de la profunda crisis que atraviesa al campo colombiano como resultado de la inserción de la economía nacional en el mercado mundial, los guerrilleros administran el desempleo y la plata. En ese desempleo han encontrado, además, un potencial casi inagotable de individuos para reclutar en sus cuadros militares.

El conflicto armado tiene así una economía política que lo sustenta[40]. La continuidad de la confrontación tiene un seguro en su propia dinámica. Bajo la cubierta de la guerra irregular hay amplias redes de negocios: la de los guerrilleros, que extorsionan, secuestran, protegen cultivos ilegales, imponen modificaciones a los presupuestos municipales y canalizan recursos hacia empresas legales[41]; la de los narcotraficantes, que tienen un contexto propicio para la producción y la reinversión de sus ganancias en la compra de tierras, que defienden con los grupos paramilitares que ellos mismos financian; la de la corrupción ligada a la guerra, que suministra dividendos a los miembros de las fuerzas armadas y a miembros de los partidos políticos tanto como a otros sectores de la sociedad que, no por ello, dejan de merecer el calificativo de *población civil*. Así, el conflicto armado de hoy comparte con *la Violencia* otro de sus rasgos: el *tanto boleteo* y *tanto negocio* al que aludiera Malcom Deas hace ya un tiempo[42].

De aquí se deriva una de las propiedades particulares de la guerra irregular colombiana: su autarquía. El desarrollo mismo de la confrontación proporciona tantos recursos a los actores

---

[40] Si bien muchos de los argumentos presentados en favor de esta tesis por Ignacio Richani son muy cuestionables, él ha tenido el mérito de darle forma a esta brillante intuición en su artículo, "La economía política de la violencia: el sistema de guerra en Colombia", mimeo, 1995.

[41] Un reciente estudio de Planeación Nacional calcula los ingresos percibidos por la guerrilla entre 1990 y 1994 en 1.717.232 millones de pesos. Tales ingresos han sido obtenidos, según el mismo estudio, mediante el robo, la extorsión, el secuestro, la participación en el narcotráfico, la realización de inversiones y el desvío de recursos estatales. El 90% de tales ingresos proviene de las cuatro primeras actividades.

[42] Deas, Malcom. "Algunos interrogantes sobre la relación guerras civiles y violencia", en Sánchez, Gonzalo y Peñaranda, Ricardo (compiladores). *Pasado y presente de la violencia en Colombia*. Op. cit., p 87.

involucrados, que éstos no necesitan de apoyo desde el exterior. Esto los hace menos vulnerables a las críticas que vienen de fuera por el uso de la violencia. Esas críticas, en particular para las guerrillas, las fuerzas armadas y los paramilitares, son costos políticos administrables. Es claro que para estos actores una modificación de sus prácticas a la luz de tales críticas desequilibraría su actual balance de costos y beneficios.

Sin embargo, la situación es diferente para el gobierno puesto que la comunidad internacional ha empezado a ver con preocupación la grave situación de violación a los derechos humanos y el derecho internacional humanitario en Colombia[43]. En este sentido, es muy importante destacar que los efectos del cambio del contexto internacional sobre el conflicto armado colombiano no son unívocos. El fin de la guerra fría no ha significado meramente la deslegitimación internacional de la lucha revolucionaria. También ha supuesto la pérdida del apoyo irresoluto de uno de los aliados más importantes del gobierno en la guerra contrainsurgente, los Estados Unidos, país que ahora está mucho más interesado en la lucha contra el narcotráfico y más sensibilizado por su propio discurso de defensa de los derechos humanos. La creciente interdependencia mundial, la llamada *globalización*, también constriñe las posibilidades del gobierno de cerrar el país para librar una estrategia militar de arrasamiento para acabar con la guerrilla[44], como la que implementó por ejemplo el gobierno de Guatemala.

Los costos del conflicto armado

Una confrontación prolongada, con una inherente tendencia a la continuación, arroja altos y muy diversos costos. En una sociedad en la cual las élites no han querido pagar el costo de una larga

---

[43] Sobre este cambio de actitud en la esfera de los Estados y su impacto en la definición de la política interna del gobierno en materia de derechos humanos, véase Gómez Albarello, Juan Gabriel. "Los derechos humanos del nuevo gobierno: entre la imagen y la realidad", en *Análisis Político* No 23, 1994.

[44] Debo estas dos últimas anotaciones a una observación realizada por Juan Gabriel Tokatlian en el seminario semanal de discusión en el Instituto de Estudios Políticos y Relaciones Internacionales de la Universidad Nacional.

exclusión de amplios sectores de los beneficios del crecimiento económico, de manera irracional, la guerrilla ha impuesto un alto precio a la extensión de ese crecimiento. El Estado ha tenido que destinar una buena parte de los recursos públicos a la reparación de obras de infraestructura afectadas por acciones de sabotaje de los insurgentes. De acuerdo con un reciente estudio del Departamento Nacional de Planeación, los ataques al sector petrolero, a la infraestructura eléctrica, aérea y vial entre 1990 y 1994 representaron para el Estado un costo de 535.030 millones de pesos[45]. A éste habría que agregar el derivado de los ataques y robos a la Caja Agraria, la destrucción de las instalaciones de la empresa estatal de Telecomunicaciones, de las sedes de las alcaldías y de los cuarteles de la Policía, práctica habitual en las tomas guerrilleras.

Otro costo importante derivado del conflicto armado ha sido el aumento del gasto militar. Recursos que el Estado podría haber destinado a otros ámbitos se han concentrado en el fortalecimiento de la acción estatal contra los insurgentes. El notable incremento del gasto público durante un gobierno proclamadamente neoliberal tiene aquí su explicación. No por neoliberal el Estado ha dejado de ser lo que es. Por eso aumentó los recursos necesarios para contener y derrotar a sus enemigos. Según el estudio anteriomente citado de Planeación, el total del gasto del sector defensa destinado a combatir la guerrilla entre 1990 y 1994 alcanzó la suma de 3.311.064 millones de pesos.

Del mismo modo diversos sectores sociales también han tenido que asumir los costos de la acción de los insurgentes, representados en reparaciones por acciones de sabotaje y desembolso de recursos en seguridad. Indudablemente el sector de la economía más afectado es el rural. Actualmente, en las zonas donde se desarrolla el conflicto armado, no hay condiciones adecuadas para invertir productivamente. Los únicos actores habilitados para asumir sin dificultad el costo de la confrontación en el campo son los narcotraficantes que han invertido allí sus ganancias. A la luz de

---

[45] Departamento Nacional de Planeación-Unidad de Justicia y Seguridad. *Los costos económicos del conflicto armado en Colombia: 1990-1994*. Departamento Nacional de Planeación-Unidad de Justicia y Seguridad, Bogotá, Diciembre de 1995, pp 16 ss.

estos datos, es posible concluir que la economía colombiana hubiese podido tener un mejor crecimiento, independientemente de si éste hubiese sido justo o no. Sin lugar a dudas, esta guerra irregular, en tanto guerra librada respecto del control del poder y de la riqueza, ha limitado el crecimiento del uno tanto como de la otra.

Más allá de aquellos susceptibles de cuantificación económica, hay otros costos que tienen una dimensión más profunda. ¿Qué representa para una sociedad el que cada año, desde 1988, mueran cada día en promedio diez personas por razones políticas, o que por el desarrollo de esta guerra irregular, 600.000 mil personas hayan tenido que dejar el lugar donde vivían o trabajaban por la misma causa[46]? ¿Quién puede calcular las dimensiones de la conmoción social provocada por todo esto?

Los efectos sobre la sociedad han sido diversos. Por un lado, el conflicto armado ha terminado por imponer una suerte de economía emocional y social que ha afectado profundamente la cultura política. La confrontación demanda polarización, aunque no la alcanza; pide aferramiento a prejuicios y rigidez ideológica, sentimientos de odio y de venganza, tanto como escepticismo evasivo y defensividad paranoide[47]. La guerra irregular, marginal en tanto se desarrolla en el campo, impone sus efectos en la vida urbana: temas tales como el de los derechos humanos o la reforma de la fuerza pública no pueden ser tratados fuera de un contexto en el que imperan clasificaciones y estereotipos que reducen inmediatamente el debate a la confrontación entre el Estado y las guerrillas.

En el terreno institucional los costos no son menos graves. De un lado, los militares tienen una suma importante de poder dentro del Estado. Al mismo tiempo en que sirven de caja de resonan-

---

[46] Cfr. Conferencia Episcopal de Colombia. *Desplazados por violencia en Colombia*. Conferencia Episcopal de Colombia, Bogotá, 1995.

[47] Sobre esta caracterización, hecha para el caso salvadoreño pero muy apropiada para Colombia, véase Samayoa, Joaquín. "Guerra y deshumanización: una perspectiva psicosocial", en Martín-Baró, Ignacio (editor). *Psicología social de la guerra*. UCA, San Salvador, 1990, pp 41 ss.

cia del militarismo de un amplio sector de la élite civil, tienen un gran poder de veto respecto de políticas públicas en temas tales como la paz, el orden público y los derechos humanos. De otro, en tanto se ha *judicializado* el conflicto armado -antes de forma recurrente y ahora permanente-, el aparato judicial ha sido rebajado a la condición de instrumento bélico contra la guerrilla. Por tal razón, los colombianos soportamos hoy la existencia de una jurisdicción de excepción -antes llamada de *orden público* y hoy, eufemísticamente, *justicia regional*-. Del mismo modo soportamos un desbordado uso de las facultades extraordinarias que la Constitución le concede al gobierno en los estados de excepción. Y aquí radica una de las principales causas del carácter limitado de la democracia colombiana. En el horizonte de las prácticas políticas institucionalizadas, tanto de los valores y actitudes puestos en juego por los sujetos de esas prácticas, hay enormes dificultades para que se pueda tramitar una reforma del Estado y de la sociedad, de la política y de la economía.

Uno de los efectos globales de la confrontación es el de la pérdida de poder, el costo político más alto que puede pagar una sociedad. Si el poder se entiende, en la tradición a la que pertenece una pensadora como Hannah Arendt[48], como la capacidad para actuar concertadamente o, en un lenguaje más actual, para resolver el problema de la acción colectiva y la cooperación, es innegable que el uso continuado de la violencia lo ha corroído profundamente. El conflicto armado ha limitado enormemente la "*potenciación* que puede resultar cuando cuerpos autónomos cooperan, cuando diferentes fuentes de energía contribuyen a un objetivo común"[49]. Entre la pretensión de las guerrillas de subordinarlas a su estrategia militar y la estrategia gubernamental dirigida a neutralizar este intento, las asociaciones civiles populares tienen un margen limitado de acción. La acusada *debilidad de la sociedad civil* es la debilidad de la sociedad civil popular. En este contexto, la opción más racional para cada individuo es la búsqueda de beneficios al amparo de actores armados y no mediante

---

[48] Cfr. Arendt, Hannah. *On Violence*. HBJ Publishers, USA, 1970, pp 43 ss; y de la misma autora *La condición humana* (1958). Paidós, Barcelona, 1993, pp 223 ss.

[49] Hall, John; Ikenberry, G. John. *El Estado*. Op. cit., p 32.

la acción cooperativa civil con otros. De aquí que pueda reiterarse que la continuidad del conflicto armado, que las aspiraciones irracionales por llevar a cabo una revolución en Colombia, obstaculizan fuertemente las posibilidades más realistas y racionales de la reforma.

La aludida pérdida de poder también afecta al Estado y a la guerrilla en la confrontación. No hay palancas fuertes para movilizar a la población en un sentido o en otro, salvo de manera coyuntural. Desafortunadamente, en un lado y en otro, se es ciego al reconocimiento de esta realidad y se sigue confiando en el poder autoritario y violento.

3. En busca del derecho internacional humanitario

Del conjunto de muertes causadas por razones políticas, sólo una tercera parte corresponde a los partícipes en acciones militares: soldados, paramilitares y guerrilleros. Las otras dos terceras corresponden a miembros de la población civil asesinados por dichos actores armados[50]. Esta cifra es en sí misma reveladora del carácter estructuralmente sucio de la guerra irregular colombiana. De hecho, las guerras irregulares son siempre más sucias que la regulares, por razones que expondré más adelante. Aquí radica la urgencia y la dificultad de aplicar el derecho internacional humanitario. Sin embargo, su recepción en Colombia se ha visto atravesada por graves malentendidos y por su devaluación a retórica contra el Estado y contra la guerrilla. A continuación, quisiera hacer una breve meditación sobre el origen y sentido de la normatividad humanitaria y sobre la dificultad de su aplicación en las guerras irregulares, así como sobre la experiencia colombiana de recepción y frustrada implementación de esa normatividad.

---

[50] Cfr. Comisión Andina de Juristas Seccional Colombiana. *Las ilusiones perdidas. Panorama de derechos humanos y derecho internacional humanitario en Colombia 1992*. Op. cit.; Amnistía Internacional. *Violencia política en Colombia. Mito y realidad*. EDAI, Madrid, marzo de 1994. Comisión Andina de Juristas Seccional Colombiana. *Entre el dicho y el hecho ... Panorama de derechos humanos y derecho internacional humanitario 1994*. Comisión Andina de Juristas Seccional Colombiana, Bogotá, 1994.

El por qué histórico de la humanización de la guerra y las guerras irregulares

El derecho internacional humanitario es el resultado de un largo aprendizaje histórico que supuso el paso del *derecho a la guerra* a la noción de *guerra justa*, de guerra librada justamente, siendo la justicia una propiedad referida a los medios y no a la legitimidad de los fines. Como tal, se trata de un producto germinado en suelo europeo, nacido en el contexto de las guerras interestatales europeas de la era moderna. En efecto, como lo dijera con tanta lucidez Carl Schmitt, sobre la base de unidades políticas consolidadas y en relativo equilibrio fue posible distinguir claramente "entre interior y exterior, entre guerra y paz, y durante la guerra, entre militar y civil". Del mismo modo, fue factible reconocer durante la guerra a los otros Estados como enemigos situados en el mismo nivel. Tal reconocimiento implicaba admitir que esos enemigos tenían un status diferente al de criminal. En esa medida, la guerra pudo ser "limitada y circunscrita mediante el derecho internacional"[51]. Esta simetría estatal fue el supuesto político sobre el cual se estructuró el derecho internacional humanitario. Tal y como lo señalara el mismo Carl Schmitt en un trabajo clásico sobre la materia,

> "(...) la justicia de la guerra no reside ya en la concordancia con determinados contenidos de normas teológicas, morales o jurídicas, sino en la calidad institucional y estructural de las formaciones políticas que libran entre ellas la guerra sobre un mismo plano y no se consideran mutuamente, a pesar de la guerra, como traidores o criminales, sino como *iusti hostes*. En otras palabras, el derecho de la guerra radica exclusivamente en la calidad de las partes beligerantes que son portadoras de *ius belli* y esta calidad se basa en el hecho de que los que se combaten son soberanos, en igualdad de derechos"[52].

---

[51] Cfr. Schmitt, Carl. *El concepto de lo político.* Op. cit., p 41.

[52] Schmitt, Carl. *El Nomos de la Tierra en el Derecho de Gentes del «Jus Publicum Europeum»* (1974). Centro de Estudios Constitucionales, Madrid, 1979, p 161.

En efecto, la simetría estatal pudo dar lugar a una *noción lúdica de la guerra*[53], a la consideración de que se trataba de un juego en el cual debían respetarse unas reglas mínimas. Esas reglas han estado orientadas por un sentido de humanidad, de respeto a la dignidad básica y fundamental de la persona humana. El recoger y curar a los heridos, el respetar la vida y la integridad física y moral de los prisioneros y la de todos los que no toman parte en las hostilidades, así como el evitar sufrimientos inútiles poniendo límites al uso de los medios de destrucción contra el enemigo, todo ello fue el resultado de un proceso en el cual la justicia de la guerra empezó a ser predicada no respecto de las razones o causas para desatarla, sino respecto del modo de llevarla a cabo. Posibilidad que tuvo como sustrato la idea de que el enemigo no perdía, por su condición de adversario, su dignidad. Si el enemigo no era, a pesar de ser ello, un criminal, porque pertenecía a una unidad política soberana situada al mismo nivel, podía ser tratado con un mínimo de consideración y respeto, podía ser tratado humanamente.

De aquí que haya resultado siempre tan problemático extender la aplicación del derecho internacional humanitario a los conflictos armados internos. Consentir en ello ha supuesto para los Estados "la elevación del rango de sus enemigos intraestatales ilegales y la minoración de su propio derecho (...)"[54]. Acotar, regularizar un conflicto para humanizarlo, impone al Estado un tratamiento simultáneo y contradictorio de los alzados en armas: desde el punto de vista del derecho interno estatal, los rebeldes son criminales que hay que perseguir puesto que amenazan subvertir el orden que el Estado realiza; respecto del derecho internacional, se trata de sujetos con respecto a los cuales hay que librar una guerra justa. Se trata de sujetos que en ese terreno se sitúan al mismo nivel del Estado: a la hora de la guerra, los rebeldes y las fuerzas regulares estatales tienen, recíprocamente, respecto de los adversarios y de la población civil, los mismos deberes. Pero reconocer en el rebelde algo más que un criminal, un bandido, ha sido siempre muy difícil.

---

[53] Valencia Villa, Hernando. *La justicia de las armas. Una crítica normativa de la guerra metodológica en Colombia.* Op. cit., p 31.

[54] Schmitt, Carl. *El Nomos de la Tierra en el Derecho de Gentes del «Jus Publicum Europeum».* Op. cit., p 392.

En este camino también se han registrado otros progresos. El derecho internacional humanitario pudo separarse de la discusión acerca del reconocimiento debido a los rebeldes, para reafirmar el deber, para ambos lados, de respetar un conjunto mínimo de normas humanitarias.

Inicialmente, el reconocimiento de la dignidad de los rebeldes tuvo dos manifestaciones: en la esfera del derecho internacional, y dependiendo del interés de potencias extranjeras, podían ser tratados como beligerantes, esto es, sujetos situados en un nivel político igual al del Estado que combatían; en la esfera del derecho interno, atendiendo a los móviles de su acción -políticos y no meramente individuales, altruistas y no egoístas-, podían ser tratados como delincuentes políticos respecto de los cuales podía caber en el futuro el perdón penal: la amnistía y el indulto. El reconocimiento de beligerancia de los rebeldes, iniciado a comienzos del siglo XIX, se convirtió en una práctica desueta a finales de nuestro siglo XX. No así el tratamiento privilegiado debido a los rebeldes y la posibilidad de otorgárles amnistías, que sigue manteniendo su vigencia. El fondo de esto radica en la verdad, tan claramente expresada por el ya citado Carl Schmitt, de que "la regulación y clara delimitación de la guerra supone la relativización de la enemistad"[55].

La otra verdad no menos verdadera de los conflictos armados internos es que dicha regularización es una tarea muy difícil de realizar cuando se concibe al adversario como un simple criminal y se reniega de la posibilidad de reconocerle un mínimo de dignidad, cuando para allanar el pretendido camino de la victoria se disminuye el respeto básico debido al adversario o a sus bases sociales de apoyo. Que hoy la aplicación del derecho internacional humanitario no dé lugar al reconocimiento de beligerancia - pues las codificaciones sobre la materia así lo señalan expresamente[56]-, no implica de suyo la superación de esta básica dificultad.

---

[55] Schmitt, Carl. *El concepto de lo político*. Op. cit., p 41. Sobre este tema, véase el admirable ensayo de Iván Orozco "La democracia y el enemigo interior", en *Análisis Político* No 6, 1989. El tratamiento sistemático de esta cuestión fue llevado a cabo por el mismo autor en su libro *Combatientes, rebeldes y terroristas. Guerra y derecho en Colombia*. Instituto de Estudios Políticos y Relaciones Internacionales de la Universidad Nacional-Temis, Bogotá. 1992.

[56] El artículo 3 común a los Cuatro Convenios de Ginebra de 1949, que contiene las reglas mínimas aplicables en caso de conflicto armado interno, expresamente señala que su implementación no tendrá efecto alguno sobre el status jurídico de las partes.

A ésta, aparece ligada otra, inherente a la estructura misma de los conflictos armados internos de este siglo. A diferencia de las guerras libradas entre los siglos XVII y XIX, las guerras del siglo XX han sido guerras totales. De las guerras meramente políticas, desteologizadas, se ha pasado a las guerras ideológicas y -si se me permite verbalizar el adjetivo- sectarizadas. Se operó el catastrófico tránsito de las guerras limitadas entre militares a las guerras totales en las cuales es definitiva la movilización de militares y civiles contra enemigos totales. Esta dimensión total de la guerra se hizo más patente en los conflictos internos y en las luchas de liberación nacional. Por virtud de las hostilidades revolucionarias de clase o de raza, se borró el sentido de la guerra justa al abolir la distinción entre enemigo y criminal y entre civil y militar. Si se debe aniquilar al *enemigo de clase* o al *enemigo interno*, dependiendo del lado que se tome, resulta irrelevante diferenciar si se trata de un combatiente, de un auxiliador o de un simpatizante. A todos se les debe exterminar pues todos son portadores de una forma de vida que se considera moralmente inferior.

Conectado a este elemento ideológico y sectario aparece otro de carácter decisivo en el terreno político y militar: movilizar a la población civil en contra del adversario. A las guerras revolucionarias de las guerrillas le es inherente este elemento problemático para el derecho internacional humanitario. Tanto los insurgentes como las fuerzas estatales buscan involucrar a los civiles en las hostilidades de múltiples formas para poder vencer al enemigo. Los civiles son convertidos en informantes o piezas logísticas que dan la ventaja sobre el adversario. Esta posición pasiva es inadecuada si al mismo tiempo no se toma en cuenta que los civiles asumen ese papel por diferentes razones: por convicción, por conveniencia y por temor. Pero, en todo caso, y en tanto lo cumplan, serán objeto de los ataques del lado que se juzgue en desventaja. Los asesinatos de civiles pertenecen por ello a la estructura misma de la guerra irregular. Uno, si no el principal drama de los conflictos internos, radica justamente en el hecho de que la distinción entre quienes toman parte en las hostilidades y quienes no lo hacen se torna difusa. Y, en muchos casos, la violencia desatada por los combatientes se concentra en esta zona gris. Aquí reside buena parte de la tragedia humanitaria que vive Colombia.

Una difícil recepción y una frustrada implementación

El derecho internacional humanitario, a la sazón, derecho de gentes, tuvo un singular desarrollo en el siglo XIX[57]. En el siglo XX, y en razón de un conflicto ideológicamente motivado, perdió buena parte de su capacidad racionalizadora de las hostilidades. He aquí la razón que explica la dificultad para promover su recepción y aplicación. Los Convenios de Ginebra de 1949 fueron incorporados al orden jurídico interno sin grandes dificultades, pero cosa diferente sucedió con el Protocolo II de 1977 adicional a tales Convenios sobre protección de las víctimas de los conflictos armados internos. Para ese entonces la guerra de guerrillas ya se había gestado en el país. La histérica negación del establecimiento respecto de las razones del levantamiento de las guerrillas, dio lugar a una incomprensión profunda del sentido de la humanización de la guerra. La recepción del derecho internacional humanitario se vio oscurecida por profundos malentendidos, en el sentido hermenéutico de la palabra. Frente al texto claro del Protocolo II, prevaleció durante casi veinte años un aferramiento obsesivo a prejuicios respecto de los efectos de su aplicación. Para las fuerzas armadas, agente principal de la resistencia a la incorporación de dicho instrumento humanitario en el orden interno, su aprobación daría lugar al reconocimiento del carácter de beligerantes a los insurgentes, por un lado; y, a la intervención de organismos extranjeros en el conflicto interno en perjuicio de la soberanía del Estado, por el otro[58]. Basta con leer los artículos 1o y 3o del mencionado Protocolo para darse cuenta que tales objeciones no tenían ningún fundamento distinto a la negativa a una relativización de las enemistades. El contenido de una y otra disposición contradice completamente el predicado que le atribuyeron sus críticos.

Hasta 1986, la discusión sobre el derecho internacional humanitario estuvo confinada en algunos salones de las facultades de derecho y en los despachos de los ministerios de defensa y rela-

---

[57] Sobre este punto, véase Valencia Villa, Alejandro. *La humanización de la guerra. Derecho internacional humanitario y conflicto armado en Colombia.* Tercer Mundo-Uniandes, Bogotá, 1991, pp 95-138; y Orozco, Iván. "El rebelde como combatiente en el siglo XIX", en Orozco, Iván. *Combatientes, rebeldes y terroristas. Guerra y derecho en Colombia.* Op. cit., pp 91 ss.

[58] Cfr. Valencia Villa, Alejandro. *La humanización de la guerra. Derecho internacional humanitario y conflicto armado en Colombia.* Op. cit., p 59.

ciones exteriores. Ese año, sin embargo, el Procurador General de la Nación, Carlos Jiménez Gómez, acusó ante la Cámara de Representantes al Presidente de la República y al Ministro de Defensa de no observar los deberes mínimos de humanidad del derecho de gentes en la recuperación del Palacio de Justicia, tomado por el M-19 en noviembre de 1985. La acusación fue archivada por la Comisión de Acusaciones, comisión de la que hizo parte el hasta ahora (agosto de 1996) ministro de gobierno Horacio Serpa Uribe[59]. Sin embargo, se produjo un efecto importante: el derecho internacional humanitario se convirtió en un tema recurrente del debate nacional.

El ELN comenzó a agitar la bandera de la humanización de la guerra. Se trataba tanto de una reivindicación histórica de uno de los postulados reclamados desde su fundación[60], como de un hábil reclamo contra el Estado del cual empezó a derivar dividendos políticos. Lo singular de este proceso radicó en el hecho de que, de parte del establecimiento, el expresidente López Michelsen avaló la idea de aprobar el Protocolo II. Según López ello tendría el efecto de "civilizar la contienda y mejorar nuestra imagen internacional"[61]. Al decir de Iván Orozco, la argumentación de López tenía "la fuerza avasalladora de todo discurso que logra reconciliar la defensa de intereses con la idea de la realización de un valor"[62]. Sin embargo, sería luego en las frustrados diálogos de paz entre el gobierno de Gaviria y las guerrillas en 1991 y 1992 que el tema del derecho internacional humanitario sería abordado directamente por las partes involucradas en la confrontación. Durante tales negociaciones, la aprobación y ratificación del Protocolo II se convirtió en uno de los asuntos objeto de negociación. Para el primero, el Protocolo era otra de las zanahorias con las cuales trataba de arrancarle concesiones a las guerrillas. Para éstas, otra de las trincheras desde la cual podía lanzar ataques al

---

[59] Jiménez Gómez, Carlos. *El Palacio de Justicia y el Derecho de Gentes*. Procuraduría General de la Nación, Bogotá, 1986.

[60] Cfr. Ojeda Awad, Alonso. "Itinerario de una lucha", en Behar, Olga. *Las guerras de la paz*. Planeta, Bogotá. Tercera Edición. 1986, pp 54 ss.

[61] *El Tiempo*, 4 de noviembre de 1988, p 4A; citado por Valencia Villa, Alejandro. *La humanización de la guerra. Derecho internacional humanitario y conflicto armado en Colombia*. Op. cit., p 73.

[62] Orozco, Iván. *Combatientes, rebeldes y terroristas. Guerra y derecho en Colombia*. Op. cit., p 7.

gobierno. Devaluado así el tema, no fue posible que el encomiable propósito de un acuerdo de humanización de la guerra pudiese ser logrado.

Finalmente, la discusión sobre el derecho humanitario, incluida la cuestión del Protocolo II, resurgió en la propuesta de paz del presidente Samper en 1994. Inspirado en los éxitos del proceso de paz en El Salvador entre el gobierno y el FMLN, uno de cuyos pilares fue la humanización del conflicto, la oferta de negociación del gobierno hizo de la regularización de la guerra uno de los principales puntos de partida en el nuevo intento de negociación con los insurgentes. La propuesta del gobierno de humanización del conflicto armado fue acogida por el ELN como el punto central de negociación. Sin embargo, el entrabamiento de las negociaciones con esta organización hizo imposible que se concretara la propuesta de un acuerdo humanitario y de constitución de una comisión independiente de las partes que verificara su cumplimiento. A diferencia del pasado, el tema dejó de ser uno de los puntos centrales de agitación del ELN puesto que, una vez ratificado el Protocolo II, los insurgentes perdieron la palanca principal de presión sobre el gobierno. En julio de 1995 el sacerdote Manuel Pérez rompió el silencio del ELN sobre el tema y declaró que esa organización respetaría la normatividad humanitaria, pero sometiéndola a fuertes reservas, en especial, relativas a la distinción entre combatientes y población civil. Las FARC, por su parte, en el curso de sus intentos de negociación con el gobierno, evadieron el tema de la humanización del conflicto armado. Sin embargo, en abril del mismo año, uno de sus comandantes, el "Mono Jojoy", señaló que el Protocolo obligaba a los Estados con conflictos a acogerse a él, que era el gobierno quien tenía que cumplirlo y aseguró que esa organización no realizaba secuestros.

Los hechos fueron dando cuenta de que en este último período la guerrilla ha recurrido al derecho internacional humanitario como discurso para interpelar al gobierno, pero que no ha tenido la voluntad y/o la capacidad para hacer efectiva esa normatividad. Como en años anteriores, la guerrilla realizó un alto número de secuestros, práctica prohibida por el derecho de los conflictos armados pero central en la estrategia de la guerrilla. Y en 1995 se hizo evidente una acusada tendencia de mantener el control de diversas zonas mediante ataques a la población civil, apelando al terror. En agosto, las FARC perpetraron en Urabá dos masacres que dejaron más de 40 víctimas. El ELN continuó ejecutando a miembros de la población civil acusados por esa organización de colaborar con paramilitares y con la fuerza pública. En suma, quedó patente la contradicción entre los imperativos militares y políticos del proyecto de la guerrilla y la aplicación del derecho humanitario. Lo mismo puede decirse respecto del ejército y los paramilitares. Las cifras sobre violencia política siguen mostrando que sólo una tercera parte de las víctimas son muertos en acciones bélicas.

Un efecto perverso del reclamo de la aplicación del derecho internacional humanitario en el conflicto armado interno colombiano ha sido su uso con el fin de criminalizar aún más a los adversarios. Esto es particularmente evidente del lado del Estado. Las graves infracciones cometidas por la guerrilla son siempre aprovechadas como la oportunidad para insistir en el carácter degradado de los rebeldes. A un tiempo, y con la razón que asiste al que califica atrocidades, se los juzga como terroristas y bandidos. Sin embargo, con ello se agrava aún más la crisis humanitaria en tanto un discurso como ese alimenta la negación de todo sentido de humanidad y dignidad respecto de esos enemigos del Estado, tanto como respecto de quienes constituyen sus bases sociales de apoyo. En esta medida, se construyen veladamente nuevas justificaciones para las políticas de tierra arrasada, para la depredación sin límite.

Pero no por ello ha dejado de ser imperativo exigir la aplicación de la normatividad humanitaria. Su sentido está edificado sobre la necesidad de establecer unas salvaguardias mínimas para las víctimas de la confrontación, como en el establecimiento de un puente ético que posibilite la resolución negociada de los conflictos armados[63]. Aun a pesar del riesgo de la instrumentalización y

---

[63] Cfr. Gómez Albarello, Juan Gabriel. "La humanización del conflicto armado y la realización de acuerdos de paz. El caso salvadoreño", en *Conflicto armado y derecho humanitario*. Comité Internacional de la Cruz Roja-Facultad de Derecho-Instituto de Estudios Políticos y Relaciones Internacionales de la Universidad Nacional, Bogotá. 1994. Así lo entendió también la Corte Constitucional al autorizar al Gobierno para realizar acuerdos humanitarios que aseguraran el respeto efectivo de la normatividad humanitaria e institucionalizaran procedimientos de verificación, al declarar la constitucionalidad de la ley 171 de 1994 aprobatoria del Protocolo II de 1977 adicional a los Cuatro Convenios de Ginebra de 1949. Cfr., Corte Constitucional. *Sentencia C-225/95*.

las perversiones a las que se ha visto sujeta la normatividad humanitaria, lo que está en juego es el acotamiento, la regularización de un conflicto irregular en el cual hay señores de la guerra administrando el terror.

¿Cómo se podría asegurar la vigencia del derecho humanitario? Mucho se ha discutido recientemente sobre la posibilidad de que los actores involucrados en la confrontación suscriban un compromiso de respeto al catálogo de reglas mínimas que constituyen su cuerpo y que acepten la verificación de un mecanismo imparcial. En buena medida, se ha tomado como modelo la experiencia de El Salvador. Sin embargo, la lucidez impone en este caso límites a tal pretensión. En dicho país, en primer lugar, la suscripción de un acuerdo humanitario apareció enmarcado dentro de una voluntad de paz previa de las partes. La humanización de la guerra fue uno de los *test case*, de las pruebas a las que se sometieron las partes para ponerle fin al conflicto armado. Pero el supuesto de ello era, indudablemente, la convicción firme en cada lado de que la guerra en El Salvador debía ser resuelta negociadamente dada la situación de empate que se configuró en la última etapa. Aquí, donde los lances guerreristas todavía no están agotados, la posibilidad de una regularización del conflicto que le ponga freno al terror es limitada. En segundo lugar, la tradición de relativa limpieza ética de la guerrilla no implicó una modificación traumática de sus prácticas político-militares. En nuestro país, por el contrario, la humanización de la guerra demandaría una modificación abrupta en el comportamiento de los actores armados. ¿Dejarían los militares, los paramilitares y la guerrilla de ejecutar a quienes proporcionan información a los adversarios? ¿Abandonaría la guerrilla la abominable práctica del secuestro y los militares y paramilitares la de la desaparición?

En un contexto semejante lo plausible sería, por problemático que signifique desde un punto de vista ético y jurídico, una aplicación gradual y bilateral de la normatividad humanitaria. En efecto, se trata de un planteamiento problemático en tanto pone en cuestión el sentido mismo del derecho humanitario, y ello por dos razones: en primer lugar, porque dicha normatividad es de carácter mínimo. En segundo lugar, porque los deberes y prohibiciones que limitan el uso de la violencia tienen un carácter incondicionado, no sujeto a reciprocidad alguna. La barbarie de una parte no justifica nunca la de la otra. Sin embargo, dada la estructura de nuestro conflicto, está a la orden del día el deber de reconciliar por nuevos caminos la exigencia normativa con la normalidad real. ¿Podría abrirse paso un compromiso de mejor tratamiento de las personas secuestradas o de validación de una suerte de pena de destierro para los informantes enemigos, en vez de cegarles la vida? Es chocante, pero ¿será plausible como procedimiento para avanzar hacia un grado superior de humanización de esta guerra irregular? En la misma línea de cuestionamiento, ¿un tratamiento privilegiado para los paramilitares desde el punto de vista del derecho interno, de la normatividad penal, podrá ser un mecanismo para inducirlos a respetar el derecho humanitario? Doy por descontado que en tanto sujetos portadores de armas que toman parte en las hostilidades, así sea de forma depredadora dirigida contra la población civil más que contra los guerrilleros, son sujetos obligados por el derecho humanitario.

El asunto es complejo y las anteriores afirmaciones demasiado arriesgadas. Para terminar debería decir que en esta cuestión hay una tarea para la tantas veces invocada sociedad civil. No sólo se trata de levantar la exigencia de humanización frente a los actores armados. También se trata de una exigencia que debe dirigirse la sociedad civil a ella misma. En el sectarismo y la corrupción que alimenta la guerra dentro de la población civil, ésta ya no puede ser considerada de manera abstracta como víctima. Los victimarios toman aliento en intereses y discursos de personas civiles. Y a éstas también hay que humanizarlas.

II
Antecedentes y perspectivas de la política de paz

Jaime Zuluaga Nieto

"Si no hubiera nunca guerra, nunca sabríamos valorar la paz..." J. Gaarder

Introducción

En un país en guerra la paz es un objetivo nacional irrenunciable. La mejor forma de oponerse a la guerra con su corte de *estériles glorias*, es aceptar que el conflicto y la hostilidad son inherentes al vínculo societario, y construir los escenarios en los que estos conflictos puedan expresarse[1].

Colombia ha buscado la paz política con variada fortuna desde 1982. En esa *guerra por la paz* hemos aprendido a valorar la democracia como un espacio adecuado para la confrontación de intereses y para la expresión y trámite de los conflictos; a reconocer los costos de la intolerancia, el sectarismo político y el dogmatismo ideológico. Y por primera vez en nuestra historia

---

[1] Para un desarrollo de esta tesis, consultar Estanislao Zuleta, *Sobre la guerra*, en *Sobre la idealización en la vida personal y colectiva y otros ensayos*, Procultura, Bogotá, 1985.

política logramos avanzar, con la Asamblea Nacional Constituyente de 1991, por la vía del consenso en la reformulación del pacto político constituyente.

A pesar de estos logros la paz no llega. Múltiples formas de violencia atraviesan nuestro tejido social, degradan las relaciones sociales y ahogan en sangre las posibilidades de construir un futuro de equidad y justicia social. Nuestra situación es un reto a la imaginación y a la voluntad colectiva para tejer, desde abajo, en todos los intersticios de la existencia social, las redes de convivencia y solidaridad que hagan viable la sociedad.

Fracasados hasta ahora los esfuerzos hechos desde el Estado para superar la violencia, para poder avanzar en la difícil tarea de construcción de la paz se requiere, hoy más que nunca, que la gente del común interiorice los valores de convivencia en la diferencia y de respeto al otro, fundamentos de todo orden que se pretenda democrático. La paz que buscamos no es la negación del conflicto, sino la afirmación cualificada de éste, la posibilidad de tramitarlo sin recurrir a la supresión o dominación del otro.

1. Entre la guerra y la paz

El 27 de febrero de 1980 el comando *Marcos Zambrano* del Movimiento 19 de abril, M-19, en ejecución de la *Operación libertad y democracia* ocupó la Embajada de la República Dominicana en momentos en los que varios miembros del cuerpo diplomático acreditado en el país asistían a una recepción. El operativo fue de una gran implicación política nacional e internacional: veinte embajadores se encontraban en la sede diplomática en el momento de la toma. Entre ellos el Nuncio Apostólico y el embajador de los Estados Unidos.

Desde la ocupada sede diplomática el M-19 dio a conocer su propuesta de paz: apertura de un *diálogo nacional*, y liberación de 311 presos políticos de diversas organizaciones. A pesar de la renuencia inicial del gobierno de Julio César Turbay Ayala (1978-1982) a establecer cualquier negociación con la guerrilla, éste se vio obligado a hacerlo.

Como resultado de esta operación por primera vez un movimiento guerrillero era reconocido como interlocutor por el gobierno. De otra parte la propuesta del M- 19 de *amnistía general y diálogo nacional* para la concertación de un nuevo pacto social que democratizara a la sociedad, lo colocó políticamente a la cabeza del movimiento insurgente.

El Estatuto de Seguridad y la crisis de legitimidad del régimen

A pocos meses de iniciada la administración Turbay, y como respuesta del gobierno a las presiones ejercidas por la cúpula militar, fue expedido el Estatuto de Seguridad (D.L. 1923 de 1978). El Estatuto limitó severamente los derechos de los ciudadanos y dotó a las Fuerzas Armadas de facultades virtualmente autónomas para desarrollar acciones de contrainsurgencia en el tratamiento del orden público interno.

El Presidente interpretó adecuadamente los intereses de las élites dominantes y contó así con su solidaridad en el propósito de poner fin a la subversión política y a la delincuencia común organizada. Las élites se sentían amenazadas por la guerrilla que comenzaba a golpear en las ciudades, y por la eventualidad de una movilización popular mayor que la acaecida con ocasión del paro cívico de 1977. En el plano político el Presidente se propuso acercar a los Directorios y a las fracciones de los partidos tradicionales, restablecer la confianza de los grandes grupos de poder económico y romper el frente sindical[2].

El resultado de la aplicación del Estatuto fue la militarización de la vida nacional, el imperio de la arbitrariedad en la represión de la subversión, y la creciente violación de los derechos humanos, con lo cual lejos de superarse, la crisis se profundizó. Desde noviembre de 1978 las manifestaciones de rechazo a las violaciones de los derechos humanos cometidas por los militares aumentaron; los grandes diarios y el Congreso se convirtieron en escenario de debates sobre los excesos del modelo represivo.

---

[2] Daniel Pécaut, *Crónica de dos décadas de la vida colombiana*, Siglo XXI, Bogotá, s.f, pág. 314.

En marzo de 1979 se realizó el Primer Foro por la Defensa los Derechos Humanos, evento que congregó diversos sectores sociales y políticos, incluidas algunas fracciones de los partidos tradicionales. El clima de descontento y desconcierto ante la militarización de la vida pública dio resonancia al Foro, y Colombia quedó bajo la mirada fiscalizadora de los organismos internacionales. Amnistía Internacional y la Comisión Interamericana de Derechos del Hombre confirmaron la violación de derechos humanos en Colombia al amparo del Estatuto de Seguridad.

A lo largo de 1979 las fuerzas del país se polarizaron en medio del deterioro del orden público: los gremios y los grandes diarios, a excepción de El Espectador, apoyaron los esfuerzos del presidente por conservar el orden aún con los instrumentos que utilizaba. Pero la ineficacia de las medidas adoptadas fue debilitando este respaldo al gobierno, situación que favoreció la formación de una amplia coalición de oposición pluralista, de la que incluso formaron parte sectores del liberalismo.

Fortalecimiento de la sociedad civil y auge guerrillero

En la segunda mitad de la década del setenta se fortaleció la sociedad civil y se reactivó el movimiento guerrillero. El fortalecimiento de la sociedad civil se produjo a través de un doble movimiento: de una parte, las ciudades grandes y las muy pequeñas se afirmaron como el espacio privilegiado de la confrontación social; de otra parte, estas confrontaciones se desarrollaron bajo nuevas modalidades, especialmente mediante movilizaciones cívicas, muchas de las cuales no fueron dirigidas por organizaciones políticas o gremiales[3], y los ciudadanos se vincularon a ellas en su condición de tales y no como militantes de partidos o movimientos o como integrantes de una determinada clase social. La más alta expresión de este proceso de fortalecimiento fue el paro cívico nacional de 1977.

---

[3] La dinámica de las luchas sociales no obedeció a la influencia de la izquierda, aunque ésta estuvo parcialmente vinculada a ellas y logró en algunos casos influencia significativa.

A pesar del auge de movimientos sociales la guerrilla no logró articularse a la protesta social. Desde finales de los años sesenta la dividida guerrilla colombiana, entonces compuesta por las Fuerzas Armadas Revolucionarias de Colombia (FARC), el Ejército de Liberación Nacional (ELN) y el Ejército Popular de Liberación (EPL), se encontraba debilitada política y militarmente: no había logrado romper con su tradicional marginalidad política, había sufrido severos golpes militares y cada una de las organizaciones estaba minada por divisiones intestinas. Se puede afirmar que simplemente sobrevivió en zonas rurales aisladas sin lograr convertirse en una amenaza para el poder.

Esta situación fue parcialmente superada al terminar la década del setenta gracias a la relegitimación política y la recuperación militar del movimiento guerrillero. El auge guerrillero que este proceso significó fue propiciado en lo interno, por la crisis de legitimidad del régimen, las fisuras en las élites dominantes, el rechazo a la extrema ingerencia de los militares en la vida nacional y la conflictiva situación social, y en lo externo, por el triunfo del sandinista Frente de Liberación Nacional en Nicaragua. Sin duda el desbordamiento represivo del gobierno de Turbay y la crisis de legitimidad del régimen fueron los dos factores que más favorecieron la recuperación del movimiento insurgente.

En efecto, en la segunda mitad de los años setenta el país afrontó una compleja coyuntura que desembocó en una de las más graves crisis de nuestra sociedad. Se conjugaron diversas dinámicas. En primer lugar, una etapa de prosperidad económica asociada a las bonanzas del café y de la *marimba* que aumentaron los excedentes monetarios, a lo cual respondió el gobierno con contracción del gasto público lo que redujo el radio de acción del Estado. En segundo lugar, el inusitado crecimiento de la corrupción, ligado al auge del narcotráfico y a las prácticas políticas heredadas del Frente Nacional. Finalmente, al desbordamiento represivo y la militarización del régimen. Todos estos factores condujeron a una profunda desinstitucionalización y pérdida de legitimidad del Estado.

En estas condiciones la crisis tocó espacios de la vida social de modo que casi toda la sociedad fue afectada por ella. Se puede afirmar que desde 1977 la nación entera quedó atravesada por una crisis moral, que tal como lo anota Pécaut, abrió el espacio a los enfrentamientos entre sectores empobrecidos y la élite dominante y a la violencia social multiforme. En este contexto se desarrolló la política autoritaria de la administración Turbay.

La guerrilla incursiona en la política

Cuando el M-19 lanzó desde la embajada dominicana su propuesta de democratización del régimen mediante el diálogo entre todos los sectores de la nación para definir un nuevo pacto político, marcó un momento de ruptura en la tradición de la izquierda armada. Era la primera vez que un movimiento guerrillero daba el paso de ligar la paz con un proceso de democratización por la vía del diálogo. Al hacerlo, se impuso como obligado interlocutor político ante un gobierno que se negaba a reconocerle al movimiento insurgente su condición de rebelde.

El M-19 logró romper la tradicional situación de marginalidad política de la izquierda armada, a pesar de no ser la guerrilla de mayor tradición ni la más fuerte militarmente en la larga historia del conflicto armado del país, gracias a su capacidad renovadora del discurso de la izquierda y al reconocimiento de nuevos espacios y actores de la lucha.

Para las condiciones de entonces diversos factores caracterizaban al M-19 como una guerrilla atípica. Su nacimiento estuvo asociado a lo que muchos sectores consideraron fraude electoral contra la Anapo en las elecciones presidenciales de 1970[4]. El grupo guerrillero justificó su existencia en la necesidad de crear un aparato armado capaz de hacer respetar la voluntad popular. De allí que en su propuesta política estará siempre presente, con mayor o menor intensidad, la defensa de la democracia, lo que marcó una diferencia de fondo con las guerrillas de inspiración marxista -ELN, EPL y FARC-, que encuadraron su lucha en la perspectiva del socialismo autoritario y menospreciaron la democracia. Fue la primera guerrilla que asumió el espacio urbano como escenario de la lucha armada, abandonando el tradicional escenario rural.

---

[4] Misael Pastrana, del Partido Conservador, fue declarado Presidente electo por una escasa diferencia de votos frente al candidato de la ANAPO, general Gustavo Rojas Pinilla.

Adicionalmente, desarrolló un discurso nacionalista, abandonó los estereotipos de la izquierda y buscó comunicarse con amplios sectores sociales utilizando para ello un lenguaje asequible en sus términos a la gente del común.

Estos factores y la modalidad específica de sus acciones militares orientadas a producir fundamentalmente efectos políticos, le permitieron al M-19 romper parcialmente el aislamiento de los grupos armados.

La respuesta de la administración Turbay a la propuesta formulada por el grupo insurgente desde la sede embajada dominicana, no sin antes haber agotado un prolongado proceso de negociación, fue la presentación al Congreso de un Proyecto de Ley de amnistía, el cual fue sancionado en 1981. Sin embargo la ley no respondía a las exigencias y expectativas del movimiento guerrillero y no era el instrumento adecuado para despejar el camino hacia el *diálogo nacional*[5].

Las guerrillas desecharon la amnistía de Turbay. Entre tanto la confrontación se intensificó. Un año después, presionado por la erosión de su legitimidad y las demandas de diversos sectores políticos y sociales, entre otros el propio partido de gobierno, el Presidente conformó una Comisión de Paz a la que se le asignó la tarea de estudiar una propuesta viable para la incorporación de los guerrilleros a la vida legal.

Bajo la dirección del ex-presidente Carlos Lleras Restrepo la Comisión elaboró una propuesta que fue rechazada por los militares y el gobierno. Así las cosas los miembros no gubernamentales se retiraron de la Comisión en mayo de 1982. De esa manera, y cuando el presidente Turbay se aprestaba a finalizar su mandato, se cerró el primer capítulo de la política de paz.

El balance no era alentador para la paz. Turbay Ayala reafirmaba su vocación de guerra, justificada ahora por la negativa guerrillera a acogerse a la amnistía. Además, su más incómodo

---

5 Para acogerse a sus beneficios los insurgentes debían deponer las armas, presentarse ante un juez y someterse a juicio posteriormente.

enemigo, el M-19, seguía con casi todo su Comando Superior en la cárcel. La dirección del grupo había sido reducida a prisión a raíz de la persecución desatada en su contra, luego de que lograra sustraer cerca de cinco mil armas del Cantón Norte el primero de enero de 1979: la toma de la embajada no había alcanzado para canjear los embajadores por los presos políticos. Pero la cárcel más que encierro y castigo, constituyó para el M-19 una tribuna y un centro de convenciones, y, sobre todo un acicate para su lucha, creándose un ambiente tal vez exageradamente positivo respecto de sus posibilidades de triunfo armado. Las tímidas propuestas gubernamentales en materia de amnistía, y la *soberbia armada* de la guerrilla fueron expresiones sintomáticas de un recrudecimiento de la confrontación en condiciones en las que ninguno de los dos actores involucrados en el conflicto se sentía derrotado o incapaz de derrotar al adversario.

Son diversas las lecciones que quedaron de este proceso. Lo primero que hay que destacar es que un hecho de guerra: la toma de la embajada fue el instrumento que obligó al gobierno a comprometerse en la interlocución por la paz con el movimiento insurgente. En segundo lugar, el fortalecimiento político y militar de la guerrilla en este período estuvo asociado a la crisis de legitimidad del régimen político y al progresivo desprestigio del gobierno. Finalmente, el manejo dado al conflicto social y político por la administración Turbay favoreció el reencuentro de sectores de la izquierda, incluida la insurgente, con la democracia. En efecto, la quiebra de la legalidad que significó el Estatuto de Seguridad, la violación ostensible y masiva de los derechos humanos, y la delegación al extremo de la función de control político en las Fuerzas Armadas, le permitió a sectores de la izquierda aprender a valorar el estado de derecho y las libertades democráticas. Este cambio de posición le permitió a la izquierda acercarse a otros sectores de la sociedad, antes descalificados por *burgueses*, para hacer frente común en la tarea por democratizar el régimen.

2. El vuelo de las palomas

Desde finales de los años setenta las guerrillas colombianas experimentaron un notable crecimiento en tres dimensiones: legitimidad política, hombres-arma y presencia territorial.

El crecimiento de la legitimidad estuvo asociado a la progresiva deslegitimación del gobierno, al deterioro de las prácticas políticas, al desprestigio de los partidos y de la *clase política*. La recomposición de la guerrilla hizo posible que ésta fuera de nuevo considerada como alternativa de poder[6]. En los primeros años de la década del ochenta el crecimiento guerrillero coincidió con la proliferación de múltiples conflictos sociales y políticos, y con la agudización de la violencia proveniente del narcotráfico que impulsó la formación de grupos paramilitares[7].

El ostensible fracaso de la vía represiva utilizada por la administración Turbay para acabar con la guerrilla, la emergencia de nuevos actores armados, el entrecruzamiento de múltiples formas de violencia y la legitimidad relativa ganada por el movimiento insurgente, en particular por el M-19, hicieron de la cuestión de la paz el eje del debate electoral que llevaría a la presidencia, en representación de un Movimiento Nacional pretendidamente suprapartidista, al conservador Belisario Betancur (1982-1986).

El presidente electo sorprendió al país al proponer una política de paz basada en el reconocimiento de la existencia de causas objetivas y subjetivas de la subversión armada. Las objetivas son las relativas a la pobreza, la injusticia y la ausencia de oportunidades de participación política; las subjetivas, a la presencia de actores político-militares que conciben la lucha armada como la única vía que conduce a las transformaciones radicales de la sociedad, y que encuentran en las condiciones objetivas los factores que justifican su opción política.

Con base en estos presupuestos el Presidente estructuró su estrategia de paz sobre dos pilares: reformas políticas y sociales que posibilitaran procesos de integración, y diálogo con los alzados en armas.

---

[6] Cfr. Jesús Antonio Bejarano, *Una agenda para la paz*, TM Editores, Bogotá, 1995, pág. 84-91.

[7] Cfr. Ana María Bejarano en "Estrategias de paz y apertura democrática: un balance de las administraciones Betancur y Barco", en Francisco Leal y León Zamosc (compiladores). *Al filo del caos*. TM Editores-IEPRI UN, Bogotá, 1990.

Rompiendo con las tradicionales formas de ejercicio gubernamental, Betancur trató de superar el manejo elitista de la participación en política y reemplazarlo por un diálogo directo entre el
Presidente y el pueblo, en un marco populista que pareció ignorar tanto a los otros poderes constitucionales como a la clase política en su conjunto. El limitado vínculo tradicional entre democracia y elecciones fue ampliado por la idea de una democracia
ligada a la paz y justicia sociales, en un esfuerzo por acabar con la
endémica violencia colombiana por una vía diferente a la represión. Desde esta perspectiva los problemas de orden público ya
no estarían relacionados con la seguridad nacional sino con la convivencia democrática; la oposición dejó de estar asociada con la
subversión y pasó a ser considerada parte del juego democrático;
y la protesta social fue asimilada como forma legítima de expresión de intereses.

Estas posiciones le hicieron ganar tempranamente la animad-
versión de los sectores más poderosos del país: la clase política,
que se había *quedado atrás* frente al desarrollo del *país nacional de
Gaitán* según el primer mandatario[8], y las Fuerzas Armadas, que
con tanta consideración habían sido tratadas por el gobierno de
Turbay. No era pequeño pues el reto de gobernar en esas condiciones, ya que "detrás de las instituciones democráticas, del
presidencialismo y del Congreso, subyace una fuerte armadura
corporativa con médula militar y corazón episcopal"[9].

El difícil sendero de la "tregua armada"

El Presidente emprendió solitario un camino que se anunciaba
difícil: lanzó su política de paz sin lograr comprometer
institucionalmente a las Fuerzas Armadas, y sin contar con el apoyo de su partido y movimiento. El ofrecimiento gubernamental
fue generoso: propuso acercamientos entre las partes sin condiciones previas y se comprometió a sacar adelante una ley de amnistía.

---

[8] Socorro Ramírez y Luis Alberto Restrepo. *Actores en conflicto por la paz.* Siglo XXI-
CINEP, Bogotá, 1988, pág. 70.

[9] Socorro Ramírez y Luis Alberto Restrepo, *op. cit.*, Introducción, pág. 26.

La propuesta presidencial despertó la resistencia de los sectores más retardatarios de la sociedad, pero contó con el entusiasta y pluralista respaldo de las organizaciones sociales, movimientos cívicos, medios académicos y algunos círculos políticos. La *paloma de la paz* se convirtió en símbolo de múltiples jornadas ciudadanas que acompañaron el propósito presidencial. A pesar del respaldo ciudadano no logró Betancur articular un movimiento de largo aliento a favor de las reformas estructurales y la solución negociada al conflicto interno armado. En ello incidieron las vacilaciones del Presidente: no profundizó el proyecto reformista y de ruptura con las formas tradicionales de hacer política, y no se animó a apoyarse decididamente en los sectores que se identificaban con su política.

El haber tomado la iniciativa en materia de política de paz le otorgó una indudable ventaja política al gobierno sobre el movimiento armado, y en particular sobre el prestigioso M-19. Era entonces válida la tesis sostenida por el comandante de esta organización, Jaime Bateman, según la cual quien se quedara con la bandera de la paz se quedaría con el poder en Colombia.

La iniciativa presidencial se concretó en tres acciones: la convocatoria a una cumbre multipartidaria para preparar un proyecto de reforma política que sirviera de marco estructural al proceso de paz; la integración de una amplia y pluralista comisión de paz que adelantara contactos y diálogos con diversos sectores sociales y políticos y propusiera alternativas de acción en la construcción de la paz, y la presentación ante el Congreso del proyecto de ley de amnistía, el cual fue aprobado y promulgado el 19 de noviembre de 1982. El gobierno esperaba como contrapartida que la guerrilla decretara una tregua a la sombra de la cual se pudieran adelantar los diálogos.

Pero la respuesta guerrillera fue de escepticismo. Ni las FARC recientemente elevadas por una Conferencia guerrillera al rango de *ejército del pueblo,* ni el ELN que desconfiaba tanto de la obediencia que el Ejército debe al Presidente como de la amplitud del juego reformista permitido constitucionalmente, se mostraron dispuestos a acogerse a la amnistía.

Con el M-19 representantes de Betancur habían conversado

previamente y concertado puntos claves del texto de la ley de amnistía, por lo cual se esperaba que diera una respuesta positiva. Bien porque considerara que la actitud abierta de Betancur le daba un margen más amplio de juego, bien porque desconfiara de él, el M-19 también rechazó la propuesta presidencial.

Para el movimiento insurgente la amnistía no era la paz. El M19 intensificó su actividad militar y buscó dialogar directamente con el Presidente. Por su parte las FARC entraron en contacto con la Comisión de Paz y luego de un complejo proceso suscribieron en marzo de 1984 los Acuerdos de la Uribe, que establecieron el inicio de una tregua unilateral, se constituyó la Comisión de Verificación de la misma y se determinó un tiempo para que el grupo insurgente se preparara para la actividad política.

Perdido su protagonismo por la paz, el M19 intentó recuperarlo por la vía de la presión militar. La reunión en Madrid (España) con Betancur, la *toma* de Florencia y de nuevo el encuentro con el Presidente en México, marcaron un accidentado itinerario que desgastó progresivamente la política de paz y minó el prestigio del grupo insurgente. Después de un año durante el cual mostró habilidad y capacidad militares, el M-19 llegó a un acuerdo con el gobierno y firmó la tregua el 24 de agosto de 1984 en Corinto y El Hobo.

La tercera organización que entró en tregua fue el EPL. Desde 1980 el EPL abandonó las tesis maoístas que habían inspirado su lucha desde 1967. En un replanteamiento significativo se propuso abrir espacios de acción política que le permitieran luchar por la conquista de reformas en lo político y lo económico. En esas condiciones resultaba plausible buscar un entendimiento con el gobierno que allanara el camino a la convocatoria de una Constituyente Popular para concretar las reformas políticas democratizadoras de la sociedad. El EPL se acercó a la Comisión de Paz con estos planteamientos y firmó la tregua el 23 de agosto de 1984 en Medellín.

Con el M-19 y el EPL, suscribió los acuerdos el Movimiento de Autodefensa Obrera, ADO, pequeña organización guerrillera urbana creada en 1976, y de poco significación política y militar. Tres agrupaciones guerrilleras se mantuvieron marginadas del proceso: el ELN, el PRT y el MIR-Patria Libre, las cuales conformaron la Trilateral, experiencia seminal de lo que habría de llegar a ser en 1986 la Coordinadora Nacional Guerrillera.

El que algunos grupos guerrilleros no hubieran participado en el proceso de paz no significa que no existieran en ellos sectores partidarios de la negociación. Es el caso del ELN. A principios de la década esta agrupación había dado un viraje importante en su concepción: abandonó el postulado de revolución democrática propuesta por Camilo Torres, y asumió la tesis guevarista de la revolución socialista. Para el ELN la meta era la construcción de un ejército con el objeto de adelantar la lucha armada hacia la toma del poder desde el campo. Con esta política en 1983 ya había reconstruido los frentes Solano Sepúlveda, Camilo Torres y Galán, y creado el Domingo Laín. Fortalecido en las áreas rurales, se abocaba a la construcción de los frentes urbanos en Medellín, Bogotá, Bucaramanga, y en varias ciudades de la Costa Atlántica. A pesar de su crecimiento que alentaba las posiciones de los partidarios de la guerra como medio para la conquista del poder, se gestó un sector llamado *Replanteamiento* que en una forma que no transcendió al gran público, sostuvo la urgente necesidad de sentarse a la mesa de negociaciones[10]. Estas tendencias eran expresivas de los cambios que se estaban operando en las organizaciones insurgentes.

Durante 1984 la posición de negativa del ELN frente a la negociación se mantuvo, pero se desarrollaron presiones internas favorables a la negociación. En ese entonces, un enlace político del ELN en Cuba consideraba urgente que este grupo entrara en el diálogo. La razón era clara: Betancur a un año de mandato estaba más fortalecido que cualquier otro presidente gracias a la propuesta de paz que había lanzado, y había colocado al movimiento revolucionario contra la pared. La única manera de no dejarse ganar los espacios políticos, era lanzándose a la contraofensiva con una propuesta de paz audaz, negociando parte de las armas.

---

[10] Ver *Amnistía hacia una democracia más ancha y profunda*, Bogotá, Oveja Negra, 1983; "Amnistía política, un paso necesario hacia la democracia y la paz", y "Cese al fuego, avance real hacia la paz" en *Revista Javeriana* N° 497, pág. 91 y N° 504, pág. 255, respectivamente.

El gobierno cubano también presionaba a favor de la negociación: se ofreció para servir de puente entre las FARC y el M-19 de un lado, y el ELN del otro. El principal argumento de los cubanos era geopolítico: se trataba de salvar la revolución sandinista de una invasión norteamericana. Como quiera que Betancur jugaba un papel de liderazgo en el Grupo de Contadora, había que tratar de garantizarle estabilidad política a través de una tregua interna, con lo cual quedaba mejor ubicado para alentar el proceso de paz centroamericano y alejar el peligro de la eventual invasión norteamericana a Nicaragua. Pero los dirigentes del ELN consideraron que estando en un momento de reconstrucción de la organización, corrían el riesgo de una división si abría el debate interno sobre la paz[11]. Se impuso entonces la posición de rechazo a los diálogos de paz.

La política de paz y sus efectos transformadores

Bajo la consigna de la paz el gobierno no sólo apeló al hasta entonces único factor de guerra reconocido, la guerrilla, sino que entró a disputarle a ésta las banderas sociales y políticas. La confrontación en este campo tuvo dos escenarios: el de la opinión pública y la militancia de los grupos.

La propuesta gubernamental de una paz integral comprometida con el desarrollo social y político del país, y la política exterior de autonomía frente a los Estados Unidos y solidaria con Centroamérica, le ganaron una legitimidad que, por contrapartida, perdía la guerrilla. Betancur se jugó una riesgosa carta en el terreno propio de la insurgencia: las reformas políticas y sociales fueron reconocidas como condiciones para alcanzar la paz, de allí el carácter de tregua y no de tratado de paz que tuvieron los acuerdos.

Colocada en este terreno, la guerrilla -y con ella la izquierda legal- quedó confrontada a sus propias tesis. El proceso operó como catalizador de los debates políticos internos que afrontaban las

---

11 Entrevista con Jacinto Ruiz, comandante de la CRS, ala disidente del ELN, Flor del Monte, 1993.

organizaciones insurgentes, las cuales, con diversa intensidad y fortuna, entraron en una dinámica de replanteamiento. La coyuntura internacional incidió a su manera. Los cuatro modelos de revolución se desdibujaban: en la URSS se desataba el proceso de la Glasnost; China iniciaba su apertura al mercado mundial y al capital; Cuba se sumergía en la pobreza, y la revolución Sandinista, acosada por la presión norteamericana, debía acudir más al juego diplomático y político que a los principios socialistas. En estas condiciones un triunfo guerrillero en Colombia, por lo demás altamente improbable, no contaría con apoyo internacional significativo.

El debate interno en la izquierda legal y armada respondió también al cuestionamiento mundial respecto de la eficacia de la revolución para garantizar bienestar material compatible con libertades políticas. Un nuevo referente político se imponía a partir de la desmitificación de las revoluciones triunfantes, y de la experiencia de regímenes dictatoriales y autoritarios en el continente: el de la democracia.

La apertura política durante los dos primeros años de la administración Betancur creó condiciones que favorecieron la expresión de la inconformidad popular; alejada la amenaza represiva, aparecieron nuevos movimientos sociales. Esta dinámica se proyectó sobre los movimientos insurgentes, los cuales se comprometieron en la formación de movimientos políticos a través de los cuales buscaron ampliar su radio de acción en el espacio de las luchas políticas legales.

El EPL y el PCC-ML impulsaron la creación del *Frente Popular*. El ELN, la de *A Luchar,* en 1984; esta organización se consolidó en 1986 en parte gracias al intercambio de ideas y experiencias con el MIR, el PRT y algunos núcleos socialistas. Un año más tarde, bajo los auspicios de las FARC y del PCC, se creó la Unión Patriótica. El espectro de la izquierda legal se amplió con estos movimientos que sirvieron de medio de expresión política de los grupos armados. No deja de ser sintomático que ante el auge de las luchas sociales y del surgimiento de nuevos movimientos sociales, la izquierda armada en lugar de participar de esta dinámica, optara por la creación de sus propios movimientos políticos que de alguna manera irían a rivalizar con los movimientos sociales emergentes.

Con todo, este proceso alentó en las militancias de los grupos insurgentes la emergencia o consolidación de tendencias partidarias de la solución política al conflicto interno armado.

Los resultados de los encuentros entre los movimientos sociales y políticos auspiciados por la guerrilla fueron dispares. En algunos casos el efecto fue de potenciación de las posibilidades y luchas de los primeros, y en otros de debilitamiento y desplazamiento. La disparidad de resultados está ligada a las diferencias locales y/o regionales, así como a las historias específicas de las organizaciones. En general el encuentro resultó contradictorio dado el vanguardismo que ha inspirado la acción de las guerrillas.

La fragilidad de la tregua armada y los límites de la paz parcelada

Al jugarse las cartas de la negociación el gobierno se movió en dos terrenos deleznables: el de las treguas armadas, en un esfuerzo por crear condiciones y mecanismos de presión para avanzar en los procesos de reforma; y el de la paz parcelada, al negociar independientemente con cada uno de los grupos.

Los acuerdos fueron asumidos de forma diferente por cada una de las organizaciones armadas. De parte de la guerrilla no existía un compromiso inequívoco con la paz. Como más tarde lo reconocerían los dirigentes de algunas de las organizaciones armadas, los diálogos de paz se adelantaron en el marco de una estrategia de guerra.

El M-19 se comprometió durante el lapso de la tregua en una compleja estrategia política: construcción de una corriente de opinión policlasista favorable al cambio de régimen, y organización de milicias en los sectores populares. Su objetivo era doble: legal mediante la construcción de un consenso de oposición, e ilegal, fortaleciendo el aparato armado para garantizar un cambio de régimen por vía electoral o por la fuerza. Los movimientos del grupo guerrillero inquietaron enormemente a los sectores militaristas de la clase política y de las Fuerzas Armadas. Ambos sectores respondieron a su modo a lo que consideraron una provocación abierta tanto de los insurgentes como del mismo Presidente. Los comisionados de paz fueron agredidos, hostigados y obstaculizados por el ejército, y el grupo guerrillero en tregua fue atacado y bombardeado por el ejército, diciembre de 1984, en una fracasada operación de aniquilamiento cuando la mayor parte de su fuerza militar estaba concentrada en el campamento de Yarumales.

Para las FARC la tregua constituyó la oportunidad de abrir un espacio que les permitiera avanzar en su política de construcción de un ejército popular. Al ser reconocida como interlocutora política, logró ganar autonomía frente al PCC. La creación de la Unión Patriótica, como resultado de los Acuerdos de La Uribe, les abrió nuevos horizontes pero dejó atrapada a la novel organización en una trampa perversa: fue identificada por los sectores militaristas como el brazo político de una organización en armas, lo que la convirtió en objetivo fácil y privilegiado de la acción de los grupos extremistas de derecha.

En el contexto nacional de apertura democrática y de elección popular de alcaldes a partir de 1988 el previsible auge de la UP le significaría un paso seguro hacia el poder local en muchas zonas del país. La previsión resultó confirmada en su primera prueba de fuerza electoral: consiguió una votación nunca antes alcanzada por grupo alguno de izquierda. De ahí la inusitada, contundente y veloz ofensiva de extermino a que fue sometida, situación que puso en evidencia la incapacidad del gobierno para comprometer a las Fuerzas Armadas en el proceso de paz y controlar en forma efectiva la acción de los grupos paramilitares. En este proceso confluyeron los intereses militaristas de varios sectores: paramilitares, ganaderos, comerciantes, FFAA, gamonales y las propias FARC en algunos casos, cuando temieron la excesiva independencia de la UP.

Las FARC sostuvieron la tregua hasta bien entrada la administración Barco. Ella les garantizaba seguir sirviendo de punto de referencia política desde la tribuna en que se constituyó la legendaria *Casa Verde*. Por su lado el M-19 y el EPL decidieron dar por terminada la tregua: el primero, como resultado de los frecuentes ataques de que fue objeto en sus campamentos rurales y urbanos, y ante la expectativa de que el paro cívico convocado para el 20 de junio de 1985, generara un importante levantamiento popular; el EPL, como reacción al asesinato en Bogotá de su comandante y vocero político Oscar William Calvo, el 20 de noviembre de 1985.

La cruenta agonía del proyecto de paz: el Palacio de Justicia

El poder concentrado en la clase política, los gremios y los militares se desplegó desde el segundo semestre de 1984 para obstaculizar el proyecto de paz de Betancur. El Congreso se demoró en debatir los proyectos de reforma política; finalmente sólo pasaría el de la elección de alcaldes, después de que los parlamentarios consiguieran del debilitado gobierno un aumento significativo en sus dietas. Aunque los militares hablaban de paz y exaltaban su vocación democrática y pacifista, su conducta fue de boicoteo graduado del proceso. Para el gobierno, que con el paso del tiempo perdió capacidad de convocatoria, la situación se fue tornando insostenible, agravada, además, por la respuesta de la insurgencia, la cual no se comprometió coherentemente con el proceso.

Por otra parte, desde 1984 se desató la violencia del narcotráfico dirigida contra el establecimiento. En mayo de ese año el Procurador y el ex-Presidente Alfonso López M. viajaron a Panamá en un audaz intento por negociar sobre asuntos de justicia, economía y violencia con representantes del cartel de Medellín. Pero casi simultáneamente, sicarios al servicio de ese mismo cartel asesinaron al ministro de justicia, Rodrigo Lara Bonilla, partidario de una represión contundente contra los narcotraficantes. A este atentado siguieron otros contra personalidades nacionales y jueces, incluyendo magistrados de la Corte Suprema de Justicia. Las posibilidades de una eventual negociación se esfumaron, y el narcotráfico se sumó a la táctica de negociar desde posiciones de fuerza.

Por su parte el M-19, sin valorar la creciente influencia de los militares en el gobierno, el aislamiento del Presidente en su proyecto pacificador, y la presión de poderosos sectores a favor de una solución militar, ocupó el Palacio de Justicia el 6 de noviembre de 1985, con la pretensión de someter a juicio a Betancur por su *traición* al proceso de paz. La toma del Palacio y su total destrucción aunada al genocidio de magistrados y otros civiles como resultado de la contratoma realizada por el ejército, se constituyó en el acta de defunción del proceso de paz.

La insurgencia había perdido la batalla por la paz y con ella la legitimidad ganada durante la administración Turbay. El gobierno se quedó con las humeantes banderas de la paz. Pero fue el país el que más perdió. Los hechos del Palacio marcaron la nueva etapa de la confrontación: su recrudecimiento y el recurso generalizado a la guerra sucia.

Es claro que los objetivos que se propuso el Presidente Betancur de erradicar la violencia mediante la supresión de las condiciones objetivas, no se alcanzaron. La reforma política se quedó a mitad de camino, y las económicas y sociales ni siquiera llegaron a configurar un proyecto. Por su parte los actores involucrados en el proceso no tuvieron la unidad de propósitos requerida para sacarlo adelante. Betancur no contó con un sólido apoyo de las fuerzas políticas tradicionales, ni logró comprometer a las Fuerzas Armadas; tampoco contó con el respaldo del Congreso. Su política de paz fue más un proyecto presidencial que una política de Estado[12].

Del lado de la guerrilla primó la heterogeneidad política y militar de ésta, lo que dificultó la aplicación de la política de paz, coadyuvó al enrarecimiento del proceso y al deterioro de la legitimidad del movimiento insurgente. Lo cierto es que los grupos guerrilleros se desconcertaron frente a la amplitud de la oferta gubernamental, no captaron oportunamente la importancia que ésta tenía y diseñaron una estrategia que contribuyó al debilitamiento y aislamiento del Presidente. El espacio de la paz lo asumieron como un terreno de confrontación política en la preparación de la guerra que entonces tenían como camino irrenunciable para la conquista del poder.

El fracaso de este proceso es atribuible al régimen y a las tradiciones políticas que sirvieron de contexto a su gestión, así como a las guerrillas con su estrategia de guerra y táctica de paz.

---

[12] Cfr. Ana María Bejarano, op. cit.

Con todo, quedaron algunos elementos positivos que allanarían el camino a un nuevo proceso de paz. De un lado, las guerrillas quedaron cuestionadas en su proyecto socio-político, tanto por sectores de sus organizaciones como por movimientos sociales y políticos. Una dinámica nueva conducirá a algunas de ellas a buscar nuevas opciones políticas en un creciente ambiente de guerra sucia, de proliferación de múltiples formas de violencia, y de auge del narcoterrorismo y del paramilitarismo. Los ejes de los nuevos proyectos serán la reivindicación del derecho a la vida y la defensa de la democracia.

De otro lado, el reconocimiento de la guerrilla como interlocutor político; la aceptación de que existen causas que justifican y explican la existencia de la guerrilla; la imposibilidad de sacar avante un proceso de paz sin un compromiso institucional de las Fuerzas Armadas, y sin una franca voluntad de paz por parte de la guerrilla. Además, el proceso generó la necesidad de adelantar una *pedagogía de la paz* para la solución de los conflictos, cuya importancia nunca podrá ser exagerada en una sociedad como la nuestra tan proclive a la búsqueda de salidas violentas[13].

3. La política del garrote y la zanahoria

La administración Barco (1986-1990) encontró una guerrilla fortalecida militarmente y debilitada políticamente. Al acrecentamiento de su potencia armada contribuyó la "ingenuidad de los procedimientos con los que se adelantaron las conversaciones, de suerte que una tregua bilateral con mecanismos imprecisos de verificación le permitió a la guerrilla desdoblar los frentes, duplicar el número de hombres y ampliar considerablemente la cobertura territorial"[14].

El presidente Barco reformuló la política de paz en un marco más definido e institucionalizado, para evitar lo que se consideraban errores estructurales del proceso de paz anterior. A juicio del

---

[13] Cfr. Jesús A. Bejarano, op. cit., pág. 88.

[14] Idem. pág. 88.

gobierno era necesario centrar en el Estado toda la iniciativa y responsabilidad para no caer en la multiforme descoordinación de las varias comisiones de paz nombradas por la anterior administración, y así poder garantizar la ejecución de los compromisos, cosa que las comisiones de paz de Betancur no habían logrado dado su carácter meramente consultivo. La negociación política quedaba en manos del Consejero Presidencial para la Reconciliación Nacional, la Normalización y la Rehabilitación, quien rendía cuentas y recibía instrucciones directamente de Presidencia. Con este esquema disminuían las probabilidades de infidencias, versiones encontradas o mentís, que tanto daño le habían hecho al proceso anterior.

Para prevenirse contra la muy socorrida excusa de violaciones a las eventuales treguas que se pactaran, en vez de llamar a una veeduría internacional como lo había planteado reiteradamente la guerrilla, el gobierno dejó en manos de la justicia ordinaria la dilucidación de los eventos. Por último, para evitar diálogos eternos que a juicio del establecimiento sólo servían de tribuna a los alzados en armas, condicionó la negociación a la desmovilización y desarme[15].

A través del Plan Nacional de Rehabilitación, PNR, la política de paz se reorientó hacia la recuperación social y económica de las zonas marginadas y conflictivas mediante la inversión y presencia estatales. Con ello el gobierno de Barco reconocía las raíces sociales de la insurgencia en las que tanto había insistido su predecesor. Sin embargo, la perspectiva global del nuevo presidente no era una continuidad de la de Betancur: *también en ese aspecto una gestión técnica debía reemplazar una concepción política*[16].

Por su parte las FARC-EP, único movimiento insurgente que mantenía vigentes los acuerdos de tregua con el gobierno, trataron de aprovechar el espacio político ganado en el proceso de paz

---

15 *Procesos y factores determinantes de la recurrencia de la crisis gubernativa en Colombia,* Gabriel Murillo y Rubén Sánchez, s.d.e. pág. 113.

16 Daniel Pécaut, **Crónica de...** pág. 418.

de Betancur, sosteniendo diálogos con el gobierno al tiempo que arreciaba su actividad militar. El diálogo con el nuevo gobierno se inició en setiembre de 1986, y se sostuvo lánguida y espasmódicamente durante un año en medio de mutuas acusaciones por las constantes violaciones de la tregua. Pero en este aspecto también variaron las condiciones por la parte oficial, la cual exigió pruebas concretas de la buena fe de los alzados en armas. Una exitosa emboscada de las FARC en el Caquetá en junio de 1987, llevó al gobierno a declarar que la tregua se daría por terminada en todos aquellos sitios en los que la guerrilla produjera hechos de guerra.

Tres meses más tarde se creó la Coordinadora Guerrillera Simón Bolívar sobre la base de ampliar la Coordinadora Nacional Guerrillera con la participación de las FARC-EP. La conformación de la CGSB fue la confirmación de que los diálogos del año anterior entablados con el gobierno no perseguían una reinserción civil de los guerrilleros, y mucho menos un perdón jurídico para su vida anterior al margen de la ley. El clima de confianza terminó de deteriorarse: la noticia del proyecto de las FARC de crear una *Reunión Bolivariana del Pueblo* asesorada por *100 sabios* que haría las veces de un gobierno provisional, le permitió concluir al Consejero para la Reconciliación, Carlos Ossa Escobar, que las FARC no estaban interesadas en la paz y que, por lo tanto, una negociación con este grupo tendría un desenlace más que dudoso.

Era claro que no existía una firme decisión de buscar la paz por la vía de la negociación ni de parte de las FARC-EP ni de parte del Gobierno. Aquellas no cesaron en su actividad de hostigamiento militar; éste fue incapaz de terminar o de frenar la guerra sucia declarada contra la Unión Patriótica (UP). Sin embargo las FARC-EP manifestaron hasta octubre de 1987, cuando fue asesinado Jaime Pardo Leal, presidente de la UP, su decisión de sentarse a dialogar con el gobierno. A su vez éste, dos días después del magnicidio, volvió a manifestarle a las FARC su intención de dialogar con ellas.

El proceso de diálogo terminó como empezó: con múltiples declaratorias de tregua unilateral seguidas de operaciones hostiles tanto por parte de la guerrilla como del ejército. La administración de Barco finalmente se desentendió del proceso[17]. Abandonado de hecho el escenario de los diálogos, el gobierno concentró su atención en la política de Reconciliación y Normalización. En ejecución de la primera se propuso recuperar la efectividad de los canales de diálogo entre el gobierno y las comunidades, aplicando un nuevo modelo para el tratamiento de la protesta social. A lo largo de 1987 enfrentó con procesos de negociación 59 paros cívicos que afectaron a 151 municipios, y otras formas de movilización y protesta ciudadana. La intensidad de las movilizaciones fue respondida con abundancia de promesas de apropiación de recursos para construir puentes, carreteras, hospitales, escuelas, etc.[18]. El efecto positivo y civilizador de la confrontación social obtenido por la aplicación de esta política pronto se desvanecería ante la mirada impotente del gobierno, debido a la acción de paramilitares y sicarios -pocas semanas después de realizado el paro cívico del nororiente 16 de sus dirigentes habían sido asesinados-, y al incumplimiento de buena parte de las promesas oficiales.

Pieza fundamental de la política de Normalización era la desactivación de los grupos de justicia privada y el fortalecimiento de la autoridad civil en el tratamiento del orden público. En este campo la acción gubernamental fue virtualmente inexistente durante dos años: paramilitares y sicarios obraron en medio de una escandalosa impunidad y su acción ya no se limitó al asesinato de líderes populares y de izquierda, sino que comenzó a tocar funcionarios judiciales y gubernamentales, oficiales de las fuerzas armadas y dirigentes de los partidos tradicionales. Respuesta inicial a esta situación la constituyó el Estatuto para la Defensa de la Democracia, Decreto 180/88, disposición tardía e ineficaz que agregó elementos autoritarios a un Estado que no se ha caracterizado justamente por carecer de ellos, y que introdujo una peligrosa confusión entre terrorismo, delito político y protesta social. El balance de esta etapa de la política de paz dejó con saldo rojo a la administración.

---

[17] *El avance hacia la reconciliación...* pág. 451.

[18] "Plan Nacional de Rehabilitación, los paros cívicos y las marchas campesinas un nuevo modelo para el tratamiento de la protesta popular", en *Así estamos cumpliendo*, Tomo VI, Presidencia de la República, julio 1988.

Los hechos de guerra abren de nuevo el camino a los diálogos de paz

Al desentenderse durante dos años de las acciones de los paramilitares y sicarios y olvidar el diálogo con el movimiento guerrillero, el país vivió la sensación de una ausencia marcada de política en materia de paz. Entre tanto, el recrudecimiento de la violencia, en particular la asociada al narcotráfico, iba sumiendo al país de nuevo en una fuerte crisis política. La situación escapó al control del gobierno y los diseños de ingeniero[19] promovidos por el Presidente resultaron francamente insuficientes para afrontar la crítica situación de orden público.

La crisis desembocó sorpresivamente en una acción de gran resonancia: el secuestro, en mayo de 1988, por parte del comando del M-19 *Colombianos por la salvación nacional,* del dirigente conservador y varias veces candidato a la Presidencia, Alvaro Gómez[20]. Con esta acción el M-19 recuperó el protagonismo perdido en el campo de la paz, y modificó la coyuntura política al forzar la apertura de espacios para un nuevo diálogo con la insurgencia.

La oferta de cese al fuego y el llamado a la realización de una amplia cumbre por la salvación nacional, acompañada de intensos contactos con dirigentes políticos y gremiales, terminaron por desvanecer los temores de que éste fuera un hecho más en el camino de la profundización de la guerra. En esta oportunidad el grupo insurgente trataba de tender un puente entre las fuerzas políticas y el movimiento armado que despejara el camino a la búsqueda de una solución política al conflicto armado y a la crisis nacional.

Según la lectura que el M-19 hacía de la coyuntura, ésta podía definirse como una situación en la que muchos sectores políticos,

---

[19] Hay que recordar que el presidente Barco es Ingeniero de profesión.

[20] Texto de la orden impartida por el comandante Carlos Pizarro aparecida en revista *Colombia,* septiembre 1988, pág. 6: "Considerando: [...] 3°. Que es necesario que los autores intelectuales, morales y materiales de esta situación [la guerra sucia] -la clase política, el régimen oligárquico- asuma su responsabilidad de cara a la nación. [...] El Comandante General del M-19 ordena: 1°. Localizar y capturar a Alvaro Gómez Hurtado o, en su defecto, a otro reconocido exponente del régimen oligárquico y promotor de soluciones de fuerza a la crisis nacional".

incluyendo el liderado por Alvaro Gómez, se habían dado cuenta que el país ya no se podía gobernar sin democracia, que no se podía seguir acumulando riqueza sobre la miseria de las mayorías, que no se podía seguir manejando el terror con las FFAA para defender a la oligarquía[21].

El mensaje, tanto en su sentido de amenaza que significaba el secuestro como de promesa de un camino cierto hacia la desmovilización, fue recibido, y ante la ausencia de liderazgo gubernamental en el campo de la paz, respondieron a la convocatoria hecha por el M-19 voceros de los partidos políticos, de la Iglesia católica, de los gremios de la producción y del sindicalismo. Estos sectores convocaron conjuntamente con el grupo insurgente a la Cumbre de Salvación Nacional, evento que se realizó en Bogotá el 29 de julio. Los asistentes a la reunión coincidieron en exigirle al gobierno la definición de una política de participación que permitiera institucionalizar el proceso de paz, e hicieron un llamado a que el espíritu de diálogo se materializara en un nuevo pacto social que garantizara la convivencia pacífica entre los colombianos.

Este proceso reveló una nueva faceta política del M-19. Desde la toma de la embajada dominicana había propuesto el diálogo nacional como vía posible para la solución del conflicto armado, pero su actividad estuvo enmarcada en una estrategia de guerra. La ilusión cercana al delirio, de encontrarse *ad portas* de la victoria final, alimentó el aire triunfalista que acompañó la mayoría de sus acciones y declaraciones, pero en esta ocasión el M-19 actuó con un marcado sentido pragmático y con la conciencia de quien se ha convencido que no es posible el triunfo armado.

No pudo el gobierno desentenderse de este fenómeno. La *Iniciativa para la Paz* fue la respuesta que dio, con gran sentido de oportunidad, un gobierno temeroso de tomar iniciativas y que aguardaba a que el desarrollo de los procesos le señalara los rumbos por los cuales transitar.

---

[21] "Carta regional" del M-19, agosto 1988, pág. 5-6.

La CGSB desechó la posibilidad de acogerse a la *Iniciativa para la paz* calificándola como un itinerario para la desmovilización. El M-19 resolvió apartarse de esta decisión colectiva e inició un proceso de conversaciones en el que finalmente acordó con el gobierno nacional convocar "a un diálogo directo a las Direcciones de los Partidos Políticos con representación parlamentaria y a los comandantes de los grupos de la Coordinadora Guerrillera *Simón Bolívar* para que en él se acuerde un camino hacia la solución política del conflicto de la Nación colombiana, que tiene que expresarse en un itinerario claro hacia la democracia plena y en un camino cierto hacia la desmovilización guerrillera con las garantías necesarias"[22].

Al acogerse a la Iniciativa para la Paz el M-19 buscó, mediante el proceso conducente a la suscripción de un Pacto Político por la Paz y la Democracia, asegurar la configuración de un espacio desde el cual pudiera desarrollar actividad política legal. El mecanismo adoptado fue el de las *Mesas de Análisis y Concertación,* que posibilitó la incorporación de otros actores al proceso de negociación: sindicatos, gremios de la producción, organizaciones cívicas, universidades, etc. En estas *Mesas* se definieron los contenidos del acuerdo de paz con el gobierno nacional con el propósito de que éste fuera un pacto político de alcance nacional.

El Pacto político comprendía, entre otras cosas, el trámite de un proyecto de reforma constitucional que creara condiciones de favorabilidad, como la circunscripción especial de paz, para la transición de los grupos en armas a la vida política legal, y suprimiera los elementos restrictivos del ejercicio de la democracia electoral. A pesar del apoyo gubernamental y del respaldo formal de los partidos tradicionales, la reforma constitucional que contenía elementos del acuerdo político con el M19 no prosperó. En los debates en el Congreso se introdujo un *mico* que pretendía consagrar la prohibición constitucional de la extradición de colombianos. Ante el fracaso de los esfuerzos del gobierno por conseguir que el artículo en cuestión fuera eliminado, éste optó por retirar el proyecto en su totalidad. Este hecho puso en evidencia el precario compro-

---

[22] / Primera declaración conjunta suscrita en el Tolima por el gobierno nacional y el Movimiento 19 de Abril, M-19.

miso de la clase política con el proceso de paz, así como la presencia de sólidas lealtades en el cuerpo parlamentario con los intereses de los narcotraficantes[23].

La no aprobación de la reforma constitucional dejó prácticamente sin contenido la negociación. Si en estas condiciones el proceso de paz fue posible ello obedeció, en lo fundamental, a la voluntad del grupo insurgente: el M-19 mantuvo la decisión, adoptada el 5 de octubre de 1989 por su Conferencia Nacional en el campamento de Santo Domingo, de abandonar las armas.

Armas a cambio de espacio político

En marzo de 1990 el M-19 abandonó en forma definitiva el incierto camino de la lucha armada. Dieciséis años de actividad guerrillera habían dejado una importante huella renovadora en el discurso de la izquierda y en la práctica de la guerra. Las últimas innovaciones aportadas por el M-19 desde la insurgencia armada fueron su decisión unilateral de abandonar las armas a cambio de espacios políticos para la acción legal, y la renuncia a la tesis de la necesidad de reformas económicas, sociales y políticas como condición para cesar la confrontación armada. Su nuevo postulado reconocía en ésta uno de los más fuertes obstáculos para avanzar en un proceso de democratización de la sociedad.

Su última acción como guerrilla se hizo dentro de la más pura tradición de la oportunidad política: dejó las armas en momentos en los que la guerra se enrarecía, la opción armada perdía su legitimidad, y nuevos actores introducían elementos de confusión en el ya enredado panorama de la violencia nacional. Escapó así al proceso de degradación del conflicto armado que envolvió a la guerrilla supérstite en una dinámica gradual de tránsito de la guerra programática a la guerra metodológica[24], esto es, de una guerra motivada en forma determinante por los fines de transforma-

---

[23] Esta conclusión no ignora la tendencia nacionalista que apoyó la no extradición de colombianos como una manera cierta de defender la soberanía y dignidad judiciales.

[24] La expresión es de Hernando Valencia Villa en su libro *La justicia de las armas*, TM Editores-IEPRI UN, Bogotá, 1993.

ción revolucionaria de la sociedad, a una que deviene ella misma en fin y forma de vida[25].

Si con la toma de la embajada dominicana en 1980 el M-19 había logrado romper la tradicional marginalidad política de la guerrilla, diez años después rompió la marginalidad de la izquierda en los procesos electorales. Su incorporación a la vida política legal como Alianza Democrática M-19 generó una significativa corriente de opinión que la proyectó en menos de un año como opción de poder, y le aseguró una numerosa bancada en la Asamblea Nacional Constituyente. En ella la ADM19 jugó un papel decisivo en las reformas institucionales que se plasmaron en la Constitución de 1991.

Es indudable que sin los acuerdos de paz con el M19 difícilmente se hubiera desatado el proceso constituyente del 91.

La Constituyente y la ampliación del proceso de paz

Al final del mandato del Presidente Barco el complejo panorama de la violencia se agudizó. Se incrementó la actividad de los grupos paramilitares, que además de atentar contra dirigentes cívicos y populares, periodistas demócratas y defensores de los derechos humanos, extendió su acción contra funcionarios del poder judicial.

Por su parte los narcotraficantes, en medio del desconcierto que produjo la política del garrote y la zanahoria de reprimir e intentar negociar a la vez, trataron de forzar la negociación orientando su acción contra la élite política: atentaron contra la vida del hoy Presidente Samper, y asesinaron al candidato liberal Luis Carlos Galán en agosto de 1989. Como respuesta a estos atentados el gobierno declaró la mal llamada *guerra* contra el narcoterro-

---

[25] La presencia y acciones de los nuevos actores armados golpearon a la guerrilla de diversos modos: la lucha armada se ha ido desvalorizando en un contexto de violencia sofocante; los nuevos actores han disputado muchas veces con éxito los territorios de la guerrilla y asesinado a sus bases y dirigentes legales; y, por último, la nueva amoralidad del dinero fácil ha permeado, al igual que al conjunto de la sociedad, a diversos sectores de la guerrilla con variada intensidad.

rismo, que oscureció aún más el panorama de la crisis. Desconoció el gobierno que el problema era político y militar, y redujo el tratamiento a este último aspecto acentuando la tendencia a la militarización de la vida nacional[26].

La escalada militarista arrastró en medio de la confusa situación nacional al candidato presidencial de la Unión Patriótica, Bernardo Jaramillo, y al excomandante del M19, Carlos Pizarro Leongómez, quienes fueron asesinados en marzo y abril de 1990. La izquierda democrática quedaba dramáticamente debilitada en momentos en los que por primera vez comenzaba a perfilarse como una verdadera opción de poder.

En medio de este cruce de violencias se realizaron las elecciones presidenciales en las que resultó electo para el período 1990-1994 el liberal César Gaviria. En el mismo certamen, y como resultado de un proceso de *insurgencia ciudadana*, se depositó la llamada *séptima papeleta* para que los votantes se manifestaran en torno a la convocatoria de una Asamblea Nacional Constituyente (ANC) para reformar la constitución de 1886[27]. Los votos a favor de la ANC superaron ampliamente los depositados por los candidatos presidenciales.

Apoyado en la caudalosa votación a favor de la convocatoria a la ANC, en la fuerza política emergente del proceso de paz con el M19, la Alianza Democrática M19 (ADM19), y en los sectores modernizantes de los partidos tradicionales, el Presidente Gaviria convocó a elecciones para la integración de la Asamblea el 9 de diciembre de 1990[28].

La presencia de una Constituyente pluralista con representación significativa sectores políticos, religiosos y étnicos tradicio-

---

[26] Cfr. Francisco Leal Buitrago, "Estructura y coyuntura de la crisis política", en *Al Filo....*, págs. 48-55.

[27] Una sorprendente decisión de la Corte Suprema de Justicia, que consideraba legal el escrutinio de los votos sobre la ANC, despejó el camino para su convocatoria.

[28] En estas elecciones se produjo las más alta abstención de nuestra historia política: 80.9%. La naciente ADM19 canalizó con una lista de coalición la mayoría de la votación, seguida de cerca por el Partido Liberal que tuvo el 31.2% de los votos.

nalmente excluidos, introdujo cambios importantes en el contexto. Era claro que una negociación de paz no podía comprometer reformas constitucionales como quiera que el espacio para que ellas se definieran lo constituía la propia Asamblea. Así las cosas los procesos ya iniciados con el Ejército Popular de Liberación, el Partido Revolucionario de los Trabajadores y el Movimiento Armado Quintín Lame se centró en aspectos operativos de la llamada reinserción, y en la definición de su participación en la ANC.

Sin introducir cambios a los aspectos procedimentales de la política de paz aplicada por Barco, y teniendo como horizonte la reforma constitucional, el proceso de paz se concibió como una empresa integral que debía contemplar los siguientes aspectos: 1°) reforma política; 2°) normalización de la vida ciudadana (frenar y acabar con la militarización de la vida ciudadana y la criminalización de la protesta social); 3°) rehabilitación desde tres perspectivas: como componente de la estrategia de desarrollo social general; como instrumento de la política de reconciliación y normalización (fortalecimiento de la democracia participativa, de la autonomía local e instituciones democráticas); y como instrumento regional para fortalecer los entes locales; 4°) estrategia nacional contra todas las formas de violencia con el apoyo de la sociedad[29].

El gobierno enfatizó en la gran oportunidad de dialogar con la CGSB en el marco de la Asamblea Constituyente. Incluso manifestó su disposición a aceptar en ella la presencia de 10 guerrilleros con voz y voto[30]. Pero el ataque del ejército a *Casa Verde* santuario del secretariado de las FARC el mismo día en que los colombianos acudían a las urnas para integrar la ANC, negaba en los hechos la voluntad gubernamental de aceptar la participación de los líderes de la guerrilla en el proceso constituyente. Por otra parte el breve tiempo acordado para las deliberaciones de la Asamblea, crearon un margen muy estrecho que hacía prácticamente imposible que los dirigentes de la CGSB participaran en ésta como resultado de eventuales acuerdos de paz con el gobierno. En los hechos la presencia de representantes de la Coordinadora en el

---

[29] Comisión de Superación de la Violencia, *Pacificar la paz*, Cinep, Cecoin, Comisión Andina de Juristas, IEPRI-UN, Bogotá, 1992, p. 253 y ss.

[30] Revista **Semana**, Bogotá, febrero 26 de 1991.

gran evento quedó desde un principio descartada, a pesar de las reiteradas manifestaciones, sobre todo de las FARC, de su disposición a participar.

De nuevo la militarización de la vida nacional

Marginada de la ANC, la Coordinadora[31] se comprometió a fondo con una ofensiva militar que fue reacción por el ataque a *Casa Verde* y afirmación de su capacidad desestabilizadora con el fin de no ser ignorada en los procesos de cambio institucional. Los esfuerzos que se hicieron para acercar a los dos interlocutores por parte de sectores de la Iglesia católica y de la sociedad civil, resultaron infructuosos.

Fue nuevamente un acto de fuerza -la ocupación de la embajada venezolana en Bogotá por miembros de la CGSB- el detonante que derribó los obstáculos para un nuevo acercamiento entre la insurgencia y el gobierno nacional. En Cravo Norte se desarrollaron los primeros contactos de lo que sería un nuevo y fallido intento de negociaciones de paz que se desarrollaron en Caracas, primero, y posteriormente en Tlaxcala.

Hay varios elementos a destacar en este proceso. El primero de ellos es la postura del gobierno, que cedió a la presión militar de la guerrilla y aceptó negociar sin que ésta diera muestras unilaterales de buena voluntad, cese el fuego y concentrara sus fuerzas en un campamento. El segundo elemento es la aceptación por parte del gobierno nacional de dialogar sobre su política económica y social. Y, finalmente, la posición de flexibilidad adoptada para la definición de una posible agenda de negociación, que contempló diez temas, entre ellos cese al fuego, derechos humanos, paramilitares, veeduría del proceso, democratización política económica y social, etc.[32]. Era claro que el esquema Barco de negociación ya no era pertinente para las nuevas circunstancias e interlocutores.

---

[31] Desmovilizados el EPL, el PRT y el MAQL la Coordinadora quedó integrada por las FARC, la UC-ELN y la disidencia del EPL.

[32] Cfr. Mauricio García Durán, *De la Uribe a Tlaxcala, procesos de paz*, CINEP, Bogotá, 1994.

Pero la negociación sin cese al fuego no fue asimilada. La persistencia de las acciones guerrilleras y en particular el secuestro de dirigentes políticos, generaron fuertes presiones sobre el Gobierno, sobre todo por parte de los medios de comunicación. Finalmente, los intereses de la guerra prevalecieron sobre los de la paz. El gobierno y la CGSB suspendieron las conversaciones. El primero tuvo que hacerlo ante las presiones que se desataron contra los diálogos a raíz de la muerte en cautiverio, en manos de un grupo del EPL, de Argelino Durán Quintero. Para la CGSB la suspensión del diálogo fue la oportunidad para encarar las disensiones internas agudizadas por las negociaciones en curso.

De manera paradójica el nuevo panorama mundial luego del derrumbe del llamado campo socialista, y el afán democratizador del gobierno legitimaron la opción bélica. El gobierno arremetió militarmente contra los *enemigos de la democracia* con la convicción de que a las guerrillas se les había agotado toda su razón de ser y estaban a la deriva como delincuencia común.

En estas condiciones se hizo el tránsito de la política de paz a la de *guerra integral*, que caracterizó la segunda mitad del gobierno de Gaviria. El fracaso relativo de esta estrategia en su propósito de reducir por la vía militar a la guerrilla se puso en evidencia con el incremento de las acciones de ésta y, sobre todo, con el desarrollo de la ruda ofensiva guerrillera conocida como *operación despedida a Gaviria*, adelantada durante los meses de julio y agosto de 1994. Si bien la capacidad operativa de la guerrilla no fue afectada por la acción del ejército, su estructura de mando sí lo fue en forma significativa, gracias a la labor de inteligencia de los organismos estatales.

En medio de la *guerra integral* se adelantaron las conversaciones de paz con la Corriente de Renovación Socialista (CRS), grupo disidente de la UC-ELN. Esta negociación fue la última que se desarrolló con el esquema Barco, y como la misma CRS lo proclamó, su experiencia confirmó el agotamiento de este modelo de negociación. En un doble sentido: uno, por las dificultades que aparecieron durante los procesos de negociación y de reinserción, como fueron el incumplimiento del gobierno para con los ex-guerrilleros, la muy poca colaboración (a niveles laboral, síquico, moral y social) prestada por la sociedad a los reinsertados, y los estragos causados por la guerra sucia en los grupos de desmovilizados; dos, porque las guerrillas supérstites sobrepasan con mucho por tradición, tamaño, cobertura y organización a las desmovilizadas: con ellas es imposible aplicar un esquema que desemboque en acuerdos que sólo garantizan -eventualmente- unas muy limitadas favorabilidades para los combatientes y que desconocen *toto coelo* los años de lucha del grupo guerrillero.

El balance de estos procesos es contradictorio. Si bien se avanzó en la democratización del país a través de la reforma constitucional, se logró la incorporación a la vida política legal de más de cuatro mil guerrilleros, y surgieron nuevas fuerzas políticas y sociales que alentaron temporalmente expectativas de formación de un sistema multipartidista, al mismo tiempo la *guerra integral* favoreció la degradación del conflicto, militarizó aún más la vida política nacional, propició la relegitimación relativa de los grupos armados al crear condiciones que estimularon el fortalecimiento de los grupos paramilitares, y acentuó las violaciones a los derechos humanos.

4. Incertidumbres de la paz integral

El cambio de gobierno lo fue a la vez de la política de paz. La nueva administración abandonó la estrategia de *guerra integral* y orientó sus esfuerzos hacia la creación de condiciones favorables para la negociación. Para ello el presidente propuso desde su posesión, el siete de agosto de 1994, realizar un *diálogo útil*, entendiendo por tal el que condujera a la desactivación real de la confrontación armada. Al mismo tiempo designó un Alto Comisionado para la Paz, con rango ministerial, para que concentrara, en sustitución de la tradicional Consejería de Paz, todo lo relativo a la política de paz ante la insurgencia.

El Alto Comisionado para la Paz recibió el encargo de presentar al término de los cien primeros días del ejercicio gubernamental, un informe sobre la situación de orden público y, en particular, sobre las posibilidades de una eventual negociación. Esta posición despertó nuevas esperanzas de alcanzar una solución negociada al conflicto político armado. Diversos sectores se manifestaron positivamente en ese sentido. Cámara y Senado se apresuraron a conformar sendas Comisiones de Paz y se dispusieron a adelantar contactos con los grupos insurgentes. Los alcaldes del país, a su vez, reclamaron el derecho a adelantar diálogos regionales con el objeto de avanzar en la desactivación de los conflictos armados que afectan la vida en sus localidades. La Conferencia Episcopal propuso la creación de una Gran Comisión Nacional de Paz con participación de sectores de la sociedad civil. El Consejo Nacional Gremial (CNG), que agrupa a quince de los más importantes gremios empresariales, se comprometió a contribuir a erradicar los factores de violencia, para lo cual ofreció propiciar el empleo productivo para los insurgentes que abandonaran las armas, así como aportar a la creación de un Fondo para la Paz.

Sin rechazar el apoyo político que significaron todas estas propuestas, el gobierno defendió su estrategia de centralizar en el Alto Comisionado las gestiones relativas a la paz, pues consideró que la dispersión de las negociaciones en múltiples instancias llevaría a la descoordinación e inutilidad de los esfuerzos por una parte, y por otra, el fraccionamiento de los interlocutores dejaría sin garantía la verificación de los eventuales acuerdos de paz y no garantizaba la calma a nivel nacional.

Por su parte las organizaciones de alzados en armas se manifestaron positivamente ante la posición gubernamental. El Secretariado de las FARC, a través de Alfonso Cano quien fuera negociador por esta organización en los fallidos diálogos adelantados en Caracas y Tlaxcala, expresó su disposición a una negociación que condujera a *la plena reconciliación de todos los colombianos*. La UC-ELN se manifestó a favor de la humanización del conflicto armado. Por su parte la disidencia del EPL expresó su disposición para participar en diálogos orientados a buscar una salida política a la guerra interna.

La euforia despertada por la actitud gubernamental se extendió a los grupos paramilitares. Fidel Castaño, el más conocido de sus dirigentes, poderoso narcoterrateniente del departamento de Córdoba y a quien se vincula al asesinato de más de 400 personas, llegó a solicitar que en un futuro proceso de paz se los reconociera como interlocutores políticos y se los llamara a participar en la mesa de negociación. De paso, tuvo a bien recordarle al gobierno que los grupos paramilitares fueron inicialmente creados y entrenados en los cuarteles del Ejército Nacional, y utilizados como eficaz instrumento en la lucha contrainsurgente.

Pero en medio de esta euforia, las dificultades no estuvieron ausentes. Recién posesionado Samper fue asesinado en las calles de Bogotá Manuel Cepeda, dirigente del Partido Comunista de Colombia y único senador de la Unión Patriótica. A su vez, la guerrilla no cesó en sus acciones ofensivas. Pero, según el gobierno, era justamente este clima de violencia, la intensidad de la confrontación, el clamor nacional por la paz y las señales dadas por los grupos insurgentes de disponerse a negociar, lo que había llevado a la redefinición de la estrategia de paz.

La nueva estrategia de Paz

Los elementos centrales de la nueva política de paz que se plantearon, fueron: el cese al fuego no es condición previa para iniciar diálogos; se adelantarán contactos directos y discretos con los grupos en armas a objeto de llegar a un acuerdo sobre una agenda; se buscará negociar con el conjunto del movimiento guerrillero o en su defecto con los sectores que estén efectivamente dispuestos al diálogo; las conversaciones se harán en un país amigo, se adelantarán sin prisa y sin plazos previos; el gobierno se compromete a fondo con la humanización de la guerra y defensa de los derechos humanos.

Es indudable que el gobierno con esta propuesta colocó casi todas sus cartas sobre la mesa. Con la tesis de que la paz no se alcanza con el solo silenciamiento de los fusiles, abrió, además, una perspectiva que liga estructuralmente la paz a reformas económicas y sociales. Pero, como era previsible, la negociación bajo el fuego, y el abandono de la estrategia de *guerra integral*, no significaron que el gobierno renunciara a la acción contrainsurgente, o que la guerrilla detuviera su actividad militar.

El fallido inicio de conversaciones con la guerrilla

En noviembre de 1994, después del primer informe del Alto

Comisionado, el Presidente dio a conocer la disposición del gobierno para "dar comienzo a una nueva etapa: la de preparación de una futura negociación, en la medida en que tengamos la seguridad de que ella nos llevará a una paz permanente, no será utilizada para hacer proselitismo armado y que estará acompañada de coincidencias efectivas sobre la necesidad de la humanización de la guerra"[33].

El 18 de mayo de 1995, con fundamento en el segundo informe sobre el estado del proceso de paz rendido por el Alto Comisionado, el Presidente Samper señaló que existen condiciones para iniciar conversaciones en torno a la humanización del conflicto armado interno con la Unión Camilista Ejército de Liberación Nacional (UC-ELN) y con el Ejército Popular de Liberación (EPL), y para definir el sitio de negociaciones de paz, con las Fuerzas Armadas Revolucionarias de Colombia (FARC-EP).

La posición gubernamental dio un nuevo impulso a la controvertida política de negociación con la guerrilla en medio de la guerra. Pero el tiempo transcurrido entre los dos informes del Alto Comisionado generó un ambiente de pesimismo sobre la viabilidad de la nueva política de paz, y alentó las posiciones de quienes consideran que en este campo la mejor política es la del sometimiento militar de la insurgencia. Pesimismo que no solamente se funda en la actividad creciente de la guerrilla, sino también en las incoherencias de la política gubernamental.

Diversos factores incidieron para que se fueran acallando las voces optimistas. En primer lugar, a pesar de que todos los grupos insurgentes habían expresado su disposición al diálogo, no fue posible concretar unos acuerdos previos que permitieran el desarrollo de conversaciones conducentes a la definición de la agenda de negociación. Sólo hasta mayo de 1995 los dirigentes nacionales de la UC-ELN reducidos a prisión, declararon haber sido autorizados "para dar inicio a conversaciones con el gobierno que sienten (sic) las bases para llegar a un acuerdo sobre la humanización de la guerra"[34]. Por su parte las FARC-EP se resis-

---

[33] Discurso del Presidente Ernesto Samper, Popayán, noviembre 17 de 1994.

[34] Carta de Francisco Galán y Felipe al Alto Comisionado para la Paz, Bogotá, s.f.

tieron a iniciar conversaciones mientras el gobierno no aceptara su exigencia de desmilitarizar totalmente el municipio de La Uribe, antigua sede del secretariado de esa organización.

En segundo lugar, la política del gobierno no ha sido coherente. A la decisión presidencial de iniciar contactos directos con la guerrilla le sucedió la propuesta del entonces Ministro de Defensa para crear cooperativas de seguridad rural, en contravía manifiesta con los procesos de desarme impulsados por el gobierno, y con la prometida persecución a los grupos paramilitares; a la decisión de iniciar conversaciones sobre humanización de la guerra con la UC-ELN y el EPL, le sucedió la propuesta del mismo ministerio de publicar avisos ofreciendo recompensas por la información que condujera a la captura o muerte de dirigentes guerrilleros. La UC-ELN se negó a continuar las conversaciones con el gobierno hasta tanto éste no revocara en forma definitiva la decisión de ofrecer recompensas. Por su parte las FARC-EP le exigieron al presidente que aclarara *si su voluntad es la expuesta a través del Alto Comisionado para la Paz de buscarnos para conversar, o es la expresada a los altos mandos Militares de buscar nuestra eliminación!*[35].

En tercer lugar, la opinión pública no ha asimilado suficientemente la estrategia de negociar *bajo el fuego*. La impaciencia frente al desarrollo de un proceso que será inevitablemente lento y complejo, y la intolerancia ante la continuidad del conflicto armado y de la crueldad asociada a la guerra, son obstáculos ciertos a la ejecución de la política de paz, pues de impaciencia e intolerancia también se nutre el conflicto. La persistencia de la confrontación y los ataques guerrilleros que siguen cobrando vidas entre la población civil y vulneran el Derecho Internacional Humanitario, han fortalecido una corriente significativa opuesta a la negociación. A esta *opinión* hay que sumar la defensa de intereses creados por una guerra tan prolongada.

Era claro que para el gobierno nacional resultaba difícil sostener su estrategia de negociación en medio de la guerra si no lo-

---

[35] Carta del Secretariado del Estado Mayor, FARC-EP al Presidente de Colombia, mayo 14 de 1995.

graba acuerdos iniciales. La CGSB, a pesar de las manifestaciones de cada uno de sus grupos a favor de la negociación, mostró en esta coyuntura una fuerte *pereza* negociadora que revela la voluntad de hecho de persistir en un conflicto armado cuyos objetivos de transformación social son cada vez más inciertos. *Pereza* negociadora reforzada por la imagen que tiene del gobierno, al cual percibió como particularmente débil dado el severo cuestionamiento que sufrió su legitimidad a raíz del escándalo de los narcocasettes, la docilidad ante la política antinarcóticos de los Estados Unidos y su escasa capacidad de ejecutoria en lo social.

En medio de estas dificultades se generó un importante movimiento a favor de la paz que comprometió diversos sectores y organizaciones de la sociedad civil. Se destaca la inusitada respuesta a la convocatoria de un Seminario sobre Paz Integral y Sociedad Civil: 220 organizaciones no gubernamentales reunieron en Bogotá entre el 9 y el 11 de junio de 1995 a 1500 delegados de más de treinta foros regionales. Entre los objetivos de este evento estuvieron los de presionar la solución negociada del conflicto armado, ejercer una veeduría ciudadana sobre las negociaciones gobierno-guerrilla, y proponer políticas que conduzcan a la creación de condiciones de seguridad y bienestar ciudadano, en el entendimiento de que la paz es mucho más que el silenciamiento de los fusiles.

Este evento propuso la creación de un Foro Permanente por la Paz, con amplia participación ciudadana, que se vincularía al proceso de paz y eventualmente propondría soluciones regionales a la diversidad de conflictos que animan hoy la guerra. Iniciativa que fue acogida por el Gobierno pero que quedó frustrada ante el retiro del Alto Comisonado para la Paz y la interinidad en que quedó esta política.

La crisis política y el naufragio de la política de paz

A las dificultades ya anotadas que enfrentaba la política de paz de la actual administración, se vinieron a sumar las derivadas de la crisis política en curso. La infiltración de dineros del narcotráfico en la campaña presidencial, la detención del exministro de Defensa Fernando Botero y el juicio seguido al Presidente en el

Congreso, debilitaron al extremo al gobierno y redujeron el margen de maniobra del Presidente.

Pero aún antes de este debilitamiento, la política de paz había recibido fuertes golpes. Primero, por parte de la guerrilla que incrementó sus acciones y persistió en las violaciones al los derechos humanos y al derecho internacional humanitario. Con ello lejos de fortalecerse minaron aún más su precaria legitimidad política y quedó cuestionada su proclamada voluntad de paz. Segundo, por parte del mismo equipo presidencial que anunció el agotamiento del tiempo para la paz. La renuncia del carismático Alto Comisionado produjo la certidumbre de que en este campo el gobierno tendría un viraje radical. En efecto, el Presidente no volvió a hablar de negociación sino de derrota de la insurgencia.

Las conversaciones adelantadas con el pequeño grupo Jaime Bateman Cayón en el norte del Cauca, y suspendidas a comienzos de 1996, no lograron dar un nuevo oxígeno a una política cada vez más marginal. En ausencia de verdadero compromiso gubernamental, los comisiones nacidas de la sociedad civil como la Comisión de Conciliación Nacional, encabezada por el episcopado, siguen desarrollando esfuerzos por crear condiciones que favorezcan una futura negociación.

El Presidente, en el discurso en el que anunció el inicio de una nueva etapa de su administración e invitó a la formación de un gobierno de reconciliación nacional luego de haber sido absuelto por el Congreso, se comprometió a ganar las guerras contra el narcotráfico, la delincuencia común organizada y la subversión. Forzoso es concluir que en medio de los nubarrones de la crisis naufragó la política de paz. El recurso al formalismo jurídico mediante la tipificación de nuevos delitos y aumento de penas, el anuncio del fortalecimiento de la capacidad operativa de las Fuerzas Armadas y el recrudecimiento de la confrontación, ocupan el puesto que hasta hace poco ocupara la voluntad de buscar una solución política negociada al conflicto armado interno, en el marco de una estrategia de desarrollo sostenible.

Soplan vientos de guerra y con ellos se diluyen, al menos temporalmente, las esperanzas de una paz integral que haga viable la convivencia en la diferencia sobre la base de la justicia económica y la equidad social.

Pero en la lógica perversa de los tres últimos lustros, es probable que una vez superada la crisis política el recrudecimiento de la confrontación, el crecimiento de los indicadores de violencia y la renovada y siempre presente *fatiga de guerra* abran, una vez más, las perspectivas de una solución política negociada.

Una lección importante de los triunfos y fracasos de la política de paz aplicada en las dos últimas décadas es el reconocimiento de la necesidad de avanzar en la construcción de un clima de tolerancia hacia las concesiones, de modo que unas eventuales negociaciones puedan contar con un respaldo social que no empuje a las partes a la radicalización de sus posiciones sino que, por el contrario, provea de legitimidad el proceso de mutuas concesiones, base real de cualquier posible negociación[36].

Hoy más que nunca cobran renovada vigencia las palabras de Estanislao Zuleta:

"Si alguien me objetara que el reconocimiento previo de los conflictos y las diferencias, de su inevitabilidad y su conveniencia, arriesgaría a paralizar en nosotros la decisión y el entusiasmo en la lucha por una sociedad más justa, organizada y racional, yo le replicaría que para mí una sociedad mejor es una sociedad capaz de tener mejores conflictos, de reconocerlos y de contenerlos. De vivir no a pesar de ellos, sino productiva e inteligentemente en ellos. Que sólo un pueblo escéptico sobre la fiesta de la guerra, maduro para el conflicto, es un pueblo maduro para la paz".

---

[36] Ver al respecto Jesús Antonio Bejarano, *Una agenda para la paz*, Tercer Mundo Editores, Bogotá, 1995, págs. 28-9 y 50.

III
Colombia y América Latina en las relaciones internacionales contemporáneas

Hugo Fazio Vengoa

Introducción

El final de la guerra fría supuso el inicio de un mundo nuevo en sus coordenadas fundamentales. Los disímiles conflictos, oposiciones y tensiones que caracterizaron el período anterior parecían haber quedado completamente atrás. La desaparición del esquema bipolar, como vector principal de las relaciones internacionales, presagiaba que la era en la cual se ingresaba estaría dominada por la interdependencia y la cooperación de los diversos actores en aras de solucionar los problemas cardinales que amenazaban la vida humana sobre la tierra.

La universalización de esta voluntad política integradora permitía suponer que las tensiones ya no desembocarían en conflictos porque, desaparecidas las viejas oposiciones, la causalidad que les había dado origen se había desvanecido. Como expresión de esta nueva realidad, en los países desarrollados se escucharon exclamaciones de regocijo: ¡Ganamos la Guerra Fría! exclamaba

Margaret Thatcher, *Un nuevo Orden Internacional* fundamentado en el derecho prometía George Bush, el *Fin de la Historia* aclamaba Francis Fukuyama. Fue común para este discurso que se había iniciado un nuevo período en la historia de la humanidad, período en que la democracia se tomaría la revancha sobre los autoritarismos, integrismos, totalitarismos, etc. El modelo occidental de sociedad de consumo y democracia representativa parecía haber ganado la batalla final de la Historia.

Transcurridos más de seis años desde el momento en que se sucedieron esos vertiginosos cambios en Europa del Este y se inauguró la nueva era, el optimismo fundador que embriagó a los líderes occidentales poco a poco ha cedido el paso a la incertidumbre. Los conflictos y tensiones no sólo no han desaparecido, sino que se han recrudecido bajo nuevas modalidades: Rwanda, Burundi, Afganistán, Somalia, el Kurdistán, los territorios de la antigua Yugoslavia y de la antigua Unión Soviética, para no citar más que algunos. Inclusive la distante América Latina que parecía encontrarse al margen de este tipo de procesos, ya que la década de los noventa presagiaba el restablecimiento de la democracia y de los procesos de integración vía la suscripción de acuerdos bi o multilaterales de libre comercio, ha debido también enfrentar la dura realidad de los conflictos y tensiones socio políticos - v.g. Chiapas en México y la guerra ecuatoriano-peruana- y los desbarajustes ocasionados por la acelerada transformación de sus estructuras económicas (México y Argentina).

El corto tiempo que nos separa de la caída del muro y del fin de la ilusión democratizadora que dominó en un primer momento nos demuestran que, en este período de transición, es difícil discernir las peculiaridades del momento porque las tendencias que lo caracterizan recién están conformándose. Debido a estas dificultades para determinar las tendencias que explican la naturaleza del mundo de postguerra fría, centraremos nuestra atención en una variable que constituye el armazón de un nuevo sistema mundial - el capitalismo transnacional- el cual ayuda a explicar desde una perspectiva global el lugar que ocupan los países latinoamericanos en las nuevas coordenadas internacionales y la naturaleza de muchas de las transformaciones que se realizan en el interior de nuestras sociedades.

1. Los acuerdos de libre comercio en América Latina

Los inicios de la década de los noventa en América Latina se caracterizaron por el estímulo a los procesos de integración a través de la suscripción de acuerdos bilaterales o multilaterales de libre comercio. Los primeros se caracterizan por la creación de pautas que facilitan el libre comercio bilateral a través de una gradual desreglamentación arancelaria. Los segundos se alcanzan cuando los países integrantes tienen normas y objetivos similares, desean crear mejores mecanismos de negociación externa (El Mercosur con la Unión Europea) o proyectar un interés geoceconómico hacia una determinada región, como es el caso del Grupo de los Tres en relación a los países de América Central y del Caribe. Estas dos modalidades han adquirido una gran relevancia porque la tendencia del sistema económico internacional tiende a disgregarse en grandes centros económicos y si los países latinoamericanos desean consolidar sus posiciones en el sistema internacional deben crear un interés particular por la región, para así maximizar su poder negociador.

Particularmente, entre los años 1992 y 1994 se le dio un redoblado dinamismo a esta tendencia. Se avanzó en la consolidación a nivel hemisférico de los procesos de integración a través de la firma de acuerdos de libre comercio. El sueño de una América Latina unida parecía estar dando sus primeros pasos. Así quedó consignada en la Tercera Cumbre Iberoamericana, celebrada en Salvador (Bahía) a mediados de junio de 1993. El avance en la integración se tradujo en un fortalecimiento de los vínculos comerciales y financieros a nivel regional. (Véase Cuadro N°. 1).

Si en 1993 la tendencia fue la suscripción de acuerdos bilaterales, durante 1994 se privilegió el impulso a los convenios multilaterales. En mayo, cuatro de los cinco países pertenecientes al Acuerdo de Cartagena (Colombia, Ecuador, Perú y Venezuela) decidieron aplicar a partir del 1° de enero de 1995 el mismo impuesto a todas las materias primas y productos terminados que compren en terceros países. Este arancel externo común prevé además la unificación de las políticas arancelarias dependiendo del grado de elaboración de los productos. Posteriormente, en noviembre todos los países miembros adoptaron un Arancel Externo Común, el cual fue pensado como un primer paso para avanzar hacia la Unión Aduanera.

Cuadro N°. 1
LOS ACUERDOS COMERCIALES MULTILATERALES
EN EL CONTINENTE AMERICANO

	Población en 1995 (Millones)	PNB en 1993 (Millones de dólares)
Nafta	385,3	7.268,6
Mercosur	193,8	634,7
Grupo de los Tres	150,3	407,2
Pacto Andino	100,4	149,9
Mercado Común Centroamericano	30,2	29,7
Caricom	6	13

En julio, en Barbados, se creó la Asociación de Estados del Caribe. Esta idea fue promovida por la Comunidad del Caribe, CARICOM, institución integrada por trece países insulares angloparlantes, cuyo proyecto fue retomado por el Grupo de los Tres al proponer ampliar los objetivos para crear un espacio de libre comercio en toda la cuenca caribeña. El acuerdo estipuló la fundación de un órgano de consulta, concertación y cooperación que tendrá como objetivo la creación de un espacio económico ampliado en la llamada Gran Cuenca del Caribe y servirá para unificar posiciones políticas en torno a temas de interés. Las islas de Guadalupe y Martinica, la Guyana Francesa, Puerto Rico y las Islas Vírgenes entraron en calidad de miembros asociados.

En ese mismo mes, durante la Cumbre Iberoamericana, Colombia, Venezuela y México suscribieron el acuerdo comercial del Grupo de los Tres, el cual fue presentado como un paso adelante para la creación de la gran zona de libre comercio latinoamericana. Este convenio prevé una política concertada hacia América

Central y la desgravación gradual de los aranceles entre los países miembros.

En agosto de 1994, en la cumbre de Buenos Aires, los jefes de Estado de los países miembros del Mercosur firmaron un acuerdo por medio del cual se decidió conformar una unión aduanera a partir del 1º de enero de 1995. Los aranceles de los bienes que se venden entre sí se reducirán a cero, se eliminarán las barreras para arancelarias y se fijará un arancel externo común que protegerá los mercados de los países miembros. Para esa misma fecha se estipuló la caducidad automática de los acuerdos de preferencias arancelarias que cada uno de estos países tenía con terceros, en el marco de la ALADI. Igualmente se iniciaron negociaciones para que Chile y Bolivia suscribieran un acuerdo especial con este grupo de países, el cual probablemente tendrá lugar en 1996. La importancia de este organismo va en constante aumento. Constituye la tercera región económica institucionalizada más importante, después de la Unión Europea y el NAFTA y se ha convertido en un polo de atracción para los otros países de la región, varios de los cuales han comenzado a realizar acciones encaminadas a una mayor integración con los países del Mercosur.

Ante la rápida difusión de este tipo de acuerdos, en la Cuarta Cumbre Iberoamericana, que congregó en la ciudad de Cartagena a jefes de Estado de 23 países, se sostuvo la idea de crear un gran mercado continental que se extienda desde Alaska hasta la Patagonia. En tal sentido, la declaración final propuso la fusión de todos los tratados regionales de libre comercio para darle contenido a ese gran acuerdo y se asumió asimismo el compromiso de evitar la introducción de normas que afecten el libre comercio. Posteriormente, en la Cumbre Hemisférica convocada por el Presidente Clinton a finales de 1994, se aprobó, en la declaración final, un plan de acción que prevé la creación para el año 2005 de una zona de libre comercio en todo el continente americano. Como ejemplo de esta nueva voluntad política se iniciaron negociaciones entre el Pacto Andino y el Mercosur y en la reciente cumbre del Grupo de Río celebrada en Quito a mediados de 1995 los doce países miembros reafirmaron su compromiso de dinamizar el accionar del Sistema Económico Latinoamericano, SELA, y de la Asociación Latinoamericana de Integración, ALADI, con el propósito de hacer realidad la integración hemisférica prevista para el primer lustro del próximo milenio.

2. América latina y los principales megabloques: un esbozo de comparación

Aun cuando se han dado grandes e importantes pasos, todavía queda mucho por hacer. Un simple parangón entre las mega regiones y América Latina da cuenta de esta cruda realidad. Mientras que los países altamente industrializados (Unión Europea, Estados Unidos, Canadá y Japón) representaron en 1993 el 65,33% de las exportaciones mundiales, destacándose un sensible incremento en el transcurso de la última década con un crecimiento del 10,3% y los países del Sudeste asiático (Corea, Hong Kong, Singapur y Taiwan) que se posicionaron con el 8,4% de las exportaciones mundiales, cifra que dobló lo registrado hace una década (4,0%), América Latina ha visto mermar su participación. Si en 1960 representaba el 7,3%, este índice se redujo a 4,9% en 1970, 4,4% en 1980 para caer a un 3,7% en 1990[1]. La misma tendencia se observa en cuanto al crecimiento de las exportaciones. Durante la década de los años ochenta, las exportaciones de los países industrializados crecieron en promedio en un 4,1%, la de los países del sudeste asiático en un 10%, mientras que las de los países latinoamericanos registraron un leve incremento del 0,5% para alcanzar un 10,66% del comercio mundial en 1993.

Como puede observarse en el Cuadro N°. 2, América Latina supera en población a dos de las principales mega regiones, solamente se ubica por debajo del Sudeste asiático, debido a la desviación que produce Indonesia con más de 200 millones de habitantes. Pero en todos los indicadores económicos su participación es relativamente baja. En términos del Producto Geográfico Bruto, la Unión Europea equivale a 6,5 veces América Latina, Estados Unidos y Canadá a 5,8 veces, mientras que Japón y el Sudeste asiático superan a nuestro continente en 3,2 veces. En términos de exportaciones la UE exceden en 10,6 veces a América Latina, Ja-

---

[1] Patricio Meller, *América Latina en un eventual mundo de bloques económicos*, en Síntesis N° 19, Madrid, enero-junio de 1993, pp. 51-86.

pón y el Sudeste asiático en 4,8 y Estados Unidos y Canadá en 4,4. Es decir, si tomamos estas cuatro regiones como un todo (100%), podemos ver que mientras América Latina representa el 29% de la población total de las cuatro regiones, el Producto Geográfico Bruto sólo equivale al 6%, su participación en las exportaciones es del orden del 4% y en las importaciones del 5%.

El dinamismo integrador en América Latina es también insuficiente en comparación con otras regiones del mundo si observamos la participación del comercio regional dentro del total. Los intercambios a nivel regional representan sólo el 15% del comercio global de los países latinoamericanos, cifra muy pequeña si tenemos en cuenta que los países de la Unión Europea destinan el 72% de su comercio a la región, las economías más dinámicas del Asia-Pacífico (Japón y los cuatro tigres de la ASEAN) un 35%, y los países del NAFTA un 34%.

Si bien estos acuerdos de libre comercio no se han traducido en un aumento espectacular de los intercambios, no podemos ignorar que su importancia ha radicado en que han contribuido a dinamizar las economías regionales, aumentar la composición de los productos exportables, sobre todo de los artículos con alto valor agregado y estimular la competitividad para lograr una inserción más favorable de cada uno de estos países y de la región en el mercado mundial. El crecimiento económico del subcontinente abrió sólidas posibilidades para densificar los vínculos con otras regiones del planeta. América Latina cada vez tiene mayor presencia en el Pacífico, en Europa, incluida la del Este, y en el Medio Oriente. También ha contribuido a crear las condiciones para concertar posiciones en los organismos multilaterales como el *Grupo de Cairns*, en las reuniones que se celebraron de la Ronda Uruguay del GATT y de las instituciones de Bretton Woods[2].

2 *El Mercurio Internacional*, semana del 31 de agosto al 3 de septiembre de 1995.

Cuadro No. 2
COMPARACIÓN ENTRE AMÉRICA LATINA Y LOS
PRINCIPALES MEGA BLOQUES

	Población en millones 1995	PGB miles US$	PGB/ CAP	Export. millones US$	Import. millones US$	Parte en el comercio total mundial %
Unión europea*	367,3	7.718,04	21.012	1.458.868	1512.653	28,14
EE.UU.- Canadá	291,6	6.973,8	22.915	609.460	740.112	26,25
Japón-Sudeste Asiático**	496,1	3.869,6	7.800	871.961	774.633	19,81
América Latina***	473,6	1.188,4	2.509	136.698	159.174	10,66

Fuente: elaborado por el autor a partir de datos contenidos en *LÉtat du monde*, París, La Découverte, 1995.

* Los quince Estados miembros.

** Japón, Hong Kong, Singapur, Corea del Sur, Malasia, Tailandia, Indonesia y Filipinas.

*** Argentina, Bolivia, Brasil, Chile, Colombia, Costa Rica, Cuba, Ecuador, El Salvador, Guatemala, Haití, Honduras, Jamaica, México, Nicaragua, Panamá, Paraguay, Perú, República Dominicana, Uruguay, Venezuela,

A través de la suscripción de estos acuerdos de libre comercio se ha dado inicio a un proceso de integración que difiere claramente de los esquemas imperantes en los años cincuenta y sesenta. Mientras que antes se dependía básicamente de la actividad del Estado, en la actualidad, el elemento nodal se centra en la desregulación del mercado. Los actuales procesos de integración se caracterizan por el hecho de que el Estado es el propulsor y garante de la firma de los acuerdos y el sector privado es el responsable de su realización.

3. Apertura y transnacionalización en América Latina

Ante la evidencia de estos procesos podríamos preguntarnos ¿existe algún vínculo entre la naturaleza de estas reformas, la celebración de acuerdos de libre comercio o de complementación económica en América Latina y la mundialización de los flujos comerciales y financieros internacionales? Efectivamente, a nuestro modo de ver, los procesos que tienen lugar en nuestro continente reproducen a escala regional las tendencias que caracterizan a la economía mundial.

En primer lugar, la *mercantilización* o el *primado de la economía* en los asuntos internacionales constituye una de las principales características del actual sistema mundial. A diferencia del mundo de guerra fría, en el que la actividad internacional de los Estados se centraba principalmente en los temas políticos, militares, geoestratégicos y de seguridad, en el nuevo sistema mundial, las variables económicas se han transformado en los vectores fundamentales de las agendas internacionales con los consabidos estímulos a una mayor globalización, transnacionalización e interdependencia.

Esta *mercantilización* de las relaciones internacionales es el resultado de la universalización de una nueva modalidad de acumulación a escala planetaria, como resultado del agotamiento de los modelos tradicionales de desarrollo impulsados entre los países socialistas, el mundo en desarrollo y las naciones altamente industrializadas. Los orígenes de la crisis del sistema soviético se remontan a finales de la década de los años sesenta cuando en los países occidentales se dio inicio a la llamada Tercera Revolución Industrial, proceso que significó una renovación substancial de la producción gracias a importantes avances tecnológicos. Desde la década de los cincuenta, la Unión Soviética y los países de Europa del Este se habían trazado como objetivo alcanzar y sobrepasar a los países capitalistas en términos de desarrollo económico. Sin embargo, por razones estructurales propios a su modelo de desarrollo, estos países, a pesar de las grandes innovaciones científicas y tecnológicas que realizaron, no pudieron dar el salto de un desarrollo extensivo -basado prioritariamente en el uso indiscriminado de la mano de obra y de los recursos y en la lenta modernización de los aparatos productivos- a uno intensivo. Para mantener sus ritmos de crecimiento y satisfacer sus crecientes necesidades internas tuvieron que recurrir a un intercambio desigual con Occidente: para modernizar sus unidades productivas se convirtieron en exportadores de productos con bajo valor agregado. Esta inserción en los flujos mundiales aumentó las influencias externas e incidió para que aparecieran serias distorsiones en el modelo planificador[3].

Una situación similar se presentó en los países del Tercer Mundo. A pesar de sus logros iniciales, las políticas desarrollistas, que en el caso de América Latina se les conoció con el nombre de políticas de *sustitución de importaciones*, no pudieron romper el circulo vicioso de la dependencia. La estrechez del mercado interno, la escasa eficiencia, el desarrollo insuficiente de la productividad a nivel internacional y el interés en fomentar un desarrollo industrial que marginó la agricultura y la esfera de los servicios condujo a una parcial desvinculación y pérdida de participación de los países del Tercer Mundo en el mercado mundial[4]. Su inserción en la economía mundial se limitó casi exclusivamente a la exportación de materias primas y artículos con escaso grado de elaboración, es decir una producción cuyo valor e importancia estratégica, con excepción de petróleo, ha descendido en el mercado mundial.

Con la crisis de la deuda externa se inició una gran transformación en los modelos de desarrollo de los países del sur. Además de restablecer los grandes equilibrios macroeconómicos, las políticas de ajuste propiciaron un nuevo modelo de acumulación y desarrollo, el cual se caracterizó por la adaptación de las economías de los países en desarrollo a las normas prevalecientes del capitalismo transnacional. "Como lo indica su nombre, -señala Jean Philippe Peemans-, los programas de ajuste no se trazaban

---

3 Véanse Fazio, H. *La Unión Soviética: de la Perestroika a la disolución*, Santafé de Bogotá, Ediciones Uniandes y Ecoe Ediciones, Santa Fe de Bogotá, 1992, capítulo segundo y Roland, G. *Économie politique du système soviétique*, París, L'Harmattan, 1989.

4 Véase S. Amin y P. González Casanova, bajo la dirección de, *Mondialisation et accumulation*, París, L'Harmattan, 1993.

como objetivo los problemas del desarrollo de las naciones y pueblos sino la adaptación de los espacios económicos nacionales a
las exigencias del funcionamiento y la coherencia del espacio económico internacionales, es decir, a los criterios internacionales de
valorización del capital"[5].

Contemporáneamente entre las naciones más desarrolladas se
dio inicio a un proceso de transformación radical de lo que hasta
ese entonces habían sido sus formas de desarrollo. El período de
postguerra entre los países desarrollados había sido testigo de la
expansión y fortalecimiento del fordismo como mecanismo de
acumulación intensiva sobre la base de la consolidación de las
técnicas taylorianas y de la automatización como paradigma tecnológico, una producción y un consumo de masas como régimen
de acumulación, normas de productividad elevadas, sistema con-
tractual de fijación de las normas salariales e internacionalización
del capital. Su funcionamiento se constituía a partir de un equilibrio de poder entre el capital, el Estado-nación y el movimiento
obrero.

Sin embargo, desde la década de los setenta este modelo
industrializador entró en crisis como producto de las dificultades
ligadas al petróleo, la necesidad de cancelar el crudo a través de
una expansión de las exportaciones, la saturación de los mercados internos, las crisis fiscales y financieras y la imposibilidad para
que el Estado siguiera actuando como mediador y propulsor del
desarrollo. Se inició así una nueva fase de acumulación flexible[6]
que se caracterizó precisamente por la emergencia de nuevos sectores productivos, radicales cambios en la organización empresarial, una rápida expansión de la esfera de los servicios, amplia
dilatación de los mercados externos, significativa reducción del
papel económico del Estado, una división internacional ampliada
del trabajo y una intensificación de la innovación comercial, tecnológica y organizacional.

---

[5] Peemans, Jean Philippe. *Globalisation et developpement: quelques perspectives, reflexions et questions*. Ponencia presentada en el Seminario sobre Globalización, organizado por las facultades de Derecho, Economía y Agronomía de la Universidad Nacional, Bogotá, 28 de marzo de 1995.

[6] Harvey, David. *The Condition of postmodernity*. Blackwell, Londres, 1990, capítulo noveno.

Para la implantación de esta nueva lógica de acumulación se necesitaba superar los límites nacionales en que se había desenvuelto el fordismo y ampliar de manera constante las fronteras económicas incorporando nuevos mercados comerciales y financieros. El recurso al mercado, en su acepción más radical, fue el principal mecanismo empleado tanto como principio de organización social como de medio a través del cual se afirmaba la integración de los diferentes Estados en la economía mundial, condición sostenida como indispensable para alcanzar un desarrollo real.

La función depositada en el mercado fue la de posibilitar la transición del anterior estadio de acumulación al nuevo mediante la eliminación de todo lo que representaba un obstáculo para la afirmación del mismo. El mercado, además, debía actuar como modelo político o *pacto social,* configurando una espacialidad *democrática,* alienada de toda forma de autoridad, implantando una regulación social abstracta en la cual las despersonalizadas relaciones interindividuales se regularan al margen de las relaciones de subordinación. Los efectos del mercado se hicieron también sentir en otros ámbitos: se redujo la cobertura de acción del Estado y se desestructuraron las relaciones laborales. En síntesis, se erradicaron todos los obstáculos que actuaban como freno para la implantación de la nueva acumulación.

En el nuevo sistema mundial el mercado cumple una doble función: de una parte, constituye un factor estructural a través del cual se redefine interna e internacionalmente la economía, la política y la sociedad y, de la otra, actúa como procedimiento que tiende a uniformizar las políticas económicas de las diferentes naciones en torno al arquetipo de la modalidad imperante de acumulación.

La transnacionalización es, por ende, la expresión del nuevo estadio en el desarrollo capitalista que está reconstituyendo una economía-mundo a partir de la flexibilización transnacional del proceso de acumulación.

La gran innovación que introdujo el fin de la guerra fría fue eliminar todos los obstáculos para la mundialización de este arquetipo de acumulación transnacional. Los procesos actuales de globalización poseen tres centros principales de los cuales se irradia la mundialización de la economía mundial y se incorpora a nuevas regiones en los procesos globales. Es una globalización jerárquica basada en la ampliación transnacional de las fronteras económicas a partir de sus centros rectores que involucra a un número creciente de países a los cuales inserta en una nueva división internacional del trabajo.

Esta característica, que Augusto Varas define como *globalización segmentada*[7] resulta ser un carácter fundamental del sistema, por cuanto no existe un centro completamente hegemónico, sino que varios polos de los cuales se reproducen dimensiones espaciales diferenciadas y a veces desagregadas que, a través de sus interacciones, conforman configuraciones espaciales específicas dentro de un nuevo contexto geopolítico mundial.

Esta nueva realidad sustituyó el antiguo eje geopolítico Este-Oeste por un contexto en el cual los polos económicos centrales se han convertido en los centros gravitacionales hacia los cuales se orientan las políticas internacionales en función de la importancia de los diversos actores. Se privilegian las relaciones con los países centrales y con los países integrantes de los respectivos *bloques económicos*. La atracción que ejerce esta dinámica internacional se observa en el deseo de muchas naciones por ingresar en uno de estos centros polares de la vida internacional, porque, además del prestigio político que se alcanza, estas configuraciones ofrecen una elevada estabilidad por el acercamiento a las fuentes de innovación tecnológica, la delimitación de un lugar específico en la división internacional del trabajo y por las facilidades que se obtienen para la acumulación.

La globalización en su proceso de ampliación ha dado lugar a un esquema jerarquizado de relaciones mundiales. Este sistema se articula en torno a tres poderes centrales (UE, EE.UU. y Japón), interconectados y competitivos entre sí y que mantienen vínculos

---

7 Varas, Augusto. "Las relaciones estratégicas internacionales de la postguerra fría", en, Luciano Tomassini, *La política Internacional en un Mundo Postmoderno*. Grupo Editor Latinoamericano, Buenos Aires, 1992, p. 164.

importantes con sus respectivos *bloques* de integración. Más abajo se ubican los países o zonas que suscitan cierto interés por razones económicas o estratégicas y, por último, las regiones o países que no despiertan un sensible interés ni en términos económicos ni geopolíticos.

Los procesos de apertura en América Latina y la suscripción de acuerdos de libre comercio constituyen procedimientos a través de los cuales los países latinoamericanos se incorporan a este capitalismo transnacional y crean las condiciones para insertarse en los flujos mundiales. La posición global de estos países en las corrientes comerciales y financieras mundiales es débil. Descontando a México, hacia la región se destina el 11% de las exportaciones del NAFTA, el 2% de las europeas y el 3% de las ventas mundiales de los países del sudeste asiático. La frágil posición de los países latinoamericanos en el comercio mundial se observa también en la oferta exportable. El grueso de las colocaciones está constituida por productos mineros y agrícolas, los cuales, si bien se poseen un mayor valor agregado que en el pasado, han tenido en el transcurso de los últimos años una sensible disminución en sus precios. Debido a la composición de esta canasta exportadora, con respecto a las naciones desarrolladas se promueve el desarrollo de actividades que le permitan conservar un flujo comercial regular con esas naciones. En tal sentido, se afirma la dependencia estructural como exportadores productos con escaso valor agregado, con lo cual mantienen un grado de interacción con los ejes centrales del sistema mundial.

Sin embargo, para atenuar esta dependencia los países más avanzados de América Latina estimulan la competitividad de sus sectores manufactureros mediante la colocación de estos productos en los otros países de la región. En otras palabras, la sensibilidad de la interdependencia reproduce la situación de dependencia estructural con respecto a las naciones más desarrolladas, pero, para mitigar esos elevados grados de dependencia, se estimula el desarrollo de *ventajas comparativas* industriales con los países similares. Es decir, se diversifica la dependencia y se crean mecanismos de resistencia frente a las fluctuaciones o presiones exteriores.

4. América Latina en la dinámica mundial

De otra parte, el carácter piramidal del sistema mundial no nos debe inducir a pensar que los márgenes de acción de los países latinoamericanos sean escasos o que dependan únicamente de su posición *estructural*. Por el contrario, la forma en que se produce la globalización abre perspectivas de actividad externa mediante el aprovechamiento de las *contradicciones y guerras* comerciales y financieras entre los centros polares del sistema mundial. Un uso adecuado de las orientaciones en esta materia puede abrir perspectivas promisorias para una mejor inserción a nivel extrarregional.

La modalidad bajo la cual se está construyendo la economía mundial se constituye en un pilar fundamental de la nueva ingeniería de la geopolítica planetaria. Si bien a escala de todo el orbe una de las grandes incertidumbres que todavía subsiste radica en la poca claridad que existe en torno a la configuración geopolítica, la responsabilidad de los diferentes actores y los mecanismos de resolución de los conflictos, tal como lo demuestra la dramática experiencia yugoslava, en América Latina este proceso es mucho más diáfano. Nuestro continente, al no sufrir tanto con la ruptura del orden bipolar y al no encontrarse en un punto de intersección en las pretensiones de las grandes potencias mercaderes -Japón y Alemania- ni integrales -EE.UU.- posee la condiciones para una desactivación de los recelos entre Washington y las capitales latinoamericanas. De otra parte, si a nivel internacional se asiste a un declive de la *hegemonía* norteamericana, en América Latina prevalece la tendencia opuesta: la *rehegemonización*, debido a la desaparición de la Unión Soviética, al escaso interés de Japón en el área y a una Unión Europea absorta básicamente en sus problemas internos y en los de Europa Central y Oriental. Igualmente esta rehegemonización es el resultado del tipo de capitalismo al cual se aproximan la mayor parte de las naciones latinoamericanas. Este es el modelo estadounidense centrado en una mayor reducción de la acción económica del Estado, en una presión por la desregulación de las relaciones laborales y de liberalización de los circuitos económicos y financieros.

Esta *hegemonía mínima* estadounidense, al decir de J. Tokatlian[8], implica para los países latinoamericanos un menor celo en la salvaguardia de su soberanía y la aceptación de un mayor dominio y dirección por parte de los Estados Unidos. Este cambio en la posición y en la sensibilidad internacionales de los gobiernos latinoamericanos es una expresión de la manera como se produce esta configuración geoeconómica en el mundo de postguerra fría. Una mayor vinculación con EE.UU. es una forma de quedar inserto en la dinámica mundial y tener acceso a mercados, tecnología y capitales. Para los países latinoamericanos alta importancia ha adquirido la eventual conclusión de un acuerdo de libre comercio con EE.UU. Varias razones sostienen este interés: constituye una prolongación de la política de apertura que han promovido estos países en el transcurso de los últimos años, puede elevar la calidad de las relaciones con uno de los polos económicos más dinámicos a nivel mundial, favorece el acceso a uno de los más importantes mercados, puede agilizar la transferencia de tecnología y de capitales y constituye una buena carta de presentación de la solidez de las economías de la región frente a terceros países.

Por el tipo de capitalismo imperante en Estados Unidos, la proximidad de los países latinoamericanos a la potencia del norte no se ha traducido, sin embargo, en un cambio substancial en la calidad de las políticas de desarrollo. Una breve comparación con las actividades que despliegan los otros dos grandes polos -Japón y Alemania- en relación a sus zonas integradas ilustra claramente esta tendencia. Japón en el Sudeste asiático y Alemania en Europa del Este se caracterizan por destinar grandes recursos en forma de inversiones directas, ayuda al desarrollo y exportación de capital. Con la excepción de México, Estados Unidos en los últimos años ha limitado el volumen de exportación de capitales hacia América Latina. De otra parte, las empresas tanto japonesas como alemanas han involucrado a los países asiáticos en sus redes de

---

8 Tokatlian, J. G. "Introducción" en, Bernal-Meza, R. et al., *Integración solidaria: reconstitución de los sistemas políticos latinoamericanos*, Caracas, Universidad Simón Bolívar, Universidad de los Andes, Instituto de Altos Estudios de América Latina, CEI, OEA, Fundación Bicentenario Simón Bolívar, 1993, p. 4 y J. G. Tokatlian, *Drogas Dilemas y Dogmas. Estados Unidos y la narcocriminalidad organizada en Colombia*, Bogotá, CEI y Tercer Mundo Editores, 1995, capítulo tercero.

producción y comercio, lo que se ha traducido en acceso a tecnología y mercados. Por último las dos potencias mercaderes ponen énfasis en la mano de obra calificada y en los Estados eficientes, mientras Estados Unidos se inclina por la utilización de mano de obra barata y por restringir el papel del Estado[9]. Esta realidad lleva a pensar que las posibilidades de mejorar la inserción internacionales de los países latinoamericanos a través de la densificación de las relaciones con EE.UU. tiene sus límites naturales y, por ello, se deben ensayar otras fórmulas.

Si bien EE.UU. es el socio privilegiado, la manera como se configuran los procesos de globalización a través de las regionalizaciones también abre posibilidades para densificar los vínculos con otros países y regiones. En este sentido, especial importancia revisten las relaciones con los países de la Cuenca del Pacífico, región que de acuerdo a las actuales proyecciones, será la zona en mayor expansión económica y comercial en el siglo XXI y con la Unión Europea, conjunto de países que últimamente se han empeñado en ganar posiciones en otras latitudes, como bien lo demuestran la reciente suscripción de un acuerdo de libre comercio con el Mercosur y el avance de las negociaciones en el mismo sentido con los gobiernos de Chile y México.

Por regla general, los países latinoamericanos le han volteado la espalda al Pacífico o han asimilado la Cuenca a Japón. Sin embargo, las nuevas realidades a comienzos de la década de los noventa han abierto posibilidades para corregir esta tendencia. Los países latinoamericanos disponen de recursos naturales que en general son escasos en los países del otro lado del Pacífico y muy necesarios para el funcionamiento de sus industrias. El primer objetivo, por lo tanto, es abrir esos mercados. De otra parte, en el Asia-Pacífico existen países que tienen niveles de desarrollo similares a los latinoamericanos y con ellos pueden crearse *joint-ventures* para penetrar en los mercados de Asia y América Latina. El segundo objetivo, por consiguiente, debe ser posicionarse en esos mercados.

---

9 Stalling, Barbara. *El nuevo contexto internacional del desarrollo: América Latina desde una perspectiva comparada*, en, F. Rojas y W. Smith, *El Cono Sur y las transformaciones globales*. Santiago de Chile, FLACSO, North-South Center, CLADDE, 1994, pp. 77-78.

La ubicación que alcance en este nivel un determinado país puede también alimentar mejores mecanismos de negociación en el plano regional. Una activa y efectiva política multidireccional aumenta el interés de los Estados de la región por densificar las relaciones, lo que obviamente redunda en un fortalecimiento de su posición internacional. En este plano, de gran importancia es la celebración de acuerdos de integración entre los mismos países latinoamericanos. Primero, porque existen mejores términos de negociación frente a terceros países. Segundo, se pueden mancomunar esfuerzos para unificar las estrategias en relación a las otras regiones. Tercero, se realiza un aprendizaje de los términos de las negociaciones y se induce a una modernización de la economía.

Sin embargo, a pesar de estos importantes avances queda todavía mucho por hacer. Subsisten tres grandes desafíos en cuanto a la participación ulterior de los países del continente en los flujos comerciales mundiales. El primero es cómo introducirle mayor valor agregado a las exportaciones. Este tema es muy sensible porque actualmente los productos manufactureros comprenden el 69,5% del comercio mundial y es el sector que más rápido ha crecido en volumen y precios en el transcurso de los últimos años. Entre 1980 y 1991 aumentó en un 80%, mientras que los minerales crecieron en un 10% y los productos agrícolas en un 20%. El segundo, consiste en delinear nuevas estrategias para la apertura de mercados. Si bien en la actualidad, la presencia norteamericana tiende a aumentar, no puede olvidarse que una efectiva política comercial tiene que diversificar los mercados en Asia, África, Medio Oriente, Europa occidental y oriental y por supuesto en América Latina.

A esto cabe agregar que la manera como los países latinoamericanos han asumido la globalización a través de los procesos de apertura y la celebración de acuerdos de libre comercio han quedado duramente comprometidos con las crisis que últimamente han sacudido al continente. En diciembre de 1994, el otrora mejor alumno del FMI, se hundió en una grave crisis financiera. El aumento del déficit de la balanza de pagos corrientes que se aproximó a los 25 mil millones de dólares, debido al enorme desequilibrio de la balanza comercial que bordeó los 24 mil millones de dólares y una estrepitosa disminución de las reservas internacionales que en un año se contrajeron de 24 mil millones de dólares a

6,5 mil millones de dólares, en condiciones en que el endeudamiento externo no ha dejado de aumentar, aproximándose a 150 mil millones de dólares, obligó al recién electo presidente, Ernesto Zedillo, a anunciar la devaluación del peso. En una semana, la moneda nacional perdió el 40% de su valor frente al dólar. Para estabilizar la moneda y detener la crisis financiera, el gobierno azteca tuvo que comprometerse con un paquete de medidas de urgencia, entre las que figuraron: la limitación de los aumentos salariales, el control de precios, la reducción del gasto público, la disminución de las importaciones y una nueva oleada de privatizaciones, para lo cual contó con el apoyo del gobierno norteamericano que le otorgó una ayuda de 20 mil millones de dólares e indujo al FMI a otorgarle un crédito por 17,8 mil millones de dólares.

La crisis mexicana, sin embargo, no fue un fenómeno exclusivamente nacional. Argentina, país que tenía indicadores macroeconómicos similares a los mexicanos, fue el que más duramente resintió las consecuencias del efecto tequila. Al igual que en el país azteca, en Argentina existía un abultado déficit del comercio exterior (5.348 millones de dólares en 1994) y un deficiente comportamiento de la balanza de pagos. Pero el factor de mayor riesgo era que en el país austral la moneda nacional también se encontraba enormemente sobrevaluada, lo que hacía evidente una radical transformación en el tipo de cambio fijo. El temor a una abrupta devaluación llevó a que en unas cuantas semanas el Banco Central argentino perdiera por esta vía casi 7.000 millones de dólares y por iliquidez financiera cerraran sus puertas aproximadamente 45 mil pequeñas y medianas empresas. Si bien, Argentina pudo detener la crisis porque era evidente que antes del 14 mayo -fecha fijada para las elecciones presidenciales en que Carlos Menem se presentaría con fines de reelección- no habría devaluación, no pudo frenar una dura recesión que se tradujo en un crecimiento del 0% de la economía nacional en 1995 y en el cierre masivo de empresas.

Las dificultades económicas por las que han atravesado estos y otros países latinoamericanos han ocasionado una sensible disminución en el crecimiento económico en la región (3,4% en 1995 contra 3,7% en 1994) y una disminución de los ritmos integradores en que estaban comprometidos los gobiernos. De modo particular, esto ha afectado al Grupo de los Tres -compuesto por México, Venezuela y Colombia-, debido a los problemas económicos por los que atraviesan los dos primeros. Además, se ha podido establecer la fragilidad sobre la cual se afirman estos acuerdos, toda vez que no existen correctivos para detener los perversos efectos de la crisis en uno de ellos. El síndrome mexicano igualmente ha puesto en evidencia los riesgos que se corren con la completa liberalización de los mercados de capitales y la necesidad de aumentar el ahorro interno para reducir la azarosa volatilidad de los flujos internacionales.

También se observa que se ha alterado la capacidad de control o de incidencia sobre los factores que determinaban el desarrollo. La anterior estructuración de economías nacionales como espacios de una economía mundial que alcanzó su mayor expresión en el fordismo europeo o los desarrollismos en las naciones en vía de desarrollo ha sido sustituida por una economía mundial que subsume las economías nacionales. Dentro de esta nueva lógica de desarrollo las relaciones económicas externas se han convertido en la esfera más dinámica de la *economía nacional*. El grado de inserción en la economía mundial se ha transformado en el principal referente del desarrollo. Además los procesos globales alteran también el papel del Estado porque inducen a una desarticulación del espacio económico nacional para favorecer la integración de las regiones más competitivas o de circuitos estratégicos en la economía mundial. Las descentralizaciones económicas se traducen en la fragmentación del anterior espacio nacional en zonas altamente internacionalizadas y otras relegadas al olvido. Se asiste, por tanto, a un doble desbordamiento del Estado-nación. De una parte, el espacio nacional se ha transnacionalizado para convertirse en una esfera de acción y competencia de los grupos económicos transnacionales. De otra parte, el Estado-nación ha sido desbordado hacia adentro "o sea hacia la articulación de las políticas públicas y privadas en los mercados regionales a fin de generar procesos productivos específicos que puedan ligarse directamente con el mercado mundial y para maximizar la eficiencia de las inversiones públicas y privadas"[10].

---

[10] Restrepo, Darío. "Neoliberalismo y reestructuración capitalista. Espacialidad, descentralización y apertura", en Child, Jorge, et al., *Rompiendo la corriente. Un debate al neoliberalismo*. Santafé de Bogotá, CEIS, 1992, p. 25.

En lo que respecta a los acuerdos de integración subsiste un serio problema que consiste en cómo conjugar estas políticas con una mayor equidad social. Por el momento, con la contada excepción de unos pocos países, el crecimiento económico no se ha traducido en una disminución de la pobreza, tal como lo demuestra el documento, *Panorama Social de América Latina*, preparado por la CEPAL, publicado a comienzos de octubre de 1993. El 46% de la población se encuentra en situación de pobreza y se observa un notable aumento de la extrema pobreza en la que viven más de 90 millones de personas. Esta tendencia a la pauperización creciente de los sectores sociales más desprotegidos no ha podido ser contrarrestada ni siquiera en países como Chile, el cual ha tenido una elevada tasa de crecimiento y donde los gobiernos democráticos se han comprometido ha pagar el costo social en que incurrió el anterior régimen. Un reciente informe oficial ha demostrado claramente que cada vez aumenta más la brecha entre ricos y pobres[11].

Este obstáculo constituyó uno de los puntos más debatidos en la cumbre del Grupo de Río en Santiago de Chile, en octubre de 1993. En la declaración conjunta los mandatarios reafirmaron la convicción de que el desarrollo económico con equidad social constituye un fundamento central de la paz y la seguridad internacional y subrayaron el valor de la justicia social y la solidaridad para lograr sociedades armónicas y estables. Sin embargo, más allá de los discursos las tendencias actuales sólo amplifican la brecha y no se ve una acción tendiente a impedir la mayor fractura de la sociedad.

Por último, si bien es innegable la importancia que ha adquirido la celebración de acuerdos de libre comercio, no puede hablarse de verdadera integración hasta cuando no se involucren otras esferas que permitirán aproximar en los hechos a estos pueblos. Una genuina política de integración tiene que contemplar la integración social, cultural, académica, política, medio ambiental, etc., sin las cuales los pueblos latinoamericanos no sólo no se conocerán sino tampoco podrán resolver sus problemas.

En síntesis, nada más lejano a la realidad sería pensar que la celebración de acuerdos de libre comercio y la potencialización

---

11 *El Mercurio*, 28 de enero de 1996.

de las exportaciones constituyen las únicas iniciativas para la realización de una adecuada inserción de los países latinoamericanos en las nuevas relaciones internacionales. Muchas tareas quedan pendientes. Algunas de ellas son poco perceptibles pero demandan ingentes esfuerzos, razón por la cual exigirán una mayor atención por parte de toda la sociedad en la búsqueda de sus soluciones.

IV
Colombia, América Latina y el Caribe: una presencia precaria en el movimiento de países no alineados*

Socorro Ramírez Vargas

Colombia asumió, en octubre de 1995 y por tres años, la presidencia del Movimiento de Países No Alineados (NOAL), lo que constituye sin lugar a dudas una enorme responsabilidad internacional para el país y le ofrece un instrumento diplomático adicional en su acción internacional. Como es obvio, esta tarea comporta también no pocos riesgos.

Para el ejercicio de un verdadero liderazgo en el Movimiento, entre otras cosas, Colombia requiere contar con el apoyo de países latinoamericanos y caribeños con los que debería existir -al menos en principio- una mayor convergencia de intereses y puntos de vista. Sin embargo, América Latina y el Caribe estuvieron ausentes de los antecedentes y la fundación del Movimiento y su presencia posterior ha sido precaria, dispersa y de bajo perfil, incluso en la XI Cumbre realizada en Cartagena. Sobre este problema queremos reflexionar aquí.

* Este documento hace parte de una investigación que la autora desarrolla con el apoyo de Colciencias.

1. Ausencia inicial de la región

América Latina y el Caribe estuvieron ausentes de las discusiones sobre la configuración del orden internacional que surgió inmediatamente después de la primera y la segunda gran guerra. Varios de esos eventos, realizados a iniciativa de países afroasiáticos que buscaban acceder a la escena mundial tras su independencia, se constituyeron en antecedentes del Movimiento de No Alineados. Entre ellos se destacan el Congreso Panafricano impulsado mientras se desarrollaban las discusiones de Versalles que pusieron fin a la Primera Guerra Mundial; el Congreso de los Pueblos Oprimidos, realizado ocho años después, en 1927, en el que de los 136 delegados de América Latina sólo concurrió México; y varios cónclaves afroasiáticos, desarrollados con el fin de construir un bloque neutral ante la guerra fría que por entonces comenzaba.

El más importante de esos cónclaves fue sin duda la Conferencia de Bandung (Indonesia), que se realizó en 1955 bajo el patrocinio de Indonesia, India, Birmania, Ceilán y Paquistán, y con la participación de 29 de los 76 países miembros que por entonces tenían las Naciones Unidas. Esta Conferencia ha sido considerada un momento clave en la aparición del Tercer Mundo que por entonces formulaba los principios y objetivos que lo distinguirían como un tercer bloque neutral frente al conflicto entre los Estados Unidos y la entonces Unión Soviética, y que luego consolidaría sus mayorías en las Naciones Unidas. América Latina y el Caribe no estuvieron representados en Bandung ni siquiera como observadores mientras muchos países afroasiáticos accedían a la escena mundial con líderes de primera magnitud como Gamal Abdel Nasser (República Arabe Unida-Egipto) y Jawaharlal Nehru (India), representativos de las luchas y objetivos de sus respectivas naciones. A ellos se uniría luego un tercer líder político, que, aunque europeo, se identificaba con la nueva corriente: Josip Broz Tito.

La región latinoamericana y caribeña tampoco participó de las múltiples reuniones preparatorias de la Primera Cumbre de jefes de Estado o de gobierno en que se constituiría formalmente el Movimiento. En la última de ellas, realizada en el Cairo, tan sólo estuvieron Cuba y Brasil, en calidad de meros observadores. De los 61 afiliados que por entonces tenían las Naciones Unidas, participaron en la I Cumbre -celebrada en septiembre de 1961 en Yugoslavia- 25 países como miembros plenos -siete asiáticos, ocho árabes, siete africanos del sur del Sahara, dos europeos y un latinoamericano: Cuba. En calidad de observadores asistieron Bolivia, Brasil y Ecuador. De la región no participó ningún movimiento de liberación nacional, partido político ni entidad afín, mientras que de Africa y Asia acudieron incluso países que no habían sido invitados.

En la II Cumbre -realizada en Egipto en 1964- participaron 47 países como miembros: 29 de Africa, quince de Asia, dos de Europa y uno de América Latina. Siete latinoamericanos y caribeños se sumaron a los tres observadores de la Cumbre anterior: Argentina, Chile, Jamaica, México, Trinidad y Tobago, Uruguay y Venezuela. El Movimiento por la independencia de Puerto Rico, que más tarde se transformaría en partido socialista, asistió como invitado [1].

Múltiples son las razones que han contribuido a esta ausencia de los antecedentes y dos primeras Cumbres de los NOAL, y de la posterior presencia precaria. Refirámonos a algunas de ellas.

2. Las razones de la ausencia

La primera razón que contribuye a explicar la ausencia latinoamericana y caribeña en los antecedentes del Movimiento de los NOAL, así como el precario y disperso acercamiento posterior, es el sello marcadamente anticolonial del Movimiento, que aglutinaba inicialmente a las ex-colonias europeas del Asia y del Africa, recién emancipadas. América Latina y el Caribe se encontraban en una fase diferente de su historia. El subcontinente había conquistado ya en el siglo pasado su independencia política y, mientras algunas islas del Caribe habían contado en su propia independencia con el apoyo de los Estados Unidos, interesados

---

[1] *Documentos de las conferencias y reuniones de los Países No Alineados.* 1961-1978, Belgrado, Jugoslovenska Stvarnos, 1978.

en sustraerlas al poder colonial europeo, otras no parecían estar aún en capacidad de reivindicarla. Posteriormente, sin embargo, la presión anticolonial de las Naciones Unidas y del Movimiento de No Alineados contribuirían también a la emancipación de algunas islas caribeñas, que serían las primeras en afiliarse al Movimiento. Es así como, entre los 50 miembros plenos que acuden a la III Cumbre de los No Alineados, realizada en septiembre de 1970, en Lusaka (Zambia), además de Cuba, se encuentran la Guyana, Jamaica, y Trinidad y Tobago. Barbados también se hizo presente aunque sólo como observador.

Así pues, para los países recién independizados el Movimiento aparecía como un espacio que les permitía reivindicar su reconocimiento como nuevos sujetos activos de las relaciones internacionales. Les facilitaba además proclamar su existencia y promover su derecho a desarrollar una política exterior independiente [2]. Para América Latina, en cambio, -a diferencia de lo que podía acontecer Caribe insular- la lucha por la superación del pasado colonial no constituía ya una causa adecuada para redefinir su papel en el nuevo orden internacional de la posguerra.

Otra razón de la escasa presencia regional en los orígenes del Movimiento, ligada a la anterior, tiene que ver con la fuerte reacción antioccidental que aglutinaba a los países afroasiáticos, y que no era compartida por los gobiernos latinoamericanos y caribeños. En esa reacción se encerraba, además del rechazo al antiguo yugo colonial, una tensión mucho más profunda y más antigua: la oposición de culturas, de raíz musulmana la una y cristiana y occidental la otra. Teniendo en cuenta que América Latina y el Caribe hacen en alguna medida parte de la cultura occidental, hay que reconocer que esta tensión dificultaba entonces y entraba todavía hoy el mutuo entendimiento entre los países de la región y el resto del Movimiento. Es necesario añadir que latinoamericanos y caribeños están asimismo marcados por un gran desconocimiento y -al menos los latinoamericanos- por un cierto menosprecio por las culturas y los pueblos no occidentales.

---

[2] Así lo demuestran Brillard, Philippe y Mohammad Reza Djalili, "Les organisations internationales du tiers monde: vers l'élaboration d'un nouveau, cadre d'analyse", *Etudes Internationales*. Québéc, Vol. XVI, No. 3, Centre quebecoise des relations internationales, Université de Laval, septiembre de 1985, págs. 493-504.

Por lo demás, hay que señalar que, de manera temprana, América Latina y el Caribe fueron considerados por los Estados Unidos como zona de su exclusiva influencia. En efecto, mediante la Doctrina Monroe de 1823, inspirada en el supuesto Destino Manifiesto y justificada con aspiraciones de libertad y democracia, el gobierno norteamericano impuso muy rápidamente a la región su propio interés y garantizó su hegemonía en todo el continente. Por esa temprana adscripción regional, no fue extraño que la comunidad internacional reconociera la subordinación de América Latina a la hegemonía estadounidense como una realidad inmodificable, al menos a corto plazo. América Latina, como señala un investigador mexicano[3], no fue entonces motivo de disputa en la llamada *repartición* del mundo entre las dos grandes potencias. Pertenecía al campo occidental y norteamericano. Por la misma razón, tampoco podía ser una región de especial interés para el Movimiento No Alineado.

Los estrategas norteamericanos, que tomaban la región como un espacio desprovisto de peligros o amenazas a su seguridad, no consideraron siquiera necesario elaborar un proyecto hemisférico global de ventajas mutuas. Prefirieron más bien impulsar relaciones bilaterales, país a país, basadas en el interés económico de las élites nacionales, en el fortalecimiento de las estructuras militares para hacerle frente a las disidencias y, cuando fue necesario, recurrieron a la intervención directa contra eventuales manifestaciones de independencia o autonomía.

Hay que reconocer igualmente que, en general, las élites latinoamericanas se acomodaron de buena gana a la *relación especial* de subordinación global a los Estados Unidos, que les reportaba no pocas ventajas privadas, tanto en el campo económico, como en el político y social. De este modo, al reconocimiento incondicional de la hegemonía hemisférica norteamericana por parte de la comunidad internacional y a la bilateralidad impuesta por los Estados Unidos en sus relaciones con los países al sur del río Bra-

---

3 Aguilar Zinser, Adolfo. "América Latina en la ruta de los No Alineados", en Luis Echeverría y Minic Milos, *Reto a los No Alineados*, México, Centro de Estudios Económicos y Sociales del Tercer Mundo (Ceestem)-Edt. Nueva Imagen, 1983, págs. 134-140.

114

vo, se sumaba además el hecho de que la mayor parte de gobiernos del área, a diferencia de lo que acontecía entre los promotores y fundadores de los No Alineados, asumían el alineamiento impuesto por las superpotencias a lo largo de la guerra fría como algo natural. No sólo reconocían el liderazgo estadounidense sino que se reivindicaban con orgullo como occidentales y pronorteamericanos. Es más, las élites gobernantes en la mayoría de países de la región aceptaron la conveniencia de una *relación especial* con Estados Unidos y no ofrecieron mayor resistencia a la subordinación política y al alineamiento global con las decisiones y posiciones internacionales norteamericanas[4]. Las primeras manifestaciones de ese alineamiento fueron la ruptura de relaciones con la Unión Soviética, la aceptación de la expulsión de Cuba de la OEA y la imposición del boicot comercial y político de la isla, a los que sólo se opuso México.

El apoyo dado por las élites latinoamericanas y caribeñas a las políticas hemisféricas de los Estados Unidos -el Tratado Interamericano de Asistencia Recíproca (TIAR), la Organización de Estados Americanos (OEA) y la Alianza para el Progreso- los excluyó del foro de los No Alineados, que les hubiera permitido someter a examen el papel de la región en el ordenamiento imperante en la época. De esta manera, renunciaron también al ideal bolivariano de unidad, desaprovecharon la ocasión de adelantar primero una reflexión conjunta sobre su inserción internacional, que les permitiera luego adelantar una negociación multilateral con los Estados Unidos. Los costos de esa actitud individualista y sumisa sólo se hacen ahora manifiestos para ciertas élites dirigentes de algunos países, como las del mundo andino.

Añadamos, que en el relativo desinterés latinoamericano y caribeño frente al Movimiento incidió también, en alguna medida, la distancia geográfica de la región en relación a los primeros teatros de la confrontación Este-Oeste y la relativa indiferencia frente a el. La proximidad inmediata del norte del Africa a Euro-

4 Véase la reflexión sobre la dinámica autonomía-subordinación en el caso colombiano y su comparación con algunos países latinoamericanos en Socorro Ramírez V., Les *marges d'autonomie de la politique extérieure colombienne. Portées et limites de la politique de l'administration Betancur (1982-1986) en direction de l'Amérique centrale,*. Tesis doctoral en Ciencia Política en la Universidad Sorbona, París I, octubre de 1992.

pa, arena principal del enfrentamiento bipolar, le hacía sentir las amenazas de una confrontación global. La temprana revolución china y la coreana desplazaron directamente el conflicto al corazón del Asia. América Latina y el Caribe, en cambio, han permanecido aisladas por la geografía de los principales teatros bélicos modernos, lo que le ha hecho más difícil comprender su naturaleza, su envergadura, los desafíos y amenazas que conlleva. Su indiferencia es, pues, al menos en parte, expresión de su distancia geográfica y espiritual. Expresa una cierta forma de no alineamiento que se traduce, finalmente, en alineamiento acrítico con la potencia más cercana: los Estados Unidos. Esto fue así al menos hasta la revolución cubana.

Una razón adicional referida a la situación particular de Cuba nos permite comprender por qué fue el único país de la región presente en los comienzos del Movimiento No Alineado. En efecto, el deterioro progresivo de las relaciones entre el régimen cubano y el gobierno norteamericano a lo largo de 1960, el controvertido viaje de Eisenhower a América Latina, la condena del castrismo por parte de la OEA y la tentativa de invasión de Playa Girón en abril de 1961, empujaron al gobierno cubano a buscar en el escenario internacional y en particular en los No Alineados, la solidaridad que no encontraba en el espacio regional[5]. En su discurso en la I Cumbre, Osvaldo Dorticós, por entonces presidente de Cuba, aducía como razón de la afiliación de su país al Movimiento la búsqueda de una política exterior independiente y desprovista de todo compromiso con las alianzas y los bloques militares [6]. En la II Cumbre, que tuvo lugar después de la exclusión de Cuba de la OEA y de la crisis de los misiles de 1962, ya no se trataba sólo de buscar un apoyo sino también de defender una opción política. Dorticós afirmó en su discurso que la participación de Cuba no era neutral frente a los problemas mundiales y propuso que el Movimiento se alineara bajo los principios revolucionarios y la aspiración mínima de los pueblos a una vida justa [7]. La Cum-

[5] Así lo demuestra Francisco López Segrera, "Los No Alineados y América Latina", en *Casa de las Américas*, la Habana, julio-agosto de 1979.

[6] *Proyección internacional de la revolución cubana.* La Habana, Edt. de Ciencias Sociales, 1975, págs. 61-82.

[7] *Ibid.*

bre condenó la violación de la soberanía e integridad territorial de Cuba por la presencia de tropas norteamericanas en Guantánamo, reclamó su retiro y el levantamiento del bloqueo a la isla.

En la actitud latinoamericana y caribeña influyó asimismo la *estigmatización* del Movimiento por parte de Washington, la prudente distancia asumida por Europa y la contraproducente simpatía soviética. Con motivo de la I Cumbre de los No Alineados, el por entonces presidente de los Estados Unidos, Dwight Eisenhower, sostuvo algunas discusiones con su gabinete acerca de la conveniencia de enviar algún tipo de mensaje al Movimiento. Finalmente, la resolución fue negativa. Más tarde, su secretario de Estado, John Foster Dulles, declaró que veía en el neutralismo una estación en la ruta hacia el comunismo, y *una concepción anticuada, miope e inmoral*[8]. Esa actitud de hostilidad tuvo muchas demostraciones posteriores [9]. Europa, por su parte, prefirió mantener una prudente distancia frente al Movimiento[10], entre otras razones, porque dependía del paraguas nuclear norteamericano. Por el contrario, la URSS no escatimaba ocasión para hacer sentir su inclinación positiva hacia el Movimiento. Su simpatía fue tan grande que incluso intentó penetrarlo y condicionarlo a su propia postura antinorteamericana.

A la actitud soviética se agregó la proximidad declarada de muchos de los miembros del Movimiento -de algunas élites africanas en particular- al socialismo o a la misma Unión Soviética. Fidel Castro, por su parte, propuso en la Cumbre de Argel -cuando encabezaba por primera vez la delegación cubana- que el Movimiento considerara a la URSS como su aliado natural. Y en el

---

[8] Dulles, John Foster. *The Cost of Peace, Department of State.* Bulletin XXXIX, 18Th Junio de 1956, págs. 999-1000.

[9] Si México votaba favorablemente en las Naciones Unidas las resoluciones propuestas por los No Alineados, estaba a merced directa de las reacciones de los Estados Unidos. Baste señalar el boicot que sufrió a raíz de su votación en contra del sionismo, en 1974. Ver al respecto, Consuelo Dávila Pérez, "La política exterior de México y el Movimiento de los Países No Alineados, 1961-1991", en *Revista Relaciones Internacionales*, México, Centro de Relaciones Internacionales Facultad de Ciencias Políticas y Sociales Universidad Autónoma de México. Vol. XIV, No. 53, enero-abril de 1992.

[10] Ver al respecto Ortíz, Alfonso. *El Movimiento de los Países No Alineados*, Madrid, Ministerio de Asuntos Exteriores, 1983.

programa de acción aprobado en esa Cumbre se estableció que los Países No Alineados fomentarían el desarrollo de la cooperación económica, científica y técnica con los países socialistas. El Movimiento aparecía entonces como confinado a Cuba y alineado con la URSS[11]. Esta situación, que desfiguraba la vocación inicial de los No Alineados, incrementaba aún más la desconfianza de las élites latinoamericanas y caribeñas hacia el Movimiento.

Desestimulaban también la participación latinoamericana y caribeña los numerosos conflictos internos a los que tuvo que hacer frente el Movimiento de los No Alineados, y que amenazaron varias veces con dividirlo. Fuentes de contradicción fueron, entre otros, además de la relación con la ex URSS, la evidente falta de correspondencia entre lo proclamado por el Movimiento y los comportamientos internos y externos de muchos de sus afiliados; la amplitud del Movimiento, en el que se le dio cabida incluso a las dictaduras militares; las diferencias entre los países importadores y exportadores de petróleo; la tensión entre los Estados grandes y pequeños; los enfrentamientos ocasionales entre países miembros[12]. Estas tensiones, perfectamente explicables en un organismo multilateral del que hacen parte tantos países con intereses y concepciones tan diversas, adscritos a potencias y sistemas opuestos, no dejaba, sin embargo, de restarle credibilidad y autoridad al Movimiento.

En la distancia entre los No Alineados y la región, incidió también un desencuentro de preocupaciones. Mientras en América Latina las élites estaban interesadas en buscar mecanismos concretos de desarrollo económico y estrategias contrainsurgentes, los fundadores del Movimiento de No Alineados lo definían por criterios fundamentalmente de orden político: ante todo, por su rechazo, al menos de principio, al alineamiento con uno de los

---

[11] Braillard,Phillipe. *Mythe et realité du non-alignement*. París-Ginebra, PUF-IUHEL, 1987.

[12] Para analizar diversas contradicciones y examinar momentos y ejemplos claves ver: Alberto Miguez, "Cuba et le mouvement des nos-alignés", en *Problemes d'Amérique latine*, París, No. 64, segundo trimestre de 1982, págs. 162-179; Ahmed Ezzat Abdellatif, "El Movimiento No Alineado en la encrucijada", en *Política Internacional*, Belgrado, No. 882, enero de 1987, pág. 22; Jaime Estévez, "Los No Alineados y el Tercer Mundo frente a la crisis de los años ochenta", en Luis Echeverría, *Op. Cit.*; "Lusaka : l'heure des bilans", en *Afrique-Asie*, París, No. 194-195, septiembre de 1979.

dos bloques, Este u Oeste. El interés latinoamericano se orientó mucho más hacia la primera conferencia de las Naciones Unidas para el Comercio y Desarrollo (Unctad), realizada en 1964, y hacia el Grupo de los 7 como portavoz de los países de Asia, Africa y América Latina en las negociaciones con los países desarrollados del Este y el Oeste.

Ahora bien, a medida que se fue diluyendo el desencuentro de preocupaciones entre los No Alineados y los latinoamericanos y caribeños, éstos últimos fueron ingresando poco a poco al Movimiento. Su presencia no fue, sin embargo, fruto de una concertación subregional o regional y la actuación de los que iban ingresando fue de muy bajo perfil.

3. Los motivos del escaso acercamiento posterior

Además del acercamiento primero y mayoritario de las islas caribeñas luego de su independencia, al que ya hicimos referencia, y de las razones internas a cada país, al menos seis motivos distintos encuentran los países latinoamericanos para acercarse al Movimiento.

A partir de la creciente distensión entre las superpotencias durante los años setenta, reconocida por la III Cumbre, los temas económicos adquieren mayor importancia en el Movimiento de No Alineados. En Lusaka la discusión se centra en el tema de las materias primas, las transferencias financieras, la deuda externa, el comercio, la transferencia de tecnología. Pero es en 1973, con la IV Cumbre realizada en Argel (Argelia) y el alza de los precios del petróleo acaecida el mismo año, cuando los temas económicos cobran definitiva relevancia en el Movimiento y toman un cariz marcadamente reivindicativo. Las demandas por un nuevo orden adquieren un sentido de urgencia y logran, pocos meses después, su legitimación gracias a la aprobación por parte de las Naciones Unidas de la Carta de Derechos y Deberes Económicos de los Estados. En Argel se afiliaron por primera vez algunos países suramericanos: Argentina, Perú y Chile. También asistió Panamá como observador. Colombia había empezado a asistir con el mismo carácter desde la cumbre anterior [13].

---

13 *No Alineados, Las Cinco Conferencias Cumbres de los Países No Alineados.* La Habana, 1979.

Así, pues, la afiliación de países Latinoamericanos al Movimiento se incrementó, en primer lugar, cuando los temas económicos centraron la preocupación de los No Alineados. Por primera vez, se realizaron entonces eventos del Movimiento en la región. En agosto de 1972, se celebró una conferencia ministerial en Georgetown (Guyana), con la participación de 59 países y de diez observadores latinoamericanos para discutir sobre las relaciones entre las grandes potencias y el sentido de la no alineación respecto de esos cambios. En agosto de 1973 se realizó en Santiago (Chile) una reunión de expertos de Países No Alineados. En marzo de 1975, se realizó en la Habana la reunión del Buró de Coordinación de los NOAL. En ella Castro pronunció una frase que luego haría historia y que resume bien la dinámica del movimiento en la época: si se quiere que todos los países subdesarrollados hagan de la batalla del petróleo su batalla, es indispensable que los países petroleros hagan de la batalla del mundo subdesarrollado su batalla[14].

Como lo señala un especialista en el tema[15], en la afiliación como miembros plenos o como observadores contó -segundo motivo- la necesidad de conseguir apoyo para asegurar los cambios políticos y las reformas que varios países latinoamericanos estaban tratando de introducir en sus países. Primero fue Bolivia la que, bajo el impacto de la revolución de 1952, llegó como observador a la I Cumbre. Luego acudió Argentina con Perón, Perú con los oficiales encabezados por Velasco Alvarado, Chile con Allende, Panamá al asumir el mando el general Omar Torrijos y emprender las negociaciones del canal. Como ya lo dijimos, se afiliaron en la IV Cumbre, los tres primeros como miembros plenos y el último como observador. Luego lo harían en la VI Cumbre, Nicaragua y Granada.

Un tercer motivo de acercamiento de países latinoamericanos y del Caribe al Movimiento tiene que ver con la actitud de Washington en la guerra de las Malvinas, que quebró la ilusión de las

---

14 Prensa Latina. *Los Países No Alineados*, México, Ed. Diógenes, 1976.

15 Djuka Julius, "El No Alineamiento en América Latina", en Luis Echeverría, *Op. Cit.*, págs. 146-147.

élites latinoamericanas de contar con el TIAR como instrumento de defensa continental. Estados Unidos le dio clara preferencia a sus aliados europeos en el conflicto bipolar, por sobre la solidaridad regional. Claro que ya desde antes las élites venían experimentando la necesidad de dejar de lado la relación especial y el alineamiento global con los Estados Unidos y de ampliar los márgenes de autonomía a través de lo que se conoció en la región como *la nueva política exterior latinoamericana*. De ella hacían parte, además, los esfuerzos por universalizar y multilateralizar las relaciones y por diversificar los intercambios culturales y económicos.

Por lo demás, a fines de los años setenta y comienzos de los ochenta se produjeron simultáneamente una serie de acontecimientos en América Central -derrocamiento de Somoza y llegada al poder de los sandinistas en Nicaragua, golpe de Estado y unificación de las guerrillas en el Salvador y Guatemala, independencia de Belice- y en el Caribe -intentos de reforma interna e independencia externa en Dominicana, Santa Lucía, Surinam, Jamaica, Guyana, Granada- en razón de los cuales la administración Reagan trató de convertir esta zona en escenario demostrativo de la segunda guerra fría. La crisis centroamericana coincidió con la agudización de la crisis económica y de la deuda externa en el continente. Todas estas circunstancias contribuyeron -cuarto motivo- a acercar a otros países latinoamericanos y caribeños al Movimiento de los No Alineados.

La situación en América central revivió además en diversos países latinoamericanos una polémica entre distintas agrupaciones de la izquierda que se debatían entre el alineamiento con la Unión Soviética y la identificación con sus propias raíces nacionales-regionales y veían en el no alineamiento una forma de autodeterminación política.

Todas esas circunstancias contribuyeron a que el Movimiento de los No Alineados apareciera para varios países, directa o indirectamente afectados por la crisis centroamericana, como un espacio de apoyo en la lucha antidictatorial, una defensa ante los ataques norteamericanos, una vía para asegurar la consolidación de sus cambios políticos y un respaldo a las negociaciones de paz.

Justamente en la V Cumbre realizada en Colombo (Sri Lanka, ex Ceilán) en 1976, para completar los 86 miembros plenos de América Latina y el Caribe, se agregaron Panamá, Sao Tomé y Príncipe. Belice obtuvo status especial, y como observadores nuevos estuvieron Granada y El Salvador. En la VI Cumbre realizada en la Habana, en 1979, se afiliaron al Movimiento Nicaragua, Granada, Surinam y Bolivia, para completar once países latinoamericanos y caribeños adscritos en calidad de miembros plenos. A los antiguos observadores se le agregaron Costa Rica, Dominicana y Santa Lucía[16]. Para expresar la preocupación por los graves peligros para la paz en esta región, comenzando el año 82 se realizó en Managua una reunión de los No Alineados que dio unánime respaldo a Nicaragua frente a las presiones y amenazas norteamericanas, y reafirmó su derecho a la independencia y autodeterminación. Varias reuniones apoyaron luego los esfuerzos de México, Colombia, Panamá y Venezuela a través del Grupo de Contadora en favor de soluciones negociadas y pacíficas para los conflictos en América Central.

En la VII Cumbre realizada en Nueva Delhi en marzo de 1983, dentro de los cien delegados plenos se encontraban por primera vez Colombia[17], Ecuador, Bahamas, Barbados, Belice, y entre los diez observadores aparece Antigua y Barbuda. En la VIII Cumbre realizada en Harare (Zimbabwe) en septiembre de 1986, de los cien miembros presentes, 17 eran delegados plenos de países de América Latina y el Caribe -con Santa Lucía que se incorporó en ese momento- y diez tenían el carácter de observadores.

Por los mismos años, la crisis económica y de la deuda externa terminaron de echar a pique las esperanzas de obtener ventajas

---

[16] "Conferencia de los jefes de Estado o Gobierno de Países No Alineados", La Habana, 1979.

[17] Sobre las razones de la afiliación de Colombia ver, Rodrigo Lloreda Caicedo, *Memorias 1982-1983*; Marco Palacios, *Colombia No Alineada*, Bogotá, Edt. Banco Popular, 1983; Augusto Ramírez Ocampo, *Por Colombia. Geopolítica de la Paz*, Bogotá, Edt. Presencia, 1986; Alicia Puyana, "Colombia en el Movimiento de Países No Alineados: un compromiso con la paz", Bogotá, Creset, 1985; Socorro Ramírez V., "La politique extérieure de l'administration Betancur comme contexte du processus de paix colombien". París, Memoire du DEA en Relations Internationales, Université de la Sorbonne, París I, Département de science politique, octubre de 1989.

financieras, económicas, tecnológicas y comerciales a partir de la relación especial con los Estados Unidos. Los países latinoamericanos y caribeños -quinto motivo- buscaron diversos escenarios internacionales, el Movimiento de los No Alineados entre ellos, para presionar por una solución a su pesada carga. A finales de 1986, se realizó en Lima, donde Alan García había tomado drásticas medidas para enfrentar el problema de la deuda, la primera reunión consultiva de los Países No Alineados y de otros países en desarrollo sobre la deuda externa. Comenzando el año siguiente se llevó a cabo, en Georgetown, la reunión extraordinaria de ministros del Buró Coordinador del Movimiento sobre América Latina y el Caribe. La reunión apoyó los procesos de integración, la fusión del Grupo de Contadora y de Apoyo [18].

Las razones de las más recientes afiliaciones -sexto motivo- van en la dirección de buscar mejores posibilidades de inserción internacional. Así, Venezuela -que había asistido como observador desde la II Cumbre pero por su conflicto con Guyana por el Esequibo no había podido alcanzar el *status* de miembro pleno, es aceptada en la IX Cumbre realizada en Belgrado en septiembre de 1989. Al sustentar las razones del ingreso y la presencia en Yugoeslavia de Carlos Andrés Pérez, para entonces presidente reelegido, el canciller venezolano indicó que el Movimiento debía alentar los cambios internacionales y continuar rechazando todas las formas de sometimiento, dependencia, injerencia o intervención directa e indirecta, abierta o encubierta y todas las presiones políticas, diplomáticas, económicas, militares y culturales en relaciones internacionales[19]. Chile por su parte -que no había sido invitado a las reuniones desde el golpe militar de Pinochet- retornó al Movimiento en la X Cumbre realizada en septiembre de 1992 en Indonesia.

Estas últimas afiliaciones aunque muestran el interés de países latinoamericanos importantes en mantener el Movimiento no re-

---

18 El texto se encuentra en "Documentación", en *Política Internacional*, Belgrado, No. 889, abril de 1987, págs. 13-24; y un comentario sobre la reunión en Darko Silovic, "No Alineación, América Latina y el Caribe", en *Política Internacional*. Belgrado, No. 889, abril de 1987, págs. 1-3.

19 Tejera París, Enrique. "Multipolaridad e interdependencia del mundo", en *Política Internacional*. Belgrado, No. 946, septiembre de 1989, págs. 10-11.

suelven el problema de una escasa presencia regional muy poco activa, nada coordinada y con intereses muy particulares. Por lo demás, a los NOAL no están afiliados países tan importantes como Brasil y México, que desde temprana época han mantenido una relación especial con los No Alineados, pero en calidad de *observadores activos* [20], y de Argentina que se retiró del Movimiento en 1991 [21].

Ahora bien, los eventuales beneficios que del Movimiento pueda derivar América Latina y el Caribe, son proporcionales al grado y la calidad de participación de la región en la doble dimensión, *hacia dentro* y *hacia fuera*, que el Movimiento podría asumir en las actuales circunstancias internacionales[22]. Hacia dentro, para el intercambio cultural, científico, tecnológico y comercial con países de un desarrollo similar. Hacia fuera -como mecanismo ético-político de creación de sentido y orientación, de defensa mancomunada de la soberanía de las naciones menos poderosas y de participación en la construcción del nuevo orden internacional-, también constituye una gran oportunidad. La región podría aprovecharlo para someter a examen su papel en el ordenamiento internacional actual y para estimular la reflexión conjunta sobre las posibilidades de su inserción internacional.

---

[20] Analizan la particular relación de México y los NOAL: Iván Menéndez, "México y el no alineamiento: caminos paralelos y convergentes" en Luis Echeverría y Minic Milos, *Reto a los No Alineados*. México, Centro de Estudios Económicos y Sociales del Tercer Mundo (Ceestem)-Edt. Nueva Imagen, 1983; Consuelo Dávila Pérez, "La política exterior de México y el Movimiento de los Países No Alineados, 1961-1991", en *Revista de Relaciones Internacionales*. México, Centro de Relaciones Internacionales Facultad de Ciencias Políticas y Sociales Universidad Autónoma de México. Vol. XIV, No. 53, enero-abril de 1992; Garza Elizondo, Humberto. "La Ostpolitik de México: 1977-1982", *Foro Internacional*. México, Colegio de México, No. 95, enero-marzo 1984.

[21] Paradójicamente, refiriéndose a la IX Cumbre, poco antes del retiro de su país, el entonces ministro de Relaciones Exteriores argentino señalaba que "*el Movimiento de Países No Alineados es el foro ideal para propiciar el intercambio de opiniones que tienda a mejorar el poder de negociación de sus miembros y producir el acercamiento con las grandes potencias*". Dante Caputo, "Eficacia en la acción no alineada", en *Política Internacional*. Belgrado, No. 940, junio de 1989, págs. 1-2.

[22] Es la tesis que he desarrollado en Socorro Ramírez V. "El sentido del Movimiento de Países No Alineados y el papel de Colombia en su presidencia" en *Colombia internacional*. Bogotá, Centro de Estudios Internacionales (CEI) de la Universidad de los Andes, No. 31, julio-septiembre de 1995, págs. 3-8; y en *Colombia en la presidencia de los No Alineados*. Bogotá, Fescol, septiembre de 1995, págs. 25-31.

Es posible pensar, además, que la presidencia de los NOAL, por segunda vez a cargo de un país latinoamericano, pueda abrirle mejores posibilidades de participación a América Latina y el Caribe en un momento de grandes redefiniciones del Movimiento. De hecho, la pérdida parcial de importancia estratégica de algunas regiones al desaparecer el conflicto Este-Oeste, el *enfriamiento* ideológico de las relaciones internacionales, el predominio de los asuntos económicos que obliga a todos los países a buscar el fortalecimiento de relaciones recíprocas, parecerían indicar que la participación de regiones y países distintos de los miembros fundadores y centrales de los NOAL podría contar hoy con mejores posibilidades.

La XI Cumbre realizada en Cartagena en octubre de 1995, en donde Colombia asumió por tres años la presidencia del Movimiento, no mostró, sin embargo, signos alentadores y más bien dejó múltiples interrogantes al respecto como lo mostraremos a continuación [23].

4. La presidencia colombiana y los interrogantes de la participación regional

Cuatro indicadores nos muestran que, a pesar de lo que se esperaba por desarrollarse en un país de la región, no variaron las características tradicionales -que hemos venido analizando- de la presencia latinoamericana en la Cumbre de Cartagena.

En primer término, hay que señalar que de los 112 países miembros que llegaron a la XI Cumbre, 20 eran de América Latina y el Caribe[24] y sólo se presentó una nueva solicitud de afiliación, la de

---

[23] Hago un balance de la Cumbre de Cartagena en Socorro Ramírez V. "Bajando de las cumbres. Aproximación a la XI Cumbre de los No Alineados", en *Análisis Político*, Bogotá, IEPRI, No. 26, septiembre-diciembre de 1995, págs. 55-71; y en "Aproximación a Cartagena: alcance y significado de la XI Cumbre de los No Alineados", en *Utopías*. Bogotá, Año III, No. 30, noviembre-diciembre de 1995, págs. 41-46.

[24] Los restantes son 53 africanos, 36 de Asia y Medio Oriente, 3 europeos. Los miembros plenos de América Latina y el Caribe en 1995 son: Bahamas, Barbados, Belice, Bolivia, Chile, Colombia, Cuba, Ecuador, Granada, Guatemala, Guyana, Honduras, Jamaica, Nicaragua, Panamá, Perú, Santa Lucía, Surinam, Trinidad y Tobago, Venezuela. Los observadores son: Brasil, México, Uruguay, Costa Rica, el Salvador, Republica Dominicana, Dominica, Antigua y Barbuda, y el Partido Socialista de Puerto Rico.

Costa Rica, la cual fue rechazada por oposición de países árabes. Hay que destacar, sin embargo, que Brasil y México se hicieron presentes como observadores con representaciones de más alto nivel que las de muchos miembros plenos latinoamericanos: a Cartagena concurrieron el Vicepresidente brasileño y el Canciller mexicano[25].

En segundo lugar, la mayor parte de los presidentes o primeros ministros de países de la región no llegaron a Cartagena[26], a pesar del interés en su asistencia que demostró el presidente colombiano. En efecto, consciente de que la primera medida de su liderazgo la darían los vecinos que fuera capaz de convocar, Samper expresó el mayor interés y disposición para movilizar a los presidentes latinoamericanos a tres foros internacionales sucesivos, encadenando así la asistencia a Cartagena con la presencia en la V Conferencia Iberoamericana realizada en Bariloche (Argentina) dos días antes de la XI Cumbre, y, posteriormente, con el viaje a Nueva York, con el fin de participar en el 50 aniversario de las Naciones Unidas. Sin embargo, su invitación sólo fue aceptada por los presidentes de Nicaragua, Costa Rica y Bolivia.

Vale la pena señalar, en tercer lugar, el tipo de representatividad de la vocería regional escogida por el Grupo Latinoamericano y Caribeño (GRULAC) en la Cumbre. Nicaragua, además de ser relator general, debía hablar en la inauguración, mientras Cuba debía hacerlo en la clausura, aunque, al final la delegación cubana le cedió el turno al embajador Jorge Illueca de Panamá. Los mismos países - Panamá y Cuba, más Guyana- aparecían como vicepresidentes de la mesa directiva de la Cumbre. Resulta paradójico que éstos países, que para sectores de las élites latinoame-

---

[25] En el caso brasileño, contaba, entre otras cosas, su interés -similar al de Japón, Alemania o Italia- de buscar apoyo para ingresar al Consejo de Seguridad de la ONU, en este caso a nombre de América Latina y el Caribe. El caso mexicano es bien notable si se tiene en cuenta que ingresó a la organización de los países del *primer mundo*, la OCDE, y del norte de América, el NAFTA.

[26] De 20 miembros plenos llegaron sólo 7 jefes de Estado o de gobierno, los de: Colombia, Bolivia, Guyana, Nicaragua, Cuba, Panamá y Jamaica. Faltaron Chile, Venezuela, Ecuador, Perú, Guatemala, Honduras, Barbados, Bahamas, Santa Lucía, Grenada, Surinam, Belize, Trinidad y Tobago.

ricanas aparecían como la imagen del Movimiento en la guerra fría (la Cuba de Fidel, Panamá de Torrijos y Nicaragua Sandinista), continúen siendo los voceros regionales del Movimiento, a pesar de los cambios ocurridos a nivel internacional. Este hecho probablemente sigue reforzando en las varios países de la región las prevenciones contra el Movimiento.

En cuarto lugar y en consonancia con la limitada participación regional, la parte del Documento final que sirve de memoria interna del Movimiento referida a América Latina y el Caribe es igualmente precaria[27]. Esta precariedad podría estar mostrando, entre otras cosas, el desinterés de las cancillerías latinoamericanas y caribeñas por los NOAL y la diversidad de apreciaciones sobre la situación y ubicación regional.

Es posible que hubiera faltado una más clara estrategia colombiana para interesar a los jefes de Estado o de Gobierno de la región[28]. No parecieron suficientes los contactos bilaterales, el aprovechamiento que en esa perspectiva se hizo de reuniones como la de la Asociación de Estados del Caribe realizada en Trinidad y Tobago o la del Grupo de Río en Quito. Tampoco pareció ser suficiente la reunión informal organizada por la Cancillería colombiana con sus homólogos miembros del Movimiento sobre "América Latina y el Caribe frente al NOAL".

Hay que tener en cuenta, además, que no sólo Colombia afrontaba serios problemas internos al momento de realización de la XI Cumbre. También los afrontaban los países cuyos jefes de Estado no llegaron a Cartagena. Fue el caso de Venezuela y Ecuador, cuyos presidentes tampoco fueron a Bariloche. Chile, por su parte, también adujo argumentos internos para explicar la ausencia de su presidente y de su canciller, ya que enfrentaban la semana decisiva tanto para encarcelar al general Manuel Contreras como para encarar el fallo favorable a Argentina sobre el diferendo de

---

27 Documento Final, NAC 11/Doc.1/Rev.3, capítulo segundo, págs. 41-44.

28 Analizo el papel colombiano en Socorro Ramírez V. "Colombia en la Cumbre de los NOAL", en Luis Alberto Restrepo Moreno, (Dir.) *Síntesis '96, Anuario Social, Político y Económico de Colombia*. Bogotá, IEPRI - Fundación Social, Tercer Mundo Edts. 1996.

Laguna del Desierto. Es probable también que las dificultades que Costa Rica había experimentando para su ingreso a los NOAL hubieran desestimulado la presencia, en particular, de los Presidentes centroamericanos.

Con todo, la ausencia de jefes de Estado es todavía más diciente por cuanto, dos semanas después de la Cumbre de Cartagena, los presidentes de los más importantes países latinoamericanos asistieron en Buenos Aires a la reunión del Grupo de los 15, que había surgido de los NOAL[29]. A pesar de haber asumido la presidencia de este Movimiento, Colombia no fue invitada a la reunión ya que, pese a sus múltiples intentos de afiliación, el Grupo ha preferido mantener su número reducido y su carácter cerrado.

La explicación hay que buscarla igualmente en factores menos coyunturales de la situación de la región. Parecería que los países latinoamericanos estuvieran encerrados en sus problemas internos, que lo predominante fuera el desinterés por la concertación política y la coordinación de sus actividades o la incapacidad para lograrlas, y que para hacerle frente a las nuevas realidades internacionales no contaran con una política internacional global.

A esto contribuye sin duda la *rehegemonización* de los Estados Unidos al menos en el hemisferio occidental y el creciente unilateralismo en su comportamiento[30] el cual conduce a las élites regionales -por la vía de la sutil presión o del señalamiento- a evitar todo aquello que pueda generarles distanciamiento con Washington. Las élites están interesadas más bien en cómo llegar de la manera más rápida y a cualquier costo al mercado norteamericano. Esta podría ser por ejemplo parte de la explicación de lo acontecido con Chile, país que, como dijimos, había reingresado a los NOAL en la Cumbre anterior.

---

[29] El G-15 surgió en la Cumbre de Belgrado con países que se reclamaban de desarrollo medio como India, Brasil, Argentina, Chile, Venezuela, Nigeria, Malasia, Indonesia, etc. con interés en cambios en los NOAL y en el diálogo con el Norte. Analiza la Cumbre del G-15 en Caracas, Frank Bracho "El Grupo de los 15: 'punta de lanza' del nuevo Sur", *Política Internacional*. Caracas, No. 24 octubre-diciembre de 1991.

[30] Es la tesis de Juan Tokatlián, "Colombia y el neo no alineamiento", en *Colombia en la presidencia de los No Alineados*. Bogotá, Fescol, septiembre de 1995, págs. 47-58.

La explicación también podría buscarse en los interrogantes que los NOAL aún no logran despejar sobre su sentido y papel actual. Ese podría ser el caso en particular del presidente peruano o de los caribeños que no ven resultados prácticos en su participación. Paradójicamente, muchos esperan para continuar o para entrar al Movimiento lo que haga Colombia en la presidencia.

Habrá que ver si hay interés de concertación política en los distintos países de América Latina y el Caribe o si es imposible pensar en una actuación coordinada del continente para acompañar a Colombia en su tarea. Habrá que ver, igualmente, si la presidencia de los NOAL, que Colombia ejercerá de octubre de 1995 a octubre de 1998, puede convertirse en un espacio para pensar el papel regional en el mundo posbipolar y para hacerle frente a las nuevas realidades. Estas posibilidades, sin embargo, ya por sí mismas bastante limitadas por el tipo de presencia precaria, dispera y de bajo perfil de la región, se ven notablemente disminuidas por la profunda crisis política que sacude al país y en particular al Presidente Samper. Esta crisis le ha hecho perder al gobierno colombiano credibilidad y capacidad de convocatoria nacional, regional e internacional.

V
Colombia, política exterior y no alineamiento: Entre la expectativa y la disyuntiva

Juan Gabriel Tokatlian

Tres presupuestos básicos y una tesis fundamental subyacen a este ensayo. En términos de los presupuestos, es posible afirmar lo siguiente:

Primero, mucho de lo que hoy le sucede al país en su frente externo -notorias fricciones con Estados Unidos, enormes posibilidades de mayor integración con Venezuela, papel de liderazgo entre los No Alineados, rol crucial en los tópicos vinculados al medio ambiente- obedece a que Colombia tiene importantes riquezas internas y ocupa un lugar de relativa gravitación en el ámbito hemisférico. La creencia o percepción de Colombia como un país pobre e irrelevante es más una noción del pasado que del presente.

Segundo, el objetivo principal de toda política exterior es contribuir decisivamente al mejoramiento del bienestar material y del goce cultural de una nación. Así, la diplomacia colombiana debería ser analizada y evaluada en relación al logro o no de ese propósito: cómo y cuánto de la vida digna real de los ciudadanos se consigue avanzar y proteger, sin perder tiempo ni energías en peleas estériles que presuntamente invocan la dignidad simbólica de unos pocos, el honor herido de algunos y la majestad incomprendida de un grupo minúsculo. Por lo tanto, es conveniente separar lo crucial de lo irrelevante y deslindar lo nacional de lo personal para no confundir lo coyuntural-individual con lo permanente-colectivo y así reivindicar lo tangible-concreto en lo material y cultural en la *praxis* de la política internacional del país.

Tercero, el horizonte del comportamiento externo del país no está inexorablemente condicionado[1]. Según Yaffe: "Debido a la naturaleza rápidamente cambiante de las restricciones del sistema (mundial), algunos Estados podrán tener más opciones y otros menos, aunque las alternativas disponibles no fuesen plenamente percibidas por los tomadores de decisión"[2]. En esa dirección, Colombia no se encuentra absolutamente constreñida por el entorno externo y mucho de lo que pueda hacer e incidir en el frente internacional dependerá de fuerzas, factores y fenómenos internos.

En términos de la tesis central es posible afirmar lo siguiente:

En el marco dialéctico de las relaciones de recomposición y fragmentación y de globalización y exclusión de este final de siglo y con miras al XXI, los países menos industrializados que busquen evitar una significativa dependencia externa ante una gran potencia y mantener una elemental autonomía exterior ante un hegemón regional, deberán contar con cinco características principales: madurez diplomática, fortaleza económica, capacidad tecnológica, cohesión social y legitimidad política.

---

[1] De algún modo, el colapso de la Unión Soviética (y del *socialismo real* en Europa Oriental) demostró que lo inexorable en política no lo es tanto a pesar de las repetidas aseveraciones de que su permanencia era indiscutible y segura. Como bien señala Gaddis: "The *second most powerful state on the face of the earth did voluntarily give up power despite the insistence of international relations theory that this could never happen*". John Lewis Gaddis, "The Cold War's end dramatizes the failure of political theory", en *Chronicle of Higer Education*, No. 38, Julio 22, 1992, p. 44.

[2] Michael D. Yaffe, "Realism in Retreat? The New World Order and the Return of the Individual to International Relations Studies", en *Perspectives on Political Science*, Vol. 23, No. 2, Primavera 1994, p. 79.

Política Exterior y No Alineamiento

El logro de la presidencia del Movimiento de Países No Alineados (NOAL) para Colombia durante 1995-98 por parte del gobierno del Presidente César Gaviria (1990-1994), se ubicaba tanto en el marco de las orientaciones y prioridades que habían definido la política exterior colombiana en los últimos tres lustros, como en el contexto de las necesidades, obstáculos y debilidades de una nación latinoamericana afectada por profundas contradicciones y mutaciones internas, continentales y globales.

Desde la administración del Presidente Carlos Lleras (1966-1970) en adelante, con mayor énfasis en el gobierno del Presidente Alfonso López (1970-1974) y especialmente durante el mandato del Presidente Belisario Betancur (1982-1986), Colombia persiguió una mayor autonomía exterior, una creciente diversificación político-económica y un comportamiento externo más visible y activo[3]. Con esa herencia, a partir de la gestión del Presidente Virgilio Barco (1986-1990) se consolidó una relativa restructuración de la conducta internacional del país con un perfil más asertivo y dinámico[4]. Ello entonces le permitió a Gaviria (1990-1994) y al Presidente Ernesto Samper (1994-1998) proyectarse con moderada solidez en el ámbito global.

Ahora bien, un fino hilo conductor recorrió la política externa reciente del país: el acento en el multilateralismo y la acción concertada como un medio para incrementar la capacidad negociadora de Colombia, como un mecanismo para reducir la depen-

---

[3] Sobre la política internacional contemporánea de Colombia véanse, entre otros, Rodrigo Pardo y Juan G. Tokatlian. *Política exterior colombiana:¿ De la subordinación a la autonomía?* Bogotá: Tercer Mundo Editores/ Ediciones Uniandes, 1988; Gerhard Drekonja K. *Retos de la política exterior colombiana.* Bogotá: CEREC, 1983; Gabriel Silva (coord.), *Política exterior: ¿Continuidad o ruptura?* Bogotá: CERCE/Centro de Estudios Internacionales, Universidad de los Andes, 1985; Martha Ardila. *¿Cambio de norte? Momentos críticos de la política exterior colombiana.* Santafé de Bogotá: Tercer Mundo Editores/Instituto de Estudios Políticos y Relaciones Internacionales, Universidad Nacional, 1991 y Guillermo Fernández de Soto. *Reflexiones sobre política internacional,* Santafé de Bogotá: Editorial Kimpres, 1992.

[4] Sobre la política exterior del Presidente Barco véase, Juan Gabriel Tokatlian, "La política exterior del gobierno del Presidente Virgilio Barco: En busca de la autonomía perdida", en Malcolm Deas y Carlos Ossa (coords.). *El gobierno Barco: Política, economía y desarrollo social, 1986-1990.* Santafé de Bogotá: FEDESARROLLO/ Fondo Cultural Cafetero, 1994.

dencia, como un instrumento para evitar el aislamiento, y como una vía para contrarrestar las críticas de sectores dirigentes internos fuertemente ideologizados al calor de la Guerra Fría.

En esa dirección, ha sido una característica de la conducta internacional colombiana durante los ochenta y en los noventa, la búsqueda y aplicación de estrategias preventivas para mitigar la asimetría y atenuar la vulnerabilidad del país. Ello con el propósito de evitar efectos negativos para Colombia como producto del accionar de otros actores, aunque sin provocar, de manera indefectible, un quiebre absoluto de los lazos con contra-partes poderosas, como Estados Unidos[5].

Lo anterior implicó adoptar medidas tendientes tanto a neutralizar el riesgo de una mayor subordinación respecto a un sólo agente externo, como a eludir el probable escalamiento de crisis cercanas y sub-regionales que incidieran desfavorablemente sobre los intereses nacionales. En ese orden de ideas, resultó importante desplegar una política exterior activa, flexible y heterodoxa.

Esto se entiende mejor si a los elementos mencionados de aspiración, diseño y práctica en la política exterior colombiana, se le agregan aspectos de tipo estructural que han condicionado el perfil y el comportamiento del país. En efecto, desde mediados de la década de los setenta, en general, y con más fuerza durante los ochenta, se hizo explícito y notorio el vínculo entre la realidad interna y el entorno internacional. Mientras la compleja agenda de los asuntos prioritarios en lo nacional tuvo una influencia manifiesta (y hasta determinante en algunos casos) en el planteamiento y la ejecución de la política exterior del país, variables externas y actores estatales y no gubernamentales en el plano mundial y regional fueron incidiendo de modo creciente en la formulación y concreción de la política doméstica[6]. Así, resultaba clara una suerte de *internacionalización* de las cuestiones internas que afectó de modo indudable los alcances y límites de la política exterior de Colombia.

---

[5] Sobre estrategias preventivas en el frente externo véase, Ole Elgstrom, "Active Foreign Policy as a Preventive Strategy against Dependence", en Otmar Holl (ed.). *Small States in Europe and Dependence*. Viena: Wilhelm Braumuller, 1983.

[6] Así, por ejemplo, el tópico de las drogas incidía decisivamente en las relaciones externas de Colombia, al tiempo que la problemática internacional de los narcóticos y su trata-

Paralelamente, y a pesar de que los últimos gobiernos pretendieron afianzar una especie de *diplomacia económica* pujante dirigida a intensificar y diversificar la inserción comercial, financiera y tecnológica del país, lo que predominó fue la urgencia de multiplicar una *diplomacia política*. Así, sobresalió la *politización* de los asuntos internacionales[7]. La agenda externa del país- definida en gran medida sin el control de Colombia -se concentró en temas como las drogas ilícitas; los derechos humanos; la fragilidad democrática latinoamericana; la violencia guerrillera y la posibilidad de negociación pacífica; la gobernabilidad centroamericana y caribeña; y la transición socio-política en Cuba, entre muchas otras. Cada uno de esos tópicos influyó sobre la estabilidad institucional del país, o sobre la seguridad nacional de Colombia o sobre ambas. De allí que la *internacionalización* de las cuestiones internas y la *politización* de los asuntos internacionales se entrecruzaron para incidir tanto sobre la probabilidad de diversificar las relaciones externas, como sobre las posibilidades de incrementar de modo potencial una relativa autonomía nacional y de eludir de manera parcial una excesiva dependencia exterior.

En síntesis, la política externa contemporánea de Colombia ha experimentado rupturas y alteraciones, avances y retrocesos. En ese proceso el país ha ido explorando nuevos instrumentos, mecanismos y prácticas en su frente externo. A pesar de haberse pro-

---

/miento interno condicionaban de manera dramática las posibilidades de paz y de reforma política. Los altos niveles de violencia nacional repercutían en la imagen, la proyección y las iniciativas regionales y globales del gobierno, y comprometían a varios agentes externos, tanto para su exacerbación como para su probable resolución. La cercanía del país a Centroamérica estimulaba la necesidad de una suerte de estrategia de *contención* pacífica y no intervencionista, para evitar que el recrudecimiento de la inestabilidad en el área pudiera generar un ingrediente adicional de violencia a un escenario doméstico agudamente polarizado. Las relaciones con los vecinos inmediatos y el tipo de orientación hacia éstos en razón de la multiplicidad de tópicos que ocupan las diversas agendas bilaterales (medidas macroeconómicas, tráfico de drogas, armas y precursores químicos, migraciones, movilización de grupos insurgentes entre territorios, cuestiones limítrofes inconclusas, entre muchos otros temas) producían un notable impacto fronterizo y nacional en lo político, social, económico y militar. Sobre la internacionalización de las cuestiones internas véase, Juan G. Tokatlian. "Política exterior de Colombia en 1988: Preservación de los márgenes de autonomía", en Heraldo Muñoz (comp.), *Anuario de políticas exteriores latinoamericanas, 1988-1989: A la espera de una nueva etapa*. Caracas: Editorial Nueva Sociedad/PROSPEL, 1989.

[7] En torno a la *politización* de los asuntos internacionales véase, ibid.

ducido históricamente, y en comparación a otros países de Latinoamérica, *una articulación muy débil de la economía colombiana a la economía mundial,*[8] en el terreno de la política internacional es posible afirmar que el país ha evolucionado lo suficiente como para plantear la existencia de un cúmulo de factores favorables al ejercicio de una conducta externa de mayor perfil y más ambiciosa[9].

Bogotá ya ha completado lo que puede llamarse la diversificación diplomática del país. En las últimas dos décadas, se culminó el movimiento hacia una mayor integración e inserción política de Colombia mediante la universalización de los lazos diplomáticos. Además, con contramarchas, transiciones y virajes se ha llegado a la década de los noventa con una visión menos ideológica y dogmática en la práctica de las relaciones internacionales. Así lo demuestra la actitud de los cuatro últimos gobiernos (Belisario Betancur, Virgilio Barco, César Gaviria y Ernesto Samper) ubicados *adelante* de varios sectores influyentes que aún preservan una mentalidad de guerra fría, en su versión férreamente anti-comunista y pro-estadounidense.

Sin embargo, parece claro que, en tiempos más recientes, desde el ejecutivo se ha visto a las contra-partes del país como referentes ante los que se discuten y negocian intereses y no como representantes de un determinado cuerpo de ideas o de organización social. Es por ello, entre otras razones, que desde mediados de los ochenta en adelante perdió importancia la incorporación del conflicto Este-Oeste dentro de la agenda de la política exterior colombiana; lo cual ha colaborado para mejorar la capacidad de maniobra y los espacios de acción del país en la esfera global.

Lo anterior, sumado a las tradiciones legalista, no militarista, no chauvinista y no expansionista en el campo externo, le ha otorgado a Colombia una voz razonablemente audible en cuestiones

---

8 Child, Jorge. *Los grandes poderes y la apertura económica*. Santafé de Bogotá, Editorial Grijalbo, 1991, p. 186.

9 Véase, al respecto, Juan Gabriel Tokatlian, "Colombia y el futuro de sus relaciones internacionales", en Miguel Urrutia (comp.): *Colombia ante la economía mundial*. Santafé de Bogotá, Tercer Mundo Editores/FEDESARROLLO, 1993.

internacionales, y ha coadyuvado a ofrecerle credibilidad a la política de concertación de Colombia en el terreno regional. A su vez, aunque el país aún está lejos de lograr una necesaria y definitiva modernización institucional en su manejo exterior, se ha buscado, desde finales de los ochenta y luego de la Constitución de 1991, dotar a la Cancillería de una mediana eficiencia y efectividad[10].

Bajo ese marco de referencia general, entonces, el Presidente López vinculó a Colombia a los NOAL con el carácter de país observador. Años más tarde, en 1983, el Presiente Betancur incorporó formalmente el país a los NOAL. Esa decisión se sumó al activismo multilateral del mandatario conservador quien, asímismo, impulsó el Grupo de Contadora en torno a la crítica inestabilidad centroamericana y estimuló el Consenso de Cartagena sobre el tema de la deuda externa latinoamericana. Más adelante, el Presidente Barco preservó una actuación vigorosa en los NOAL (lo cual le ayudó a Colombia a acceder el Consejo de Seguridad de la ONU durante 1989-1990), auspició el Grupo de Río, promovió el Grupo de los Tres (Colombia, Venezuela y México) y participó en el Grupo de Cairns (en defensa de los bienes

---

[10] No se ha obtenido la total *des-clientización* administrativa del ministerio de Relaciones Exteriores ni se ha reducido su *hiper-politización* burocrática-fenómenos disfuncionales para el ejercicio de una política externa más audaz, pro-activa y consistente. Algunos avances en la profesionalización del servicio exterior permiten alentar ciertas expectativas de mejoramiento y cambio. Como bien señala Dror, "el contexto y contenido de las decisiones sobre política exterior está cambiando, pero su importancia para la mayoría de las naciones está aumentando y debe esperarse que aumente hasta llegar a tener una importancia crítica, dentro del futuro previsible". Por ello, sugiere: "la formulación de alternativas de decisión en política exterior debe trasladarse de la modalidad que denomino diplomática hacia una modalidad administradora o manejadora de la complejidad". Ello implica abandonar el "incrementalismo conservador" (cambios lentos y resistencia a la innovación); la "visión de túnel" (asuntos vistos como aislados); el "inminentismo" (lo urgente e inmediato desplaza a lo importante y de largo plazo); la "represión de la incertidumbre" (generadora de arbitrariedad e improvisación); el "separatismo" (política externa desarticulada de las políticas económicas, etcnologicas y de defensa); la "fijación en instrumentos diplomáticos" (uso de instrumentos tradicionales); las "suposiciones simplificadas en exceso" (problemas de percepción del otro) y la "intuición como ideología" (lo intuitivo como modelo de sabiduría y acción). Sus reemplazos serían: la "innovación, creación y aprendizaje"; la "visión de sistema"; el "enfoque a más largo plazo"; la "capacidad refinada para tratar la incertidumbre"; la "integración"; la "amplia gama de instrumentos"; las "suposiciones múltiples" y el "conocimiento y lo metodológicamente intenso". Véase, Yehezkel Dror, *Enfrentando el futuro*. México, Fondo de Cultura Económica, 1990, pp. 244-251.

136

agrícolas durante la última ronda de negociaciones GATT[11]). A su vez, el Presidente Gaviria -moviéndose tanto a la derecha como a la izquierda- logró personalmente la secretaría de la OEA y la presidencia para el país de los NOAL[12].

[11] Sobre la evolución de la política de Colombia hacia el Movimiento de Países No Alineados véanse, en particular, Marco Palacios (comp.): *Colombia no alineada*. Bogotá, Biblioteca Banco Popular, 1983; Diego Cardona: "La administración Barco y los No alineados", en *Colombia Internacional*, No. 9, Enero-Marzo 1990; Alfonso Botero Miranda. *Colombia ¿No alineada? De la confrontación a la cooperación: La nueva tendencia en los no alineados*. Santafé de Bogotá, Tercer Mundo Editores, 1995 y Varios Autores: *La política exterior de Colombia y el movimiento de países no alineados*. Santafé de Bogotá, Ministerio de Relaciones Exteriores/ FESCOL, 1995.

[12] Si un observador externo, sereno e imparcial analizara seria y desprevenidamente la política mundial diría que hoy y en el futuro inmediato, el peso específico de Colombia en los asuntos internacionales es altamente significativo no obstante tratarse de un país latinoamericano en vía de desarrollo. Dos mandatarios colombianos encabezan los destinos de dos foros que en conjunto agrupan a 127 de las 185 naciones con asiento en la ONU. En efecto, mientras Ernesto Samper preside por los próximos tres años el Movimiento de Países No Alineados (NOAL) luego de la XI Cumbre de esta agrupación en Cartagena durante Octubre de 1995, César Gaviria será el Secretario General de la Organización de Estados Americanos (OEA) por los siguientes cuatro años, luego de iniciar su mandato en Septiembre de 1994. Es poco probable que esta coyuntura de final de década, con colombianos dirigiendo simultáneamente dos instancias multinacionales que cubren más del 67% de los países del planeta, se repita en la primera mitad del próximo siglo. La influencia potencial de Colombia en el entorno global es más evaluada y reconocida en el exterior que nacionalmente. Muy pocos dudan que las dos estructuras de la Guerra Fría que en la actualidad necesitan modernizarse y reorientarse, son los NOAL y la OEA. Ambas organizaciones, aunque cumplen papeles distintos, tienen formatos disímiles y son de naturaleza diferente, son semejantes en cuanto a la pertinencia de su imperioso reacomodamiento, renovación y despegue en un escenario pos-Guerra Fría marcado por una transición incierta y turbulenta. El hecho de que dos colombianos lideren el desafío que implica *aggiornar* instituciones cuya vigencia depende de su capacidad de adaptación y cambio, es de enorme trascendencia para la política exterior del país. Así como el macro sistema internacional requiere transformaciones operativas que tiendan hacia la equidad, la solidaridad y la estabilidad, el sub-sistema hemisférico está urgido de modificaciones prácticas que lo hagan más simétrico, dinámico y justo. En ambos niveles, el país gana con innovaciones sustantivas en estos organismos. Si Colombia aspira a un esquema global equilibrado y plural, más multipolar y menos unilateral que facilite su bienestar material, su fortaleza cultural y su autonomía política, es prioritario un pensamiento estratégico en el diseño y la ejecución de la conducta externa de Bogotá. De lo contrario, la relativa influencia internacional del país como producto del liderazgo en los NOAL y la OEA se podría desaprovechar. No es exagerado decir que es absurdo y contraproducente que un actor menor del sistema no maximice las escasas opciones y los reducidos espacios de maniobra que posee; particularmente en el ámbito multilateral y en relación a Estados Unidos. ¿Ahora bien, representan Gaviria y Samper dos interpretaciones divergentes de los intereses nacionales y su defensa internacional? ¿Expresan definitivamente dos visiones irreconciliables? ¿O son, eventualmente, complementarias? ¿Es aún factible conjugarlas de manera dialéctica y de modo efectivo en beneficio de las mayorías ciudadanas? ¿Quiénes, cómo y por qué definen los intereses vitales del país? El logro de la Secretaría General de la OEA por parte de un colombiano y el comienzo de la presidencia colombiana de los NOAL deberían conducir a un debate amplio y participativo sobre las perspectivas de la política exterior del país y la promoción de los intereses nacionales. Ello es inaplazable y no puede quedar en

Todo lo anterior produjo ciertos dividendos políticos sin costos económicos elocuentes. El despliegue multilateral del país no afectó la aprobación del *Andean Trade Preference Act* (las preferencias comerciales de EE.UU. a los países andinos por 10 años a partir de 1991 en virtud de los esfuerzos y logros de la lucha antidrogas emprendida por Colombia, Perú, Bolivia y Ecuador) por parte de Washington, ni el otorgamiento de las preferencias arancelarias europeas como consecuencia del compromiso anti-narcóticos de Colombia, ni la llegada de capitales ingleses para la industria petrolera, ni la aceptación colombiana al Consejo de Cooperación Económica del Pacífico, ni el acceso al crédito de la banca internacional.

Colombia, en aquellos foros, se caracterizó por la moderación y por la búsqueda de consenso, sin protagonismos estériles ni posturas unilaterales; todo lo cual le generó apoyo y reconocimiento. Por ello, lo más probable es que la presidencia colombiana de los NOAL reafirme esas pautas: equilibrio sin extremismos y concertación intra-grupal para maximizar espacios de transacción ante actores más poderosos y con metas que no son naturalmente idénticas a las del país.

En el caso colombiano no sólo son varias las necesidades comerciales, diplomáticas y científicas del país, sino también muchas las vulnerabilidades externas e internas. De los distintos temas que componen la agenda mundial, en la mayoría de ellos Colombia es un referente problemático para otras naciones. Excepto en el tópico del medio ambiente, en el cual descansa hacia el futuro el mayor atributo de poder del país debido a su vasta y rica biodiversidad, y en el de los recursos energéticos, que pueden ser utilizados como palanca negociadora, en el resto del temario vigente Colombia enfrenta enormes dificultades. Drogas ilegales, derechos humanos, pobreza e inequidad, paz y seguridad, criminalidad transnacional y corrupción, entre otros, son cuestiones en las que el país presenta graves deficiencias y serias

---

manos de un grupo reducido, presuntamente ilustrado, que se apropie solitariamente de la definición, sin participación ciudadana, de dichos intereses. Desde la academia y las organizaciones no gubernamentales hasta el sector privado y los medios, pasando por diversos movimientos políticos y sociales, es urgente dialogar y disentir en torno al papel internacional de Colombia, para así proponer modelos alternativos de inserción externa del país en el horizonte de un siglo XXI cada vez más cercano y desafiante.

debilidades. Si Colombia desea convencer al Norte de que muchos de esos asuntos se superan de modo conjunto, a nivel multinacional y con aportes internacionales, y que otros exigen un tratamiento firme y autónomo, entonces va a requerir bastante del Sur para esa labor. Por eso, los NOAL resultan altamente funcionales a los intereses nacionales, siempre y cuando paralelamente se busque resolver esas problemáticas en lo interno y no camuflarlas afuera. Si esto último sucede, más que un actor relativamente relevante, Colombia se podría convertir en un paria mundial aunque presida el Movimiento No Alineado.

Guerra Fría y No Alineamiento

La Guerra Fría finalizó a comienzos de esta década. Y con ello se agotó un modelo tradicional de comportamiento No Alineado. Así entonces, el desafío de la próxima presidencia colombiana del Movimiento de Países No Alineados (NOAL) consistirá en adaptar y actualizar este foro de naciones periféricas. En breve, sobresale la necesidad estratégica de preservar el No Alineamiento, pero poniéndolo al día y proyectándolo con un nuevo horizonte.

De manera sintética, es posible afirmar que, al menos, tres elementos básicos caracterizaron los nueve lustros que, desde la Segunda Guerra Mundial en adelante, identificaron la competencia entre Estados Unidos y la Unión Soviética.

Por un lado, independiente del tamaño, ubicación y recursos de cada país, todas las naciones eran fundamentales por su valor e impacto respecto al conflicto bipolar. La naturaleza integral de este enfrentamiento hizo posible que una isla como Granada -de 130 millas cuadradas, cuyo principal producto de exportación era la nuez moscada- fuera un referente crucial de la disputa Este-Oeste y hubiese sido invadida en 1983 por EE.UU[13]. Sin embargo, a muy pocos interesa hoy el futuro ideológico de este país. Las nuevas realidades geo-económicas están transformando los tradicionales postulados geo-políticos.

---

[13] Sobre la naturaleza integral de la disputa Este-Oeste véase, Luis Maira, "América Latina en el sistema internacional de los años noventa", en Francisco Leal Buitrago y Juan Gabriel Tokatlian (comps.): *Orden mundial y seguridad: Nuevos desafíos para Colombia y América Latina*. Santafé de Bogotá, Tercer Mundo Editores/SID (Capítulo Colombia)/Instituto de Estudios Políticos y Relaciones Internacionales, Universidad Nacional, 1994.

Por otro lado, cada superpotencia garantizaba su área de influencia mediante un conjunto de compromisos diplomáticos, económicos y militares suficientemente sólidos; los cuales generaban cierta seguridad y suficiente predictibilidad en los lazos entre un país y su respectivo hegemón, así como determinadas obligaciones y notorias restricciones en la conducta de las naciones periféricas. Los bandos eran nítidos y las fronteras eran certeras. Cuando, por ejemplo, Afganistán cambió de bloque de pertenencia en 1979, EE.UU. y la U.R.S.S. hicieron evidente para Kabul el sistema de castigos y recompensas que eso implicaba. Hoy predomina una perspectiva mundial capitalista con variaciones relativamente divergentes, pero no antagónicas, de modelos socioeconómicos y político-culturales. Ya no hay, necesariamente, ni alianzas garantizadas ni condicionamientos inmovilizantes; lo cual genera y refuerza, paradójicamente, una mayor incertidumbre y volatilidad en el comportamiento de la política exterior de los Estados.

Finalmente, era evidente una alta inestabilidad Este-Oeste y una alta confrontación Norte-Sur. El espectro de una guerra nuclear entre los principales antagonistas generaba la sensación y el peligro de un holocausto devastador. La realidad de intervenciones, invasiones, conflictos de baja intensidad, operaciones quirúrgicas, maniobras militares encubiertas, disputas irregulares prolongadas, entre otras, se manifestaban en la periferia con diversos grados de participación de los países centrales en general y de las grandes superpotencias en particular[14]. En la actualidad, se ha reducido el nivel de inestabilidad nuclear, pero no la potencialidad de disputas en el corazón del mismo Norte como lo muestra el caso de Bosnia, al tiempo que persiste un elevado grado de confrontación que se dirime en la periferia como lo evidenciaron los ejemplos de Irak y Somalia. En todo caso, la pos-Guerra Fría está demostrando no ser ni el inicio ni el tránsito hacia una suerte de paz perpetua Kantiana.

---

[14] Respecto a la inestabilidad Este-Oeste y la confrontación Norte-Sur véase, Varios Autores: "La seguridad y la defensa en América Latina los años noventa: Retos y perspectivas", en *Documentos Ocasionales C.E.I.*, No. 23, Noviembre-Diciembre 1991.

Ahora bien, en el contexto histórico de la Guerra Fría, el Movimiento No Alineado tradicional poseía varios rasgos identificatorios. Primero, el No Alineamiento era un fin, una suerte de objetivo a seguir ante la existencia de dos grandes potencias y para ejercer una política exterior más holgada y diversificada. Segundo, el No Alineamiento tenía como uno de sus propósitos claves validar la auto-imagen externa de un país a través de la afirmación de la identidad, la soberanía y el prestigio nacionales. Tercero, el No Alineamiento era una fuente adicional de legitimación doméstica para los gobiernos que se vinculaban al NOAL. Cuarto, el No Alineamiento pretendía establecer un esquema de colaboración económica intra-Sur que permitiera superar la dependencia financiera, la asimetría comercial y el rezago tecnológico de los miembros del Movimiento.

Quinto, el No Alineamiento se sustentaba en una estrategia defensiva frente al Norte, evitando que éste recortara su potencial autonomía externa e incidiera políticamente a nivel interno. Sexto, el No Alineamiento se robustecía mediante una valoración cuantitativa del Movimiento; es decir, se pensaba que la mayor membrecía brindaba más recursos de influencia al acumularse, bajo un mismo foro, los atributos de poder individuales de los países. Séptimo, el No Alineamiento se expresaba primordialmente a través de Naciones Unidas y contemplaba la posibilidad de más incidencia del Tercer Mundo mediante votaciones mayoritarias del Sur en el ámbito de la Asamblea General.

Octavo, el No Alineamiento representaba un modo de presión sobre el mundo desarrollado. Noveno, el No Alineamiento fue un espacio de concurrencia de los Estados únicamente. Y décimo, el No Alineamiento se caracterizó por un perfil contestario producto del difícil y crítico entorno mundial y del espíritu de distanciamiento del Movimiento respecto a las superpotencias.

Pos-Guerra Fría y Neo No Alineamiento

Al cambiar la esencia de la Guerra Fría, se modifica también el rol, el significado y las alternativas del Movimiento No Alineado. Ante la prevalencia de un marcado desorden internacional tanto en el centro como en la periferia, en virtud de un notable unilateralismo ejercido desde Washington y debido a la lenta transición hacia un sistema global intrincado que vislumbra modificaciones hegemónicas en el largo plazo, el No Alineamiento mantiene su vigencia y validez.

Dicha vigencia y validez se corrobora al evaluar tres aproximaciones distintas acerca de las relaciones internacionales contemporáneas.

Por un lado, al considerar las perspectivas que colocan el acento en el *orden*, se observa un consenso en torno al hecho de que fenómenos como el desmoronamiento de la U.R.S.S., el ocaso del comunismo en Europa Oriental, y la unificación de Alemania, entre varios otros, indican claramente el fin de la Guerra Fría. Sin embargo, ello no significa la cristalización sencilla ni inmediata de un Nuevo Ordenamiento Internacional equitativo, justo y simétrico[15]. Así, la terminación de la disputa Este-Oeste no parece ser sinónimo de equilibrio y estabilidad: puede incluso multiplicarse el desorden, tanto en el centro como en la periferia, en el gradual movimiento hacia formas de orden más duraderas[16]. Más aún, resulta evidente la ausencia de reglas consensuales y definitivas en torno al reordenamiento pos-Guerra Fría. De algún modo, al producirse momentos cruciales en las relaciones internacionales de este siglo, se manifestaban acuerdos e instituciones que pretendían regular, implícitamente, los vínculos inter-estatales y el presunto orden deseado. Por ejemplo, luego de la Primera Guerra Mundial, el Tratado de Versailles y la Liga de las Naciones- -ambos de influencia europea- intentaron fijar las *reglas de juego* del entorno global. Después de la Segunda Guerra Mundial, los com-

---

[15] Como dijera Jorge Luis Borges en su relato *Deutsches Requiem* de 1949: "Muchas cosas hay que destruir para edificar el nuevo orden".

[16] Cada vez parece más pertinente y acertada la noción de *centriphery*-centriferia-que utiliza Patrick L. Baker para describir lo que parece caracterizar a las distintas sociedades en el sistema global; las cuales combinan en su seno elementos del centro y de la periferia. Para él, "*Insofar as the center creates the periphery, part of the center is in the periphery, and vice versa...Centering involves both access to and use of the resources and the know-how and the ideological justification for this...Peripheralization is a counter phenomenon.It involves a loss of control, a diminution or denial of access, of resources and know-how and an ideological schema justifying subservience to and devaluation by the center*". Véase, Patrick L. Baker: "Chaos, Order, and Sociological Theory", en *Sociological Inquiry*, Vol. 63, No. 2, Primavera 1993, p. 136.

142

promisos de Yalta y Postdam y las Naciones Unidas--ambos de cuño soviético -estadounidense- también buscaron establecer las *reglas de juego* del esquema mundial. Culminada la Guerra Fría, no se han gestado nuevos pactos ni instituciones. En síntesis, en un contexto oscilante e incierto, en esta oportunidad los países menos desarrollados pueden, eventualmente a través de un Movimiento No Alineado propositivo, incidir por primera vez en la discusión, elaboración y aplicación de las *reglas de juego* en la pos-Guerra Fría.

Por otro lado, al enfatizar la cuestión del *liderazgo,* se ha analizado particularmente el caso de Estados Unidos. Varios analistas señalan que el colapso de la Unión Soviética, la inconclusa Unión Europea, el muy contenido poderío japonés y el escaso potencial directriz chino, se conjugan con la vitalidad material y la voluntad política estadounidenses y hacen de EE.UU. la cabeza indiscutida del entorno internacional. Los más optimistas auguran un mundo unipolar centrado en Washington[17]. No obstante, la notoria multipolaridad económica y tecnológica, el vigente arsenal nuclear ruso y la ascendente capacidad militar tanto japonesa como china, sumadas a las inocultables dificultades domésticas y externas de EE.UU. operan en contravía de aquel escenario omnipoderoso en favor de Washington[18]. Parece prudente entonces no confundir voluntad con capacidad, vocación con oportunidad, deseo con potencialidad y opciones externas con realidades internas. La diferencia y la distancia entre lo que Estados Unidos quiere y puede, entre lo que necesita y hace, podrían ser mayores a lo que se especula y exalta como monopolio irrestricto estadounidense en el concierto mundial. El creciente unilateralismo en

---

[17] Sobre el exagerado optimismo de la visión unipolar de las relaciones internacionales pos-Guerra Fría véase, Christopher Layne, "The Unipolar Illusion: Why Great Powers will Rise", en Michael E. Brown, Sean M. Lynn-Jones y Steven E. Miller (eds.): *The Perils of Anarchy: Contemporary Realism and International Security.* Cambridge: M.I.T. Press, 1995.

[18] A los elementos mencionados se debe agregar un factor importante en la orientación futura global de Washington: la ausencia de un consenso categórico, amplio y profundo a nivel interno en Estados Unidos acerca de una estrategia de seguridad concluyente, comprehensiva y sólida en la pos-Guerra Fría, a un lustro de la terminación de la disputa integral Este-Oeste y a otro lustro del muy cercano fin de siglo XX. Sobre este tema véase, en particular, Norma D. Levin (ed.): *Prisms and Policy: U.S. Security Strategy after the Cold War.* Santa Monica: RAND Corporation, 1994.

el comportamiento de Washington -la actuación motivada sólo por los deseos propios y con base en necesidades individuales y con el propósito de máxima auto-realización- es más un signo de arrogancia y torpeza que de liderazgo firme y fecundo[19]. En ese sentido, el NOAL puede, mediante un despliegue pro-activo y la conformación de coaliciones con socios industrializados, *rodear* con propuestas e iniciativas serias y realistas al mundo desarrollado en general y a Estados Unidos en particular. Ello puede contribuir a señalarle a Washington la importancia de una conducta responsable en los asuntos mundiales.

Por último, y desde un ángulo que intenta identificar el *sistema* global, se busca explanar los ciclos históricos más prolongados, para así comprender las eventuales modificaciones hegemónicas. En consecuencia, se analizan los elementos materiales e ideológicos, internos y externos, de persuasión y coerción, que hacen a la hegemonía. Resulta evidente la ausencia de un bloque anti-hegemónico al capitalismo existente; lo cual permite la preservación de un consenso básico entre los actores más poderosos. Sin embargo, la inexistencia de una oposición organizada, coherente y eficaz no implica que se hayan establecido las alternativas concretas y perdurables de gobernabilidad global para aunar los diversos intereses en conflicto y así superar las dificultades político-económicas presentes en el sistema[20]. Ahora bien, dado que históricamente la competencia por la hegemonía se ha dirimido, en últimas, a través de la fuerza y la violencia -por ejemplo, grandes confrontaciones armadas- es fundamental la presencia asertiva de un Movimiento No Alineado que promueva la paz, el no uso de la agresión militar y la no utilización de la amenaza de coerción bélica, como modo de manejar el cambio eventual de hegemonía.

---

[19] Más que una secular vertiente aislacionista que ha vuelto a renacer en Estados Unidos, Susan Strange observa en la actualidad la presencia ascendente de una "tendencia natural (aunque destructiva) unilateralista en el sistema político estadounidense"; la cual incide significativamente en la conducta internacional de Washington, con matices diferentes de profundidad y vehemencia entre republicanos y demócratas. Véase, Susan Strange, "The Defective State": en *Daedalus*, Vol. 124, No. 2, Primavera 1995, p. 71.

[20] Sobre este tema véase, en particular, James N. Rosenau y Ernst-Otto Czempiel (eds.): *Governance without Government: Order and Change in World Politics*. Cambridge: Cambridge University Press, 1992.

En consecuencia, en un contexto global transitorio más que fundacional, tendría más sentido hablar de un eventual Neo No Alineamiento en un escenario pos-Guerra Fría, pos-industrial y pos-moderno, visto y vivido como legítimo y creíble para los miembros del Movimiento y por sus diversos interlocutores[21]. Las notas definitorias de éste podrían ser:

En primer lugar, el Neo No Alineamiento debería ser concebido como un medio, como un instrumento adicional al repertorio de los disponibles para que una nación incremente su capacidad de maniobra externa. Este mecanismo diplomático, junto a otros, tendría que propiciar y elevar el bienestar material de cada miembro. Un elemento básico es mejorar la inserción comercial de los países periféricos y evitar el uso político y discriminatorio del recurso económico por parte de las naciones centrales.

En segundo lugar, el Neo No Alineamiento debería orientarse con un criterio internacional reformista. Las soberanías individuales de los países miembros son endebles, las identidades propias se resquebrajan si se pretende el aislamiento y el prestigio nacional se erosiona si se produce una disociación entre el discurso externo y el comportamiento interno. Si el Movimiento no asume debatir la nueva agenda mundial de carácter conceptual que gira alrededor de nociones como intervención humanitaria, injerencia colectiva y acción conjunta, entonces, seguramente, le impondrán el temario y las decisiones sobre esas cuestiones[22]. América Lati-

---

[21] Este argumento se desarrolla en Juan Gabriel Tokatlian, "Colombia y el neo no alineamiento", en Varios Autores: *Colombia en la presidencia de los no alineados*. Santafé de Bogotá: FESCOL, 1995.

[22] En los últimos tiempos Colombia ha venido siendo objeto de un evidente neointervencionismo blando que incide sobre la soberanía nacional. Veamos algunos casos. Los reclamos, presiones y amenazas durante varios años del ejecutivo, principalmente, y del legislativo estadounidenses a Colombia en materia de drogas ilícitas se han traducido en ajustes notables de la política interna anti-narcóticos a la estrategia internacional de Washington en este frente. Los reclamos, presiones y amenazas de las últimas administraciones venezolanas a Colombia en cuanto al descontrol limítrofe y desprotección de los recursos ambientales fronterizos ha conducido a que los gobiernos nacionales adopten, por ejemplo, medidas más firmes para evitar el deterioro de ríos y fuentes de agua en el lado colombiano. Los reclamos, presiones y amenazas de gobiernos y actores no gubernamentales europeos a Colombia en el campo de los derechos humanos ha llevado, por ejemplo, a que la Procuraduría destituyera en 1995 a dos militares vinculados a la muerte de la monja suiza Hidergard M. Feldmann en 1990, a pesar de que la justicia militar los había

na, por ejemplo, tuvo un largo historial, entre finales del siglo pasado y comienzos de éste, de aportes jurídicos fundamentales al derecho internacional. Las Doctrinas Estrada y Drago fueron dos ejemplos elocuentes. Hoy la región debería contribuir al establecimiento de los contenidos, alcances y límites del nuevo derecho internacional en gestación y no sólo denunciar las prácticas cada vez más reiteradas de transformación fáctica -por las vías de la política de poder- de principios como el de no intervención[23].

En tercer lugar, el Neo No Alineamiento debería buscar una mayor credibilidad externa. La comunidad internacional, en general, espera un liderazgo responsable y serio del Movimiento que facilite la resolución de dificultades globales de modo más simétrico y efectivo que durante la Guerra Fría y que evite enfrentamientos estériles sobre cuestiones menores y no estratégicas. Sería torpe e inútil desgastar al Movimiento en cuestiones tácticas y de valor retórico.

/ absuelto. Los reclamos, presiones y amenazas durante el último trimestre de 1995 de la Administración Aérea Federal (FAA) de Estados Unidos a Colombia sobre inseguridad aérea en el país, ha impulsado a que la Aeronáutica Civil colombiana inicie correctivos en los próximos días si es que se quieren evitar sanciones costosas para los vuelos de las aerolíneas nacionales hacia Estados Unidos. En síntesis, agentes externos han detectado la enorme vulnerabilidad del país, aunque las autoridades insistan en señalar que las políticas públicas propias ya enfrentan y mitigan las dificultades planteadas críticamente desde afuera. Mediante pronunciamientos fuertes e hipotéticas medidas de castigo o de retaliación, esos agentes han logrado producir modificaciones internas sustantivas en la definición y el tratamiento de cuestiones presumiblemente domésticas y de manejo soberano. Lo anterior acontece por dos motivos principales. Por una parte, la precariedad y fragilidad estatal que no alcanza a responder a tiempo ni suficientemente a los diversos retos que afronta el país en áreas estratégicas. Por otra parte, la debilidad y pasividad de la sociedad civil que no demanda responsabilidad ni exige rendición de cuentas en asuntos fundamentales para la convivencia ciudadana y democrática. De algún modo, una agencia gubernamental extranjera, una entidad no estatal o un conjunto de estados cumplen la función que le correspodería a las organizaciones ciudadanas nacionales y recortan mucho la hipotética política independiente del Estado. Así entonces, opera un verdadero neointervencionismo blando, basado en la amenaza eventual y no en la coerción directa, que reduce en la práctica el dominio estatal soberano pero que, paradójicamente, puede servir para ofrecer mínimas defensas y garantías para amplios grupos que no gozan ni de protección ni de seguridad genuinas.

[23] Sobre los temas de la soberanía y la intervención véase, en particular, Gene M. Lyons y Michael Mastanduno (eds.): *Beyond Westphalia? State Sovereignty and International Intervention*. Baltimore, The Johns Hopkins University Press, 1995.

En cuarto lugar, el Neo No Alineamiento debería procurar un espacio de concertación entre las partes; concertación que significa que varios gobiernos actúen de modo grupal, a nivel diplomático, con fines políticos, entre sí y frente a actores individuales y colectivos. Por lo tanto, el acento del entendimiento intra-Sur se colocaría en los compromisos culturales y científicos, los intercambios humanísticos y artísticos y los acuerdos educativos y técnicos. Al tiempo que se exacerba la xenofobia y el chauvinismo en el Norte, el Sur puede dar ejemplo de apertura y pluralismo; lo cual elevaría la estatura simbólica del Movimiento.

En quinto lugar, el Neo No Alineamiento debería estimular una estrategia propositiva. Además de interesarse por las acciones y medidas del Norte frente al Sur, el Movimiento debería mirarse hacia adentro. Se podrían establecer mecanismos prácticos y acatables, tanto de generación de confianza, como de resolución de conflictos entre los países miembros. Los viejos conflictos regionales y de baja intensidad y las nuevas disputas etno-territoriales y religioso-culturales que involucran a naciones periféricas, siguen siendo resueltas, únicamente, por los mismos países industrializados. El experticio latinoamericano en el caso de Contadora y el ejemplo de Centroamérica podría servir, entre otras experiencias, para construir aquellos mecanismos.

En sexto lugar, el Neo No Alineamiento debería fortalecerse cualitativamente. La sumatoria grupal de recursos productivos y demográficos individuales no garantiza ni la salvaguarda de los derechos humanos, ni una política social justa, ni un modelo ecológicamente sustentable. Ahora bien, la unanimidad sobre las virtudes de un desarrollo asentado en los derechos humanos, en una política social amplia y en una economía ambientalmente sana y sólida, no es suficiente. El Movimiento necesita un horizonte ético que le permita alejar temporalmente de su seno a gobiernos que violan de manera sistemática los derechos humanos, cometen genocidios e impulsan desastres ambientales, entre otros. El caso del Grupo de Río en Latinoamérica que separó por un tiempo de su estructura a Panamá fue una experiencia menos traumática de lo que inicialmente se pensó y más productiva de lo que se especuló. El aporte regional en este plano podría aprovecharse.

En séptimo lugar, el Neo No Alineamiento debería continuar operando de manera privilegiada en Naciones Unidas, pero dirigiendo mayor energía a acceder al proceso de toma de decisiones, en especial en el Consejo de Seguridad. Independiente de los cambios que actualmente se debaten sobre la membrecía de esa instancia nodal de la O.N.U. y de la reforma financiera de ésta, resulta prioritario asegurar transparencia, equilibrio e información en lo concerniente a los procedimientos, las discusiones y las determinaciones del Consejo de Seguridad.

En octavo lugar, el Neo No Alineamiento debería servir de palanca de negociación. Reconociendo la combinación de conflicto y cooperación en la política mundial, resulta importante que el Movimiento asuma un papel transaccional más que denunciante y un rol componedor más que de confrontación. Negociar implica una actitud inconforme, un comportamiento dinámico y una conducta activa. La denuncia por la denuncia misma conlleva conformismo y pasividad a largo plazo.

En noveno lugar, el Neo No Alineamiento debería trascender lo estatal e incorporar la voz no gubernamental. Con base en la agenda prioritaria del Movimiento, se podría garantizar la presencia de organizaciones no gubernamentales (ONGs) vinculadas al temario esencial del grupo, mediante su participación como observadores en las sesiones plenarias. El Movimiento debe rendir cuentas a las sociedades que representa y la presencia de ONGs ayudaría a ese proceso.

Y en décimo lugar, el Neo No Alineamiento debería definir un perfil moderador en su accionar. Así, podría conjugar un estilo que busque ser puente, encuentro o intersección entre el Norte y el Sur. En esa dirección, se trataría de precisar hasta qué punto y cómo es posible compatibilizar valores e intereses entre los países más industrializados y las naciones menos desarrolladas.

En esa dirección, la presidencia de Colombia del Movimiento No Alineado, debería *aggiornarlo* de modo efectivo y eficaz. Ello podría efectuarse, en particular, con el concurso de los miembros latinoamericanos y caribeños de esta agrupación[24]. El Movimien-

---

[24] El deseo de actualización por parte de Colombia se percibe en las palabras del Canciller Pardo respecto al futuro del NOAL. Según él: "La transformación del Movimiento de Países No Alineados es el mejor camino para adecuar a los países en desarrollo como un bloque a las exigencias del mundo actual. No podemos permitir que el tren de la historia

148

to cuenta con 13 miembros de América Latina (Bolivia, Colombia, Ecuador, Guyana, Nicaragua, Venezuela, Honduras, Panamá, Surinam, Belize, Chile, Guatemala y Perú) y 7 del Caribe Insular (Bahamas, Santa Lucía, Barbados, Cuba, Granada, Jamaica y Trinidad y Tobago). Configurar un aporte latinoamericano y caribeño para el NOAL a modo de sello identificatorio no significa estimular el regionalismo o quebrar la estructura de bloque del Movimiento. Es simplemente coadyuvar a la adaptación y actualización del mayor foro de países periféricos.

Colombia No Alineada y Estados Unidos

Ahora bien, en términos de las relaciones internacionales de Colombia se puede partir de una perspectiva minimalista respecto al valor, significado y alcance de los NOAL: como un instrumento adicional de los que dispone la política exterior del país, la presidencia del Movimiento es un recurso potencialmente clave para, primero -y principal-, mejorar y elevar la capacidad negociadora colombiana frente a Estados Unidos en particular[25]; segundo, para continuar fortaleciendo la diplomacia colombiana en cuanto a Venezuela ante la eventualidad de un incremento de las dificultades binacionales en lo político-militar o de situaciones

---

/pase de largo frente a nosotros. Tenemos la capacidad para intervenir activamente en la definición de una nueva historia en beneficio de nuestra gente". Véase, Rodrigo Pardo García-Peña, "Intervención del Canciller de Colombia doctor Rodrigo Pardo durante la 49 asamblea de la O.N.U., ante el Movimiento de Países No Alineados", en Ministerio de Relaciones Exteriores, *Documentos de política exterior colombiana*. Santafé de Bogotá, Tercer Mundo Editores, 1995, p. 127.

[25] La importancia política, diplomática, militar y económica de Estados Unidos para Colombia es un hecho suficientemente documentado, investigado y analizado. La gravitación histórica de EE.UU. en cuanto a la diplomacia colombiana quedó bien sintetizada en la aserción del ex-Canciller y ex-Presidente Marco Fidel Suárez, quien acuñó el lema del respice polum-mirar hacia la estrella del norte, hacia Estados Unidos--:"...el norte de nuestra política exterior debe estar allá, en esa poderosa nación, que más que ninguna otra ejerce atracción respecto de los pueblos de América". Marco Fidel Suárez: *Tratado entre Colombia y Estados Unidos*. Bogotá, Casa Editorial "El Liberal", 1914, p. 3. Más de cinco décadas después de esta afirmación, en el campo de la literatura, la atracción de Estados Unidos para Colombia quedaba simbólica y escuetamente reflejada por Gabriel García Marquez: "...De acuerdo con los cálculos de José Arcadio Buendía, la única posibilidad de contacto con la civilización era la ruta del norte". Gabriel García Márquez, *Cien años de soledad*. Buenos Aires, Editorial Sudamericana, 1967, p. 17.

conflictivas en términos de disputas limítrofes[26] y, tercero, para preservar y consolidar un espacio de encuentro e interrelación político y cultural con los países menos industrializados.

Las dos relaciones más vitales para Colombia se encuentran en este continente: Venezuela y Estados Unidos. Y en este último caso, los vínculos bilaterales son esenciales. Lo fundamental no debería ser utilizar el liderazgo entre los No Alineados para alinearse, desalinearse o semialinearse frente a Estados Unidos. El objetivo más bien sería precisar el contenido y alcance de los intereses nacionales, tanto materiales como culturales. A partir de allí, se podría elaborar un marco básico de acuerdos esenciales y desacuerdos específicos entre Bogotá y Washington que buscara esclarecer lo realmente negociable, desde la perspectiva colombiana, entre ambos países. Esto implica determinar el qué, el cómo, el para qué y el por qué converger o confrontar, consentir o disentir frente a Estados Unidos alrededor de los diversos asuntos temáticos que entrelazan a las dos partes. En ese sentido, los NOAL constituyen un mecanismo complementario para incrementar los márgenes transaccionales de la diplomacia colombiana.

La Guerra Fría terminó y con ello un inmenso conjunto de fenómenos y factores que definían las relaciones internacionales de 1945 a 1990 se alteró. Uno de los elementos de cambio más cruciales lo constituye el resquebrajamiento de las alianzas irrestrictas, automáticas y garantizadas. Cada país debe reestructurar, con los propios recursos, su inserción mundial y, en particular, debe tratar de incidir sobre los parámetros y compromisos que lo vinculan con el hegemón regional. De lo contrario, será ignorado y casi todo le será impuesto.

En el caso de América Latina y el Caribe desde los ochenta se ha dado una clara rehegemonización estadounidense. Esta es más

---

[26] Sobre la importancia crucial de Venezuela para Colombia véanse, entre otros, Liliana Obregón T. y Carlo Nasi L.: *Colombia-Venezuela: Conflicto o integración*. Bogotá, FESCOL/Centro de Estudios Internacionales, Universidad de los Andes, 1990; Diego Cardona, Carlo Nasi L., Liliana Obregón T., Arlene B. Tickner y Juan Gabriel Tokatlian: *Colombia-Venezuela: ¿Crisis o negociación?* Santafé de Bogotá, FESCOL/Centro de Estudios Internacionales, Universidad de los Andes, 1992 y Ministerio de Relaciones Exteriores: *Colombia-Venezuela: Un nuevo esquema bilateral*. Santafé de Bogotá, Puntos Gráficas Ltda., 1993.

comprensible en los noventa con el desvanecimiento de la Unión Soviética y el interés de Rusia por sobrevivir internamente más que por proyectarse hacia afuera; con un Japón poco motivado por la región en su conjunto; con una China que no desafía en este hemisferio a Washington y con una Unión Europea marginalmente inclinada a asociarse estratégicamente con el área.

En ese contexto, Colombia debería precisar su mejor estrategia hacia Estados Unidos, contando con el instrumento de la presidencia de los No Alineados. Es urgente una re-conceptualización de la conducta externa del país. De hecho, la pos-Guerra Fría exige un enfoque analítico, una perspectiva psicológica y una predisposición anímica diferentes al pasado cercano. Así, las lógicas binarias de amigo-enemigo, comunista-anticomunista, interno-externo, idealismo-pragmatismo, entre otras, se han desdibujado y se han tornado obsoletas.

Ello no significa que los problemas graves y agudos de inequidad y asimetría hayan desaparecido. No. Siguen vigentes y son palpables. Pero hoy resulta fundamental que las élites económicas, políticas e intelectuales del país asuman el reto de replantear el modo y el perfil de las política internacional de Colombia desde un prisma más propositivo y menos defensivo. En medio de un sistema global en transición, no parece viable ni prudente diseñar y ejecutar una política exterior contra alguien y una diplomacia de oposición porque sí. O, contrariamente, una conducta de total concesión ante alguien o de absoluta subordinación *per se*.

En esa dirección, Bogotá requiere dilucidar y practicar una política nueva hacia Washington. Estados Unidos es el principal socio comercial del país; es el mayor inversionista externo[27]; es

---

[27] En el terreno de las relaciones económicas colombo-estadounidenses es pertinente recordar algunos indicadores de la intensidad y significado de las mismas para Bogotá. Por ejemplo, mientras en 1980 las exportaciones colombianas a Estados Unidos alcanzaban los U.S.$ 1.046 millones de dólares, en 1994 llegaron a U.S.$ 2.890 millones de dólares. Siendo las exportaciones totales del país en 1980 del orden de los U.S.$ 3.916 millones y en 1994 de alrededor de U.S.$ 8.399 millones, los porcentajes respectivos para las exportaciones nacionales a EE.UU. correspondieron el 26.7% y al 34.4%. Véase, al respecto, Carlos Varela B. y Enrique Montes U.: "Evolución del sector exportador, 1980-1994", en *Revista del Banco de la República*, Vol. LXVIII, No. 808, Marzo 1995. Según datos recopilados por la Embajada de Estados Unidos en Colombia, la inversión directa de EE.UU. en la industria

una fuente crucial de equipamiento militar y es un proveedor relevante de tecnología. Pero más allá de los indicadores económicos, EE.UU. es el referente primordial de los migrantes colombianos; es el mayor recipiendario de estudiantes de posgrado del país; es un imán cultural para la juventud en términos de moda, música, gustos y gestos y es un punto de contacto y encuentro fecundo de los artistas y científicos nacionales.

La necesidad de revisar las relaciones entre Colombia y Estados Unidos es más imperiosa pues ya no hay antagonismos integrales del estilo Este-Oeste y el país cuenta con recursos de poder económicos, ambientales y geopolíticos distintos y mayores a los de hace algunas décadas. Tampoco existe el peso de ser pro o anti un determinado cuerpo de ideas o conjunto de naciones. Es poco útil enarbolar discursos agresivos o aquiescentes para mostrar cuán lejos o cerca se coloca un país frente a otro. En la actualidad se impone la negociación seria y responsable de argumentos y posiciones disímiles[28]. Por ello, Colombia debe definir estratégicamen-

/petrolera acumulada entre 1991-94 fue de U.S.$ 4.007 millones de dólares (la de Gran Bretaña fue de U.S.$ 1.492 millones, la de Francia fue de U.S.$ 944 millones y la de los Países Bajos fue de U.S.$ 935 millones), a lo cual se suman U.S.$ 3.477 millones en otras industrias. Así, las inversiones totales de Estados Unidos en Colombia hacia 1994 se situaron en U.S.$ 7.485 millones; es decir más del 50% del total de inversiones extranjeras en el país que eran de aproximadamente U.S.$ 14.000 millones. Véase, al respecto, "Estados Unidos mantiene el liderazgo en la inversión en Colombia", en *Estrategia*, No. 221, Octubre 10, 1995.

[28] Desde el inicio del mandato del Presidente Samper, el tema de las drogas psicoactivas ha ocupado un papel central en las relaciones bilaterales, *narcotizando* el conjunto de los vínculos entre los dos países. El manejo por parte de Washington de la política hacia Colombia se fue convirtiendo en un caso perfecto de lo que se denomina la *diplomacia coercitiva* estadounidense de la pos-Guerra Fría: asegurar el ajuste y el cambio interno en un país sin la intervención de consideraciones ideológicas férreas y de acuerdo a los dictados geoeconómicos y estratégicos de Washington mediante el recurso a varios instrumentos de presión, amenaza y sanción sin requerir del uso de la fuerza ostensible y directa para lograr tal propósito. Así, los cuadros burocráticos medios y los decisores de relativo alto nivel, particularmente en los departamentos de Estado y Justicia, han logrado, mediante una sofisticada, consistente y brutal narco-diplomacia del descrédito frente al gobierno colombiano, resultados concretos en el campo de la lucha anti-drogas. Dicha narco-diplomacia apuntaba directamente al Presidente Ernesto Samper y pretendía modificar la política anti-drogas de Colombia en favor de un prohibicionismo militante y punitivo, ajustando dicha política a los dictados de la política internacional anti-narcóticos de Estados Unidos. Ahora bien, ese ajuste ha colocado al gobierno totalmente a la defensiva frente a Washington. En situaciones como esa, pueden incrementarse las concesiones ante Estados Unidos a la espera de moderar el tono de las críticas y mejorar los lazos binacionales. Colombia posee en la actualidad dos recursos de poder fundamentales-petróleo y biodiversidad- que conviene seguir con detenimiento, pues son referentes básicos de negociación que no deberían cederse en aras de buscar un hipotético *quid pro quo* pasajero.

152

te el tipo, el sentido y la calidad de vínculo que desea con Estados Unidos. En ese contexto, los NOAL son un recurso diplomático más para respaldar la eventual nueva política colombiana hacia Estados Unidos.

La Cumbre de Cartagena

A Cartagena llegaron 35 jefes de Estado o de Gobierno de los países miembros del NOAL; es decir la asistencia fue intermedia si se considera que a la Cumbre de Belgrado asistieron 54 mandatarios y a la Cumbre de Yakarta concurrieron 26. Dada la situación interna colombiana derivada de los casos judiciales iniciados debido a la presencia de aportes del narcotráfico a las campañas políticas de 1994 -en especial, a la del Presidente Samper- y las tensas relaciones colombo-estadounidenses durante 1995 en torno a temas como el de las drogas ilícitas y de la narcocriminalidad organizada, la llegada de un número tan importante de jefes de Estado y de Gobierno fue entendida como un éxito por la administración liberal.

A su vez, la ausencia de una cuantía relevante de mandatarios latinoamericanos y caribeños -sólo asistieron 7 (Bolivia, Colombia, Cuba, Guyana, Jamaica, Nicaragua y Panamá) de los 20- evidenció la dificultad de concitar interés en la región respecto al mandato colombiano del Movimiento y augura la continuidad de un bajo perfil de América Latina y el Caribe en los NOAL durante los próximos tres años[29].

En términos de pronunciamientos, el cónclave produjo dos textos principales. Uno de ellos tuvo las características típicas de los documentos del Movimiento al contener 413 puntos básicos que resumen los planteamientos político-económicos de cada uno de los países y que se presentan en toda cumbre satisfaciendo los intereses individuales de las respectivas naciones. El otro fue el denominado *Llamamiento desde Colombia* (LC); quizás la declaración más relevante aprobado por el NOAL en años recientes.

---

[29] Un excelente balance del encuentro de Cartagena se puede consultar en Socorro Ramírez, "Bajando de las cumbres: Aproximación a la XI cumbre de los no alineados", en *Análisis Político*, No. 26, Septiembre-Diciembre 1995.

El LC es una pieza central que reafirma una nueva concepción estratégica del Movimiento en la pos-Guerra Fría y significa el mandato más ambicioso otorgado a un país que preside el grupo[30]. En efecto, conviene resaltar algunos aspectos concretos de este pronunciamiento.

Primero, preservando y ahondando el viraje conceptual iniciado en la X Cumbre de Yakarta en 1992, se afirma por parte de los NOAL *una renovada mentalidad favorable al cambio de la confrontación por la cooperación.* Por ello, el *Movimiento busca promover sus objetivos a través del diálogo sobre la base del beneficio y el interés mutuos, la interdependencia genuina y la responsabilidad compartida.*

Segundo, se señalan una serie de objetivos cuyo eje fundamental es el logro del cambio gradual, operativo y simétrico, tanto en lo político-diplomático como en lo económico-social, con el concurso de los países más industrializados. En ese sentido, se destaca el propósito de promover *la reestructuración, revitalización y democratización de las Naciones Unidas sobre la base de los principios contenidos en su Carta, al igual que la reestructuración del sistema financiero internacional, incluidas las instituciones de Bretton Woods, sobre la base de la igualdad soberana de los Estados.*

Tercero, se indican tres compromisos que permiten una evaluación específica y no retórica del comportamiento del NOAL. El LC precisa de manera muy destacada que los países del Movimiento se abstendrán *de recurrir al uso o amenaza del uso de la fuerza en contra de cualquier Estado al tiempo que recurrirán al derecho internacional para dirimir pacíficamente toda controversia;* procederán a *reducir el gasto militar con el propósito de dedicar tales recursos al desarrollo económico y social;* e impulsarán la erradicación del *analfabetismo y la pobreza.* Así entonces, correspondería hacer un seguimiento de la conducta específica interna y externa de los países en torno a estos asuntos. En el caso de Colombia, por ejemplo, ¿se continuará enarbolando una política exterior tradicional del país en favor de la solución pacífica de las disputas ahora con más énfasis? ¿Bogotá reducirá en los próximos tres años el abultado

---

30 Véase, *Llamamiento desde Colombia* (Mimeo, Cartagena, Octubre 20, 1995).

gasto militar y elevará la inversión social?, ¿de qué modo Colombia estimulará políticas nacionales para superar el analfabetismo y la pobreza?, ¿qué indicadores servirán para evidenciar el cumplimiento o no de estos compromisos?

Cuarto, el LC subraya, de modo realista, cuatro prioridades que, a manera de solicitud expresa al *Presidente de Colombia, Ernesto Samper, en su calidad de Presidente de nuestro Movimiento* -algo novedoso pues en anteriores documentos similares no se explicitaba el nombre del mandatario del país que preside temporalmente el grupo- señalaba: *transmitir a los Jefes de Estado o de Gobierno del Grupo de los Siete...las posiciones e inquietudes* de los No Alineados; *adelantar las acciones indispensables para promover...la cooperación Sur-Sur; formular las recomendaciones apropiadas con el objeto de revisar el funcionamiento, procedimientos y acciones del Movimiento; y adelantar el estudio e implementación de acciones...con miras al mejoramiento efectivo de la condición social de nuestros pueblos.* En breve, el mandato recibido por el gobierno colombiano es bastante inusual en la historia del Movimiento: interlocución ante las países centrales, promoción de la colaboración concreta entre países periféricos, replanteamiento total de las reglas de juego del NOAL y prácticamente proponer un nuevo modelo alterno al neoliberalismo imperante.

Y quinto, en términos de respaldo notorio a Colombia, el LC explicita el apoyo del Movimiento a *la iniciativa de Colombia y de otros países en desarrollo, de convocar dentro del marco de las Naciones Unidas una conferencia mundial sobre el problema de las drogas ilícitas.* Se apela, entonces, a la búsqueda de un debate amplio sobre este asunto con el objeto de evaluar la deteriorada situación global derivada del fenómeno de las drogas ilegales[31].

---

[31] En el contexto general de Naciones Unidas, la alocución del Presidente de Estados Unidos, William Clinton, en Octubre de 1995 durante el acto celebratorio del 50 Aniversario de la ONU, puso de manifiesto la concepción unilateral, más que multilateral, de Washington frente al asunto de las drogas psicoactivas. En este caso, se ha dado a entender que se debe ceder soberanía por parte de las naciones periféricas, o aceptar los dictados de una eventual acción individual (estadounidense) o conjunta (*ad hoc*, de países amigos de EE.UU.) en materia de narcóticos. En breve, menos concertación a partir de posiciones autónomas que resultan presuntamente disfuncionales para resolver el problema de las drogas según los intereses estadounidenses y más imposición a partir de posturas aquiescentes a las tesis de Washington en esta materia. Por ello, entre otras, Clinton pro-

A modo de conclusión

La presidencia colombiana de los NOAL se produce en un contexto de profundas transformaciones y contradicciones globales y de grandes necesidades y deficiencias internas. En ese sentido, es posible discernir algunos aspectos específicos de importancia vinculados a la presidencia colombiana de los NOAL. Por ejemplo:

Como se señaló, el LC afirma que en el Movimiento existe *una renovada mentalidad favorable* a la cooperación, al tiempo que asevera que los NOAL buscan *promover sus objetivos* mediante el diálogo. Asímismo, se indicó que la agrupación continuará *promoviendo la reestructuración, revitalización y democratización de las Naciones Unidas*. En síntesis, se plantea de manera ambiciosa y asertiva el desplegar una diplomacia activa y propositiva en favor de contribuir al establecimiento de nuevas reglas de juego en el ámbito multilateral desde una posición de colaboración más que de conflicto. ¿Cuánto y cómo contribuirá Colombia a ese proceso como presidente del Movimiento? ¿Jugará el país un rol moderador y de equilibrio, resistiendo y disciplinando posturas dependientes extremas o desafiantes totales? ¿Cuenta el país con una Cancillería, en especial, dotada y preparada para ese reto diplomático de

---

/puso una declaración mundial -no una cumbre- sobre crimen internacional y seguridad ciudadana en el entendido de que el fenómeno de las drogas ilícitas es uno que liga la criminalidad transnacional, el terrorismo y diversas manifestaciones de violencia y que debe abordarse con más represión permanente y acciones colectivas firmes. Asímismo, informó que le ha solicitado a su Departamento de Justicia -y no a la ONU- que le brinde los argumentos jurídicos pertinentes para emprender y justificar- en el marco específico de la ley estadounidense y no del derecho internacional- medidas de fuerza *para responder a la actividad criminal organizada*. Por último, anunció una orden ejecutiva unilateral para atacar la base material del denominado cartel de Cali debido a la amenaza *desusada y extraordinaria* a la seguridad nacional, la política exterior y la economía estadounidenses generada por los narcotraficantes *con base en Colombia*. Todo lo cual, insinúa la apertura definitiva de una ventana de manejo duro y extraterritorial del tema de las drogas ilegales, a pesar de los silencios llamativos de la comunidad internacional, del centro y de la periferia. En consecuencia, ¿va a realizarse la mencionada cumbre mundial sobre drogas ilegales en los próximos dos años?, ¿el NOAL apoyará su realización efectiva?, ¿el Movimiento depositará en Colombia la coordinación de las perspectivas nacionales del Tercer Mundo en esta materia?, ¿se ampliará o reducirá el margen de acción autónoma del país en este frente en cuanto a Estados Unidos gracias al activo o pasivo complemento de los NOAL en este terreno?, ¿quedará sóla o no Bogotá frente a Washington en el tratamiento menos asimétrico y más equilibrado de este asunto? Sobre este tema véase, Juan Gabriel Tokatlian, "Drogas: ¿Del diálogo hipotético al monólogo improductivo?", en *Análisis Político*, op.cit.

enorme trascendencia? ¿Cómo se ajusta la política exterior colombiana a esos propósitos del NOAL? ¿Hay compatibilidad mínima de proyecciones estratégicas del país y del Movimiento? ¿Cómo conformará Colombia *coaliciones ganadoras* al interior del Movimiento para asegurar la cooperación por sobre la confrontación? ¿Qué papel desempeñará América Latina en ese proceso?

Concomitantemente, el LC destaca que *el Movimiento No Alineado continuará luchando a toda costa por la paz, la independencia, la igualdad soberana de los Estados y la no intervención en sus asuntos internos, que algunos ahora pretenden desbordar.* Además, dice que el Movimiento actuará *concertadamente contra nuevas tendencias intervencionistas.* Agrega, por último, que los NOAL promoverán la aplicación y respeto de los principios y *de las normas de derecho internacional, en particular los atinentes a la soberanía, la independencia y la integridad territorial.* Ahora bien, ¿Colombia optará por impulsar o respaldar una actitud reactiva y defensiva del Movimiento frente a los cambios jurídicos que se avecinan en el campo del derecho internacional? ¿El país encabezará o estimulará nuevas tesis al respecto, preservando la cooperación para ello o escogiendo la confrontación? ¿Qué tanto gravitará Bogotá en los próximos tres años en las transformaciones que ya se están operando en cuanto a las nociones de soberanía y no intervención? ¿Qué respaldo interno posee el gobierno para reivindicar internacionalmente sus tesis al respecto? ¿Quiénes están generando internamente planteos en esa dirección? ¿Se mantendrá la tradicional diplomacia sigilosa y hermética para manejar estos complejos temas conceptuales? ¿Quiénes son los potenciales aliados en el Norte de las posiciones de Colombia y los NOAL en este frente? ¿Proyecta la administración alguna estrategia para tratar esta cuestión espinosa o se manifestará la improvisación en este campo por el siguiente trienio?

De modo paralelo, el asunto de la rendición de cuentas- el llamado accountability- es fundamental en términos de la gobernabilidad democrática. Ello se ha concebido, por lo general, en relación al escenario interno. Sin embargo, cada vez es más evidente que no es posible deslindar la rendición de cuentas del campo de la política externa. Por lo tanto, resulta primordial la responsabilidad y la transparencia en el tratamiento de todas las cuestiones públicas, incluidas las vinculadas al frente internacional. La presidencia colombiana de los NOAL significa una excelente oportunidad para comprender y evaluar qué nivel de correspondencia o no se da entre las prácticas concretas internas y externas de Colombia. Esto, a su vez, permitirá brindar más claridad y precisión sobre los alcances y límites de la relativa autonomía externa del país si se produce una creciente disonancia entre los comportamientos internacionales y las conductas nacionales[32]. Es sabido que la simple imagen no puede superar la realidad concreta por mucho tiempo y que las bases reales de poder externo provienen del campo doméstico.

En ese sentido, el LC señala que los NOAL se comprometen a luchar a toda costa por la paz; a fortalecer *la democracia y la libre determinación de los pueblos;* a intensificar las *acciones encaminadas al logro del desarme general y completo;* a dar *cabal cumplimiento...(a lo acordado) en la Conferencia de las Naciones Unidas sobre el Medio Ambiente y Desarrollo en Río de Janeiro, en la Conferencia Mundial sobre Derechos Humanos de Viena, en la Conferencia Internacional sobre Población y Desarrollo de El Cairo, la Cumbre Mundial sobre Desarrollo Social de Copenhague y en la IV Conferencia Mundial sobre la Mujer en Beijing;* entre otros. Se supone que lo ratificado no es simple discurso y que los Estados -como Colombia- asumen con un mínimo de seriedad y un básico de responsabilidad las tareas allí indicadas. Presuponer lo contrario significaría entender que lo

---

[32] Entre otros elementos, un hecho fundamental ligado al crecimiento o decrecimiento de la relativa autonomía externa colombiana se desprenderá, entre otras, de las votaciones puntuales del Movimiento en el ámbito de Naciones Unidas en especial. El liderazgo de Colombia para lograr consensos sólidos en torno a los temas claves de la Asamblea General y del Consejo de Seguridad se pondrá en evidencia en los próximos tres años, así como el hecho de cuáles y cuántas votaciones de los NOAL acompañarán tesis, posiciones, iniciativas y proyectos de Colombia en esas dos instancias de la ONU. Más que medir los votos no alineados como en el pasado cuando se evaluaba el tipo de votación del Movimiento frente a Estados Unidos y la Unión Soviética, sería necesario detallar como actúa el NOAL en torno a la presidencia de Colombia y cómo es factible o no que el país eleve su capacidad autonómica externa en relación a Estados Unidos. En efecto, ¿cuáles son los temas nodales que se deberían tomar como núcleo esencial para observar cuando está en juego el potencial incremento o descenso de la autonomía externa del país?, ¿los NOAL apoyarán masiva o parcialmente al país en votaciones cruciales al interior de Naciones Unidas?, ¿cómo y cuánto variará el comportamiento del Movimiento durante los tres años de la presidencia colombiana?, ¿el soporte en votos del NOAL conducirá a incrementar la visibilidad del liderazgo colombiano y a aumentar el poder negociador del país?

comprometido es irrisorio e ilegítimo, parte de una suerte de *diplomacia-espectáculo*. En consecuencia, ¿hasta qué punto la política interna frente a la paz, los derechos humanos y el medio ambiente -para sólo citar tres casos- se ajustará, en parte o totalmente, a estos compromisos?, ¿es factible mantener una tasa anual de homicidios no culposos superior a los 25.000 muertos (como ha sido el caso en el último lustro), una confrontación inmodificada con los grupos armados, y un descontrol casi completo sobre los grados y niveles de depredación ambiental y, al mismo tiempo, liderar posiciones creíbles en esos frentes temáticos?, ¿cuánto de una eventual modificación interna en esos campos en los próximos tres años estará vinculado a la presidencia no alineada del país o a la presión de las naciones centrales sobre Colombia?, ¿buscará Bogotá el respaldo del Movimiento o su no involucramiento para resolver concretamente alguno de los problemas internos como la paz y los derechos humanos mediante acciones internacionales -veeduría, asesoramiento, mediación, etc.- especiales?

En resumen, la presidencia de Colombia de los NOAL entre 1995 y 1998, abre interesantes oportunidades para la política exterior del país y se produce en el marco de una reafirmación de la vigencia del Movimiento para la mayoría de los países miembros. Sin embargo, los interrogantes sobre la capacidad de liderazgo colombiano de este foro en medio de un escenario interno fluctuante y contradictorio y las dudas sobre la capacidad de modernización del Movimiento en medio de un escenario internacional cambiante e intrincado, despiertan inquietudes.

Un meticuloso seguimiento de Colombia y el NOAL permitirá responder, probablemente, una pregunta cardinal: ¿hasta qué punto la potencial innovación internacional con inestabilidad relativa interna es posible en política mundial en las cercanías de un desafiante siglo XXI?

VI
Colombia, las Naciones Unidas y el Movimiento de los No Alineados

Alvaro Tirado Mejía

Las Naciones Unidas son por excelencia el espacio de acción del Movimiento de Países No Alineados, por su carácter universal, porque sus principios coinciden con los del Movimiento y porque muchas de sus agencias han ejercido un benéfico papel en favor de los países en desarrollo. Además, porque en su seno se gestaron y se llevaron a término muchas de las políticas progresistas que beneficiaron a la gran mayoría de países del Movimiento, como son la lucha contra el colonialismo, el racismo, el apartheid y porque dentro de la ONU, los No Alineados forman una indudable mayoría. Así lo reconoce el Movimiento en el Documento Final, cuando dice:

"Los Jefes de Estado o de Gobierno reafirmaron su constante compromiso con los propósitos y principios de la Carta de las Naciones Unidas. Reiteraron su convicción de que las Naciones Unidas representan el foro internacional más apropiado para mantener la paz y la seguridad internacionales, solucionar pacíficamente los conflic-

tos, lograr las libertades y garantizar el derecho a la autodeterminación de los pueblos sujetos a un régimen colonial u otras formas de dominación u ocupación extranjera, establecer relaciones económicas justas y equitativas y
lograr la emancipación social, permitir el pleno goce de
todos los derechos humanos y libertades fundamentales,
así como el fortalecimiento de relaciones amistosas y la
coexistencia pacífica entre las naciones. Son indisputables
la función y el valor irremplazables de la Organización
en su calidad de foro multilateral único para abordar los
problemas mundiales. También lo son los aportes hechos
por dicho órgano mundial y sus organismos especializados al adelanto económico, social y cultural de todos los
países y pueblos"[1].

Y acto seguido:

"...reafirmaron su convicción de que las Naciones Unidas
son el vehículo más importante para encauzar el aporte
del Movimiento de Países No Alineados a la conformación de un nuevo sistema de relaciones internacionales..."[2].

De los 185 Estados que hacen parte de la ONU, 113 son miembros del Movimiento. Esto le proporciona una fuerza numérica
determinante que se hace sentir especialmente en la Asamblea
General, en donde todos los Estados están representados y cada
uno, igualitariamente, tiene un voto. Por eso, en el documento se
recuerda la fuerza del Movimiento en la ONU y cómo ésta debe
ser utilizada:

"El Movimiento, que compone dos terceras partes de la
membrecía de las Naciones Unidas, está decidido a consolidar sus logros y a exhortar a sus miembros a utilizar
el potencial del organismo de una manera mucho más
resuelta y racional, para de esta forma asegurar sus aspiraciones comunes, tales como la paz, la seguridad mutua

---

[1] XI Cumbre de países no alineados. Cartagena de Indias, Colombia, 14-20 de octubre
de 1995, *Documento final,* numeral 40.

[2] Ibid., Numeral 42

y la prosperidad para todos. El Movimiento debe reafirmarse en las Naciones Unidas como el vocero colectivo y eficaz del Mundo en desarrollo".[3]

Prevalidos de su fuerza y de acuerdo con el propósito de adecuar las instituciones internacionales a las nuevas circunstancias, el Movimiento reitera su determinación "de desempeñar un papel determinante en la revitalización, reestructuración y democratización del sistema de las Naciones Unidas"[4]. Las Naciones Unidas deben ser democratizadas "para que se refleje mejor la naturaleza universal de la Organización y se cumpla el principio de igualdad soberana de los Estados"[5] . Para el Movimiento "...la tarea prioritaria y el mayor reto para las Naciones Unidas en la nueva era es la promoción del desarrollo social y económico..."[6], y por eso "... el Movimiento se compromete a apoyar los esfuerzos destinados a convertir la cooperación para el desarrollo en el centro del mandato, papel y funciones de las Naciones Unidas..."[7]. En consecuencia deben rechazarse los intentos de separar a las Naciones Unidas de su misión original en lo referente al desarrollo. La UNCTAD y los organismos especializados, en particular la Organización de las Naciones Unidas para el Desarrollo Industrial (ONUDI), deben desempeñar un papel clave como puntos focales del sistema de las Naciones Unidas[8]. A estas dos instituciones, el Movimiento reiteradamente les ofrece un especial respaldo[9]. Con relación a la UNESCO, el Movimiento reconoció el importante papel jugado por este organismo "en el establecimiento de infraestructuras de información y comunicaciones de los Países No Alineados y otras naciones en desarrollo"[10], y exhorta a

---

[3] Ibid., Numeral 41

[4] Ibid., Numeral 42

[5] Ibid., Numerales 44 y 49

[6] Ibid., Numeral 45

[7] Ibid., Numeral 206

[8] Ibid., Numeral219

[9] Ibid. Por ejemplo, Numerales 231, 232, 234, 235, 242 y 267 respecto a UNCTAD, y 272, 273 y 274 respecto a ONUDI.

[10] Ibid., Numeral 325

que se les da plena aplicación a sus resoluciones sobre restitución de la propiedad cultural y pago de compensaciones.[11] Para el Movimiento "La UNCTAD es el único foro dentro de las Naciones Unidas en el cual los temas de desarrollo son discutidos de manera integral y se abordan las interconexiones entre temas y sectores, así como entre países y regiones"[12]. De la ONUDI considera que su relevancia y significación "reside en que sigue prestando a sus miembros servicios que se consideren esenciales a su desarrollo industrial"[13] y aplaude sus constantes esfuerzos por concentrar sus recursos y actividades en los problemas que revisten prioridad para los países en desarrollo..."[14].

1. Algunos aspectos generales de las Naciones Unidas

Con la finalización de la Segunda Guerra Mundial, los Estados victoriosos se reunieron para dar vida a una organización mundial que lograra prevenir los desastres ocurridos por la guerra. Mediante la firma de la Carta de San Francisco, ese mismo año, nació la Organización de las Naciones Unidas.

Esta carta estableció seis órganos principales: la Asamblea General, el Consejo de Seguridad, el Consejo Económico y Social (ECOSOC), el Consejo de Administración Fiduciaria, la Corte Internacional de Justicia y la Secretaría.

1.1 La Asamblea General

La Asamblea General es el principal órgano deliberativo de la ONU y está compuesta por todos los Estados miembros, cada uno de los cuales tiene derecho a un voto. En consecuencia, es el órgano de más amplia representación y más democrático por su composición y por el voto universal e igual de sus miembros. La Asamblea sólo puede hacer recomendaciones en tanto que el Consejo

---

11 Ibid., Numeral 79

12 Ibid., Numeral 330

13 Ibid., Numeral 272

14 Ibid., Numeral 273

Permanente puede hacer efectivas y obligatorias sus decisiones. Puede hacer recomendaciones sobre los principios de cooperación en el mantenimiento de la paz y la seguridad internacionales y "aunque carezcan de obligatoriedad jurídica para los gobiernos, las decisiones de la Asamblea están sustentadas por el peso de la opinión pública mundial"[15]. Otra manera de hacer efectivas las recomendaciones de la Asamblea General es a través de su incorporación a la legislación interna de los países mediante la ratificación de tratados. Un ejemplo de esto es la Declaración Universal de los Derechos Humanos que ha tenido efectos importantes en el comportamiento de las naciones desde 1948. El Movimiento de los No Alineados ha tratado de hacer más énfasis en la Asamblea General que en el Consejo de Seguridad, en el cual sólo cinco Estados están representados permanentemente y tienen la prerrogativa del veto.

Según el Art. 12 de la Carta, la Asamblea General no puede hacer recomendaciones sobre una controversia o situación asignada al Consejo de Seguridad y que está siendo tratada por él, a no ser que éste se lo solicite. Sin embargo, desde 1950, con la resolución *Unión pro Paz* la Asamblea puede adoptar medidas cuando, por falta de unanimidad entre los miembros permanentes, el Consejo de Seguridad, no las haya adoptado en casos de amenaza a la paz.

La Asamblea tiene autoridad exclusiva en unas pocas materias, como en el control del presupuesto y en el prorrateo de los gastos, en el nombramiento de los miembros no permanentes del Consejo de Seguridad, los miembros del ECOSOC y los del Consejo de Administración Fiduciaria. En otros casos, sólo actúa por recomendación del Consejo Permanente, como es en los casos del nombramiento del Secretario General, de la aceptación de nuevos miembros de la Organización y de las reformas a la Carta. Junto con el Consejo de Seguridad nombra los miembros de la Corte Internacional de Justicia. También tiene la Asamblea amplios poderes para debatir asuntos dentro del horizonte de la Carta.[16] Otra

---

[15] ABC de las Naciones Unidas. p. 11

[16] Véase, Bailey, Sydney, D y Daws, S. *The United Nations: A Concise Political Guide.* 3th Edit. Great Britain. 1995

área importante de trabajo es la promoción de la cooperación internacional en los campos económicos, sociales, culturales, educativos y de salud. Para el cumplimiento de estas labores cuenta con el apoyo del ECOSOC.

1.2 El Consejo de Seguridad

El Consejo de Seguridad está compuesto por 15 miembros, cinco permanentes (China, Estados Unidos de América, Federación de Rusia, Francia y Reino Unido) y diez elegidos por la Asamblea General, por períodos de dos años sin derecho a reelección inmediata. Estos diez miembros son elegidos siguiendo un criterio geográfico, 5 miembros por Asia y Africa, 2 por América Latina, 2 por Europa Occidental y 1 por Europa Oriental u otros. Sin embargo, de los 185 Estados que conforman la Organización, 80 nunca han tenido asiento en el Consejo de Seguridad y 43 solamente lo han tenido una sola vez en estos cincuenta años.

Las decisiones en el Consejo son tomadas con un mínimo de 9 votos del total de los 15 miembros. Sin embargo, los miembros permanentes gozan del privilegio o derecho de veto. El Consejo está organizado de manera que pueda funcionar permanentemente. Su responsabilidad primordial es el mantenimiento de la paz y la seguridad internacionales. Otros órganos de las Naciones Unidas formulan recomendaciones pero solamente el Consejo puede adoptar posiciones que son obligatorias para los Estados miembros, de conformidad con la Carta. El Consejo puede nombrar representantes especiales o pedir al Secretario General que interponga sus buenos oficios cuando existe una amenaza a la paz, puede proceder a la investigación o a la mediación y en ciertos casos puede enunciar principios para un arreglo pacífico. Es el órgano que decide el envío de fuerzas de Naciones Unidas y puede decidir la adopción de medidas coercitivas, sanciones económicas, o acciones militares colectivas. Hasta principios de los años noventa el Consejo de Seguridad actuó en casos de quebrantamiento de la paz debido a agresiones por medio de la fuerza. Pero a partir de 1991 se le ha dado una nueva interpretación al artículo 42 de la Carta al considerar como hechos que amenazan la paz y la seguridad no sólo aquellos que implican ataque armado de un Estado contra otro sino también hechos que suceden al mismo interior de un Estado. Por ejemplo, en ese año, el Consejo de Seguridad estableció que las violaciones de los Derechos Humanos en Irak era una amenaza a la paz internacional.[17]

Las consultas oficiosas o informales son muy utilizadas como método de trabajo en el Consejo de Seguridad y por ello el debate sobre los temas se lleva frecuentemente durante las consultas oficiosas y no en las sesiones formales, en las que se deja acta. Por lo regular, es en las consultas informales en las que los asuntos se deciden y en las sesiones oficiales en las que se ratifican. Por eso, aunque el Movimiento reconoce que las reuniones informales han adquirido importancia, confirma *su convicción de que esas consultas oficiosas no deben reemplazar las disposiciones de la Carta y las normas provisionales de procedimiento del Consejo, ni restringir la transparencia con que debe desarrollarse su labor* [18].

Debido a la ampliación del número de miembros del Consejo de 11 a 15 en 1965 y por el contexto de la *guerra fría* el método de trabajo de este órgano fue bastante criticado. Durante ese período se presentaron 279 vetos, hecho que limitó considerablemente la flexibilidad de diplomacia multilateral. Con la finalización de la *guerra fría* el Consejo ha adquirido mayor dinamismo, hecho que se evidencia en que entre 1990 y 1993 no se ha empleado el sistema de veto ninguna vez. Ahora se recurre a negociaciones informales entre el Presidente del Consejo, el Secretario General y los países en disputa, antes de entrar a una votación formal.[19] Como anota el Ex-Embajador ante la ONU, Luis Fernando Jaramillo, a propósito del método de trabajo del Consejo Permanente:

> "...por lo general trabaja a puerta cerrada, en consultas informales de las que los miembros de la Asamblea General poca información pueden obtener. Las reuniones públicas se convirtieron en simples votaciones formales, con poca o ninguna discusión de la problemática de los

---

[17] Weiss Thomas, Forsythe, David y Coate Roger. *The United Nations and Changing World Politics*. Westview Press, Boulder. 1994, p. 30

[18] *Documento Final*. Op cit. Numeral 53

[19] Weiss, Thomas. Op. Cit.,.p. 26

temas tratados por el Consejo. Esta falta de transparencia en los métodos de trabajo del Consejo ha sido ampliamente debatida y cuestionada por la mayoría de los países diferentes de los cinco miembros permanentes"[20].

Colombia es uno de los miembros no permanentes que en más ocasiones han ocupado un asiento en el Consejo de Seguridad. Lo ha sido cinco veces en los siguientes períodos: 1947-1948; 1953-1954; 1957-1958; 1969-1970; 1989-1990 . En Latinoamérica, Brasil ha participado siete veces y Argentina seis. Canadá ha sido elegido igual número de veces que Colombia, y Japón e India lo han sido más veces. A pesar del carácter no igualitario de los miembros del Consejo Permanente, por su composición, el Movimiento ha podido jugar un interesante papel dentro de él. En los años sesentas, los Estados del Movimiento No Alineado que participaban como miembros no permanentes del Consejo, formaron un grupo para actuar dentro de él, que se conoce como el CAUCUS. Por su actuación dinámica algunos miran a este grupo como el motor del Consejo al considerar el origen de los proyectos de resolución presentados en este órgano. Por ejemplo, en 1988, el 95% de los proyectos de resolución fueron presentados por ese grupo dentro del cual las decisiones se toman por consenso. Este grupo ha ganado influencia en el Consejo de Seguridad y en algunos años

"...ha llegado a tener un poder de veto colectivo originado en el hecho de que en varios períodos ha tenido 7 miembros, lo que podría hacer imposible, si el caso fuera de oposición a un determinado proyecto de resolución, la obtención de los 9 votos requeridos para aprobarlo, aunque todos los miembros permanentes apoyasen aquello que el CAUCUS no respalda"[21].

Desde su ingreso al NOAL en 1983, Colombia ha venido actuando en las Naciones Unidas con los criterios del Movimiento y

---

20 Jaramillo Correa, Luis Fernando y Londoño Jaramillo, Patti. *Política multilateral de Colombia y el mundo en desarrollo.* Univ. Externado de Colombia, Santa Fe de Bogotá, 1995, p. 39

21 Rodríguez Gómez, Juan Camilo. *Liderazgo y Autonomía: Colombia en el Consejo de Seguridad de las Naciones Unidas. 1989-1990.* Universidad Externado de Colombia, Santa Fe de Bogotá, 1993, p. 6

éstos fueron los que guiaron al país durante su última participación en el Consejo de Seguridad. En un memorandum enviado el 14 de enero de 1989 a la Cancillería por el Embajador Enrique Peñalosa Camargo, Jefe de la Misión Permanente ante la ONU, se señaló:

> "En la medida en que Colombia, como No Alineado que es, participe de manera activa, inteligente y clara de los trabajos del CAUCUS, contribuirá decisivamente a la formulación de las políticas de los No Alineados. De esa manera, como los demás miembros del CAUCUS, será coautor y copatrocinador de la opinión de los No Alineados en el Consejo de Seguridad.

> "En el Caso de que Colombia no fuera miembro de los No Alineados, sería simplemente una rueda suelta entre el grupo de los 5 miembros permanentes y el Grupo de los No Alineados"[22].

1.3 El Consejo Económico y Social (ECOSOC)

Para el Movimiento de los No Alineados el ECOSOC es un órgano muy importante por los asuntos que trata relacionados con condiciones socio-económicas y con el desarrollo. Asímismo es determinante en asuntos de derechos humanos porque previa a la reunión de la Comisión en Ginebra, estos temas son tratados y filtrados en dicho órgano.

El ECOSOC es un ente coordinador de la mayoría de las actividades de la ONU, exceptuando aquellas de mantenimiento de la paz y seguridad mundiales. Este órgano está compuesto por 54 miembros elegidos con el criterio de distribución geográfica y funciona en realidad bajo el control de la Asamblea General. A este Consejo pertenecen múltiples agencias subsidiarias con gran variedad de funciones. Dentro de ellas se encuentran las comisiones funcionales (Comisión para el Desarrollo Social, Comisión de DDHH, de drogas, de desarrollo sostenible, de la mujer, de pobla-

---

22 Ibid. p. 209

ción), las comisiones regionales (para Asia y el Pacífico, para Asia Occidental, para Africa, para Europa y para América Latina), comités permanentes (transnacionales, de programación y coordinación, de recursos naturales), cuerpos expertos (para impuestos, planeación, transporte, prevención del crimen), otros, (Ciencia y Tecnología, refugiados, vivienda, UNICEF, PNUD, Medio Ambiente) y las agencias especializadas (FAO, GATT, BM, FMI, UNESCO, OMS).

Colombia es uno de los países que más veces ha sido miembro del ECOSOC, al haber participado durante estos seis períodos: 1946; 1962-1964; 1974-1979; 1982-1990; 1992-1994; 1995-1996.

1.4 El Consejo de Administración Fiduciaria

El Consejo de Administración Fiduciaria, es un producto del colonialismo, cuya función era supervisar la administración de los territorios puestos en fideicomiso y se quedó prácticamente sin funciones como consecuencia del proceso de la descolonización, que está íntimamente ligado al crecimiento y surgimiento de los NOAL. Actualmente sólo queda 1 territorio en fideicomiso: Palau, administrado por los Estados Unidos. Los miembros del Consejo son en este momento, Estados Unidos como administrador y los demás miembros permanentes del Consejo de Seguridad.

1.5 La Corte Internacional de Justicia

La Corte Internacional de Justicia, con sede en La Haya, es el órgano judicial principal de las Naciones Unidas y su estatuto forma parte integral de la Carta. Está compuesta por 15 magistrados elegidos por la Asamblea General y el Consejo de Seguridad, en votaciones independientes. Los candidatos son postulados por los grupos nacionales que hacen parte de la Corte Permanente de Arbitraje que también tiene sede en La Haya. Los magistrados son elegidos por períodos de 9 años y pueden ser reelegibles.

Los temas sobre los cuales la Corte tiene competencia incluyen la interpretación de los tratados internacionales, resolver inquietudes sobre derecho internacional y definiciones sobre la naturaleza y grado de una reparación.

Su jurisdicción sólo es obligatoria para aquellos Estados que la aceptan, entre los cuales está Colombia, país que tradicionalmente ha sido gran defensor del derecho internacional y de la Corte. En general, son los pequeños y medianos Estados los que acuden a ella, en tanto que algunas potencias son reacias a reconocer su jurisdicción, solicitarle opiniones o a presentarle controversias.

1.6 La Secretaría

La Carta estableció que el Secretario General es el funcionario administrativo más alto de la Organización, aunque sus funciones van mucho más allá que la mera administración. Actualmente, el personal de la Secretaría está compuesto por más de 25.000 personas de 150 países.[23]

El Secretario General es elegido por la Asamblea General de recomendados presentados por el Consejo de Seguridad por un período de 5 años, reelegible una sola vez. Hasta el momento ha habido 6 secretarios generales, todos los cuales fueron reelectos, menos el actual que aún no termina su período.[24]

Dentro de sus funciones se encuentran: actuar en todas las reuniones de la Asamblea General, del Consejo de Seguridad y del Consejo de Administración Fiduciaria, debe elaborar un reporte anual a la Asamblea, debe llevar a consideración del Consejo de Seguridad cualquier caso que en su opinión sea una amenaza a la paz y al orden internacional.

---

[23] "La labor que cumple la Secretaría de las Naciones Unidas es tan variada como los problemas de que se ocupa la Organización. Abarca desde la administración de operaciones de mantenimiento de la paz hasta la mediación en controversias internacionales. Los funcionarios de la Secretaría también examinan las tendencias y los problemas económicos y sociales, preparan estudios sobre materias tales como los derechos humanos y el desarrollo sostenible, organizan conferencias internacionales sobre cuestiones de interés mundial, observan el grado de aplicación de las decisiones de los órganos de las Naciones Unidas..." Naciones Unidas. Departamento de Infomación Pública. ABC de las Naciones Unidas. New York, N.U., 1994. p. 21

[24] Los Secretarios Generales de la Onu han sido los siguientes:

Trygve Lie. Noruega (1946-1953)
Dag Hammarskjöld. Suecia. (1953-1961)
U Thant. Burma. (1961-1971)
Kurt Waldheim. Austria (1972-1981)
Javier Pérez de Cuéllar. Peru (1982-1991)
Boutros Boutros-Ghali. Egipto. (1992-)

Una crítica que se ha planteado sobre el Secretario general es su forma de elección. Se ha propuesto que sea más democrática y que el Consejo de Seguridad tenga menos influencia en su designación. También se le ha criticado a la Secretaría su alto grado de burocratización, su descoordinación y hasta ineficiencia. Con la finalización de la *guerra fría* cada vez más Estados recurren a las Naciones Unidas para la solución de los conflictos. Por esto, se ha realzado el papel del Secretario General como mediador entre las partes afectadas. Como se verá más adelante, las posiciones del último Secretario General con respecto a temas como la intervención o la injerencia humanitaria han sido cuestionadas por el Movimiento de los No Alineados.

2. El NOAL, el crecimiento de la ONU y la reforma de la Carta

Tan pronto se firmó la Carta de San Francisco surgieron los primeros reclamos para que ésta se modificara. Ya desde las primeras discusiones aparecieron los temas que marcarían el debate durante los siguientes cincuenta años. La principal de ellas es la relacionada con el Consejo de Seguridad y su composición, en el sentido de que en él se otorgan ventajas a algunos Estados.

La Carta de la Naciones Unidas puede ser enmendada por dos terceras partes de los miembros de la Asamblea General, incluidos los 5 miembros permanentes del Consejo de Seguridad. Así mismo, la Carta estableció, (Art. 109) que a los diez años se podría celebrar una Conferencia General para estudiar su modificación. Sin embargo, debido a las trabas que la misma Carta impone y a los diferentes intereses que están en juego, sólo se han podido enmendar cuatro artículos, y ello para aumentar el número de miembros no permanentes del Consejo de Seguridad, que aumentó de 11 a 15 miembros en 1965, y del ECOSOC, que pasó de 18 a 27 y luego a 54 miembros en 1973.

En el medio siglo de existencia de la ONU, las condiciones internacionales han variado notoriamente y el número de Miembros se ha multiplicado, al pasar de 51 Estados constitutivos a 185 en la actualidad. Desde los años cincuenta hasta hace aproximadamente unos cinco años, el crecimiento provino principalmente del proceso de descolonización que dio lugar al nacimiento de nuevos Estados en Africa, Asia, El Caribe y Oceanía. En el último quinquenio, el aumento de número de miembros se ha debido fundamentalmente al surgimiento de nuevos Estados, como producto de la desintegración de la Unión Soviética, de la división de otros, como Yugoslavia y Checoeslovaquia, los cuales han ingresado a la Organización lo mismo que una serie de pequeños Estados.

Al considerar la situación en perspectiva, se observa que el crecimiento de número de miembros de la ONU corrió parejo con el del Movimiento NOAL, pues la gran mayoría de los nuevos Estados forman parte del mundo en desarrollo, que es el constitutivo esencial de éste.

El Movimiento NOAL ha planteado como asunto fundamental la reforma de la ONU y de las instituciones económicas internacionales que surgieron con el nuevo orden de finales de la Segunda Guerra Mundial. Esto se explica por los profundos cambios producidos durante este medio siglo, por el reacomodo mundial con la terminación de la *guerra fría* y del mundo bipolar, por la tendencia hacia el *unipolarismo*, a las nuevas funciones que ha venido tomando el Consejo de Seguridad y, sobre todo, por el peso del Movimiento que pide más participación para sus Miembros y relaciones más democráticas en la ONU. El movimiento reiteró su deseo de *desempeñar un papel determinante en la revitalización, reestructuración y democratización del sistema* de la ONU.[25] En cuanto a los aspectos económicos, la cooperación para el desarrollo debe estar en el centro del mandato y las funciones de la ONU, para lo cual ésta iniciará el proceso de reformas.[26] Consideraron los miembros del Movimiento que se debe hacer un *análisis integrado de las normas y funciones del Fondo Monetario Internacional, el Banco Mundial y de los bancos regionales, dentro del marco global de las Naciones Unidas. Este estudio debe realizarse sobre una base verdaderamente multilateral y a través de un proceso democrático.*[27]

Con respecto a la composición actual del Consejo de Seguridad, a las atribuciones que ha venido tomando y al privilegio del

25 Ibid., Numeral 42

26 Ibid., Numeral 206

27 Ibid., Numeral 255

veto, el Movimiento NOAL ha querido dar mayor peso a la Asamblea General que es el órgano más representativo. Durante la reunión del Movimiento en Yakarta, Indonesia, se conformó un grupo de trabajo que adelantó el debate sobre estos temas y produjo un documento en el cual se resumen las posiciones que el Movimiento ha venido adoptando. Estas consisten en un pedido para que el Consejo actúe según los términos de la Carta y no sobrepasándola en asuntos tales como el mantenimiento de la paz, las fuerzas de paz o la asistencia humanitaria; que el asunto de los derechos humanos sea tratado por los órganos competentes como lo dispone la Carta y que las relaciones internacionales se conduzcan de acuerdo con el derecho internacional, para lo cual se debe fortalecer la Corte Internacional de Justicia. La ampliación del Consejo de Seguridad y el veto son importantes asuntos de la agenda de los No Alineados.

El reiterado clamor del Movimiento por la democratización de la ONU tiene su primera aplicación en lo referente al fortalecimiento del papel de la Asamblea General, a que este órgano pueda cumplir las funciones que le asigna la Carta de San Francisco y a que el Consejo de Seguridad no se sobrepase en sus funciones, ocupando espacios que no le pertenecen, por ser propios de la Asamblea o de otros órganos y a que cumpla las obligaciones respecto a ella, por ejemplo, cuando está obligado a presentarle información. En la Declaración del Movimiento, se parte del hecho de que los últimos cambios en el ordenamiento internacional han producido *el debilitamiento de los organismos más universales y representativos de las Naciones Unidas*.[28] En ese contexto se reitera la importancia de reformar y reestructurar las Naciones Unidas, y se reafirma el papel deliberatorio y decisorio de la Asamblea General. Se elogia el trabajo realizado por el *Grupo de Trabajo de Alto Nivel del Movimiento de Países No Alineados para la Reestructuración de las Naciones Unidas*.[29]

---

[28] Ibid. Numeral 205

[29] Está compuesto por 29 miembros. Nueve de Asia: Bangladesh, India, República Islámica de Irán, República Popular de Corea, Malasia, Pakistán, Singapur, Sri Lanka y Siria. Catorce de Africa: Algeria, Benin, Burkina Faso, Burundi, Costa de Marfil, Egipto, Ghana, Mauritania, Nigeria, Sierra León, Túnez, Uganda, Zambia y Zimbawe. Cinco de América Latina y el Caribe: Cuba, Guyana, Nicaragua, Panamá y Perú y uno de Europa: Chipre. Office Of The Executive Asisstant To The Chairman Of The Non Aligned Movement. *Report of the Chairman of the Non Aligned Movement on the Activities of the Non AlignedMovement*. Septiembre 1992-Octubre 1995. Grasindo, Indonesia, 1995, p.24.

Los países del Movimiento reiteraron la necesidad de *observar escrupulosamente las disposiciones de la Carta sobre las respectivas funciones de la Asamblea General y el Consejo de Seguridad y subrayaron la necesidad de establecer relaciones más eficaces entre los dos órganos, basadas en la responsabilidad necesaria del Consejo ante la Asamblea General.*[30]

El mismo nombre de Naciones Unidas está ligado a la Segunda Guerra Mundial. El se deriva de los países que combatían contra las potencias del eje: Alemania, Japón e Italia. De allí que en la misma Carta de San Francisco hayan quedado reminiscencias de la guerra, como en el Art. 53 que habla de *Estados enemigos.* La estructura de la nueva organización correspondía a la realidad de esa época. Las potencias vencedoras se reservaron en la Carta su presencia permanente y el poder decisorio dentro del Consejo de Seguridad a través del veto. Pero en medio siglo las cosas han variado fundamentalmente. Los países vencidos en la guerra son hoy potencias mundiales que pertenecen a la Organización desde hace mucho tiempo y que pretenden estar en la ONU al mismo nivel de las otras potencias. Lo que fuera el mundo colonial de hace cincuenta años, compuesto por Asia, Africa y El Caribe, está hoy formado por una gran cantidad de Estados, muchos de ellos entre los más poblados y con grandes economías, que con razón reclaman un trato diferente al otorgado por la visión colonial.

En los últimos años ha tomado cuerpo la idea de que, como grandes potencias, Alemania y Japón hagan parte del Consejo de Seguridad entre otras cosas para que contribuyan a financiar a las Naciones Unidas que se encuentran sumidas en una gran crisis económica. Sin embargo, con esa propuesta se abrió la *caja de pandora* y comenzaron a surgir los interrogantes. En el caso de que esto tuviera lugar, ¿implicaría que actuarían como miembros permanentes con derecho de veto? Y si estos dos países obtienen esas prerrogativas, ¿por qué no otras potencias económicas como Italia o Canadá? ¿Y por qué no países de inmenso peso demográfico y económico, situados en el llamado Tercer Mundo como Brasil, Egipto, Nigeria, Suráfrica, India u otros más? ¿Y por qué, si se

---

[30] *Documento Final.* Op cit., Numeral 46

han modificado las circunstancias, no buscar una representación por regiones, por ejemplo, los Países Nórdicos, Latinoamérica, Asia, Africa, que rotativamente escojan sus representantes? ¿O por qué no, una propuesta que implique suprimir la categoría de miembro permanente y su derecho al veto?

La discusión está dada y va a ser muy difícil ponerse de acuerdo por los intereses que están en juego. Así, sobre la representación equitativa, el aumento del número de miembros del Consejo de Seguridad, sobre su ampliación, la revisión de sus métodos de trabajo y su funcionamiento, el Documento de la Cumbre de Cartagena fue categórico: *Como siguen existiendo diferencias importantes, es preciso ahondar el estudio de estas cuestiones.*[31] Sin embargo, acto seguido los Miembros de NOAL manifestaron que:

"es esencial aumentar considerablemente la proporción de países miembros del Movimiento que integran el Consejo y a tal fin instaron a que los países no alineados se esfuercen por aumentar la representación de los países en desarrollo de Africa, Asia, América Latina y El Caribe en el Consejo de Seguridad. Todo intento de excluir a los países No Alineados de la ampliación del número de miembros del Consejo de Seguridad sería inaceptable para el Movimiento. En consecuencia convinieron en la necesidad de que los miembros del Movimiento adopten un enfoque coherente y coordinado."[32]

Sin embargo, dentro del Movimiento de los No Alineados hay posiciones divergentes porque no todos los intereses coinciden. Podría decirse que para los países desarrollados el énfasis está en la composición del Consejo de Seguridad

"mientras tanto, el mundo en desarrollo ha insistido en los aspectos de reforma de los métodos y los procedimientos de trabajo del Consejo de Seguridad para hacerlo más transparente y responsable ante los Estados Miembros de la ONU, de los que deriva su competencia. En términos

---

[31] Ibid. Numeral 51

[32] Ibid. Numeral 51 bis

generales, el grupo de países desarrollados es partidario de una ampliación limitada con el objetivo de mantener la eficacia y la eficiencia del Consejo. A diferencia de la posición de este grupo, los países en desarrollo no vinculan la eficacia y la eficiencia del Consejo con el número de miembros. En el pasado, sólo con 11 ó 15 miembros, el Consejo ha estado paralizado en las mayores crisis políticas y de seguridad del sistema internacional."[33]

La discusión sobre el Consejo de Seguridad no se limita a su composición y a las prerrogativas de ciertos miembros. Con motivo de la nueva situación derivada de la terminación de la *guerra fría*, este Consejo ha asumido una actitud mucho más activa, lo cual ha suscitado reservas y críticas de muchos Estados y de tratadistas, los cuales consideran que dicho órgano se está excediendo en su mandato y está transgrediendo lo establecido en la Carta de San Francisco.

Así como se le ha criticado al Consejo de Seguridad su intromisión constante y se ha buscado reformar la carta para precisar sus funciones, también se ha criticado la débil posición del Secretario General en asuntos de importancia internacional. En este sentido otra propuesta de reforma a la carta de San Francisco consiste en el fortalecimiento del secretario general. Más allá de proponer temas al Consejo de Seguridad, el Secretario no cuenta con mayores iniciativas. Algunas propuestas consisten en que el secretario adquiera capacidad consultiva en materias de justicia y en interpretación de resoluciones del Consejo de Seguridad, un aumento en su acceso a la información para convertirse en un centro motor de eventos que puedan amenazar la paz.[34]

La atmósfera de confrontación durante la *guerra fría* fue suplantada por el desarrollo de un espíritu de pertenencia, una especie de fraternidad, entre los Miembros Permanentes del Consejo de Seguridad. Esto ha facilitado la decisión de operaciones de paz, porque durante la *guerra fría*, éstas no podían ser eficientes a causa de la desconfianza entre los Miembros permanentes. Una mues-

---

[33] Jaramillo Correa, Luis Fernando y Londoño Jaramillo, Patti. Op. Cit. p. 77

[34] Weiss, T., Forsythe, D., Coate, R. Op. Cit., p. 96-98

tra de lo anterior es la forma como las potencias han ejercido el veto. Durante la *guerra fría* fue una figura paralizante de las actividades de la ONU. Hasta mayo de 1990, había sido usado 279 veces por uno y otro bloque. A partir de allí, su uso ha sido esporádico y se acude más a las consultas y los consensos en el marco del *unipolarismo*.

Pero, a su vez, esto ha generado suspicacia entre los países del llamado Tercer Mundo, por el énfasis que se pone en la paz y la seguridad, con una perspectiva militar y de intervención, mientras los asuntos relacionados con el desarrollo, que es su más cercano problema, son percibidos como si se tratara de algo secundario que se deja de lado. Anteriormente, la ONU era sobrepasada por los Estados y las potencias que trataban de actuar sin consultarla. Ahora, por el contrario, es llamada para que actúe en muchas partes. Las Naciones Unidas están experimentando una segunda juventud al haberse terminado la *guerra fría*. Pero los países en desarrollo desconfían de ese redescubrimiento del consenso entre las potencias y miran en ello un intento de condominio global. Ven que los órganos más democráticos y representativos, en los cuales ellos tienen más fuerza, como la Asamblea General y el ECOSOC, son relegados a un papel secundario, mientras que el Consejo de Seguridad, controlado por las grandes potencias, amplía su esfera de competencias, por ejemplo, al incluir la intervención humanitaria en la lista de sus actuaciones.

> "El énfasis en la seguridad distrae a la comunidad internacional de un área por lo menos de igual importancia global, como es la del desarrollo y la asistencia económica que es vital para la supervivencia y el progreso del sur. Otro temor compartido por el Tercer Mundo es que el fortalecimiento de la autoridad de los órganos que tratan de la paz y la seguridad, principalmente el Consejo de Seguridad y la Secretaría General, tarde o temprano amenazarán la soberanía de los Estados y sus élites gobernantes. Si la intervención internacional para propósitos humanitarios se convierte en la norma, se abre la vía para la interferencia internacional en los asuntos internos de los Estados".[35]

---

[35] Kostakos, Georgios. "UN Reform: The Post-Cold War Organization". In: Bourantonis, Dimitris y Wiener, Jarrod. (Eds.) *The United Nations in the New World Order: The World Organization at Fifty*. London. Macmillan. 1995. pp. 64-80, p.66.

2.1 La posición colombiana

La oposición del Movimiento de los NOAL al veto es clara. Por considerarlo contrario al objetivo de democratización de la ONU, se comprometió *a hacer lo posible por restringirlo con miras a su eliminación.*[36] La posición de Colombia a este respecto ha sido contundente puesto que desde un principio se ha opuesto a la figura del veto. Durante las deliberaciones que culminaron con la Carta de San Francisco, la delegación colombiana unida a la de la mayoría de los países latinoamericanos, se opuso a su consagración por considerarla antidemocrática. Y al momento de la votación, de todos los países sólo Colombia y Cuba votaron en contra de su inclusión. A lo largo de la existencia de la ONU, Colombia ha mantenido esta posición.[37]

La posición colombiana sobre estos asuntos y la forma como el país votó durante la Asamblea General de 1994 está bien resumida en el siguiente documento del Ministerio de Relaciones Exteriores:

> "*En cuanto a su composición* (la del Consejo de Seguridad). Colombia considera que un aumento en el número de miembros del Consejo debe hacerse sobre la base del criterio de la distribución geográfica equitativa. Por tanto debe abrirse a dos países más del mundo desarrollado, así como a dos países por cada región del mundo en desarrollo (América Latina y El Caribe, Asia y Africa). Cualquier incremento en el número de miembros del Consejo deberá efectuarse con miembros no permanentes. Podría considerárse la reelección para algunas de las nuevas posiciones según lo determine la Asamblea General en cada oportunidad. El objetivo de la reforma debe ser el de dar lugar a un sistema flexible, democrático y abierto.

---

36 *Documento Final*. Op cit. Numeral 50

37 Sobre la posición colombina respecto al veto y sobre la participación colombiana en los diferentes intentos de reforma de las Naciones Unidas, véase: Tirado Mejía, Alvaro y Holguín Holguín, Carlos. *Colombia en la ONU. 1945-1995*. Bogotá. Comité Nacional para la Celebración del Cincuentenario de las Naciones Unidas. 1995. Capítulos III y IV.

Respecto al veto. El derecho de veto es contrario al principio de igualdad soberana de los Estados, constituyéndose en un mecanismo antidemocrático. El aumento del número de miembros no debe implicar derechos adicionales de veto. El ejercicio del veto por parte de los actuales miembros permanentes del Consejo, debería ser eliminado. Durante la etapa de limitación podría considerarse un procedimiento de votación por parte de la Asamblea General para ratificarlo o revocarlo, analizar el veto múltiple y el veto confiado a las decisiones adoptadas con base en el capítulo VII de la carta.

En cuanto al funcionamiento. En la actualidad existe la opinión generalizada en el sentido de que el Consejo de Seguridad ha venido, de manera progresiva e ilegal, ampliando sus facultades, creando precedentes que, en ocasiones, invaden las competencias de los otros órganos del Sistema".[38]

Otras propuestas colombianas de reforma al Consejo de Seguridad son aquellas tendientes a lograr una mayor transparencia, representatividad y legitimidad de los actos del Consejo de Seguridad para alcanzar una relación directamente proporcional entre los actos del Consejo y la legitimidad de sus decisiones. Así mismo, Colombia critica el desbordamiento de las competencias del Consejo en las actividades de mantenimiento de la paz debido a la discreción casi absoluta que tiene el Consejo de Seguridad para definir las situaciones que pueden amenazar la paz y la seguridad internacional y la vinculación automática de varios asuntos con este concepto, generando la monopolización y absorción en el Consejo, de cuestiones que en principio no le competen y simultáneamente, la marginalidad en la toma de decisiones de otros órganos del sistema con jurisdicción específica. Igualmente, Colombia considera que el Consejo de Seguridad ha ampliado progresivamente y en forma ilegal sus facultades con base en precedentes de forma que invaden las jurisdicciones de otros órganos

---

38 "Posición colombiana frente a los principales problemas de la agenda multilateral: Colombia en la ONU" en: Ministerio de Relaciones Exteriores. *Documentos de Política Exterior Colombiana I.* Bogotá. El Ministerio, 1995. pp. 157-251, p. 153

del sistema. Para ello el Consejo se vale de la interpretación laxa, generosa y creativa y a nuestro juicio no autorizada por la Carta, de los conceptos de amenaza a la paz y seguridad internacionales que no cuentan con una definición categórica ni absoluta.[39]

En este sentido recomendó comenzar a estudiar la posibilidad de crear una instancia de control constitucional que permita determinar la legalidad de los órganos de la ONU, particularmente del Consejo de Seguridad. *Si bien es cierto que los órganos deben tener un margen de discreción y de interpretación suficiente, resulta difícil defender su soberanía absoluta por cuanto son órganos creados en virtud de un tratado y están por lo tanto sujetos a la voluntad colectiva de los Estados.*

Sobre los mecanismos para el logro de la paz, plasmados en el capítulo VII de la Carta contempla Colombia la necesidad de que sean utilizados sólo cuando se haya recurrido a todos los mecanismos de solución pacífica de conflictos. Así mismo, solicita su utilización con un mayor compromiso y responsabilidad.

3. Una nueva visión de la soberanía y las fuerzas de paz

La emergencia de Estados territoriales estuvo acompañada del surgimiento de la noción de soberanía. Esta consiste en la posibilidad de que cada Estado defina autónomamente sus políticas internas y en la creencia de que todos los Estados, por gozar de este derecho, son iguales, sin importar diferencias en su poder.[40]

Este esquema se aplicó paralelamente al de *seguridad colectiva.* Para autores como Weiss, Forsythe y Coate ésta se entiende como la unión de fuerzas de diferentes Estados para prevenir que un miembro utilice la coerción para lograr ventajas. Así ningún actor buscaría agredir a otro por temor a las represalias de los demás. En la práctica este sistema ha sido difícilmente aplicado. Bajo el marco de la *guerra fría* era impensable lograr ampliamente esta

---

39 Documento sobre la posición colombiana ante el Grupo de Trabajo sobre la Reforma del Consejo de Seguridad. Marzo-Junio 1994 y Marzo de 1995.

40 Weiss Thomas, Forsythe, David y Coate Roger. Op. Cit., p. 2

180

meta debido a la polarización de los Estados. Otras razones se encuentran en las notorias diferencias de poder entre los países, en los altos costos para implementarla y en la diferente importancia de los países *víctimas*. Pero, a pesar de estas dificultades, la seguridad colectiva sigue siendo un mecanismo que justifica la intervención contra algunos. Esta noción que originalmente aplicaba sobre Estados se ha expandido para incluir el derecho de la comunidad internacional para prevenir conflictos.[41]

Sin embargo, la concepción y la práctica de la soberanía han cambiado y ya ésta no se concibe como algo absoluto. En muchos casos los Estados han aceptado voluntariamente limitaciones a su soberanía al suscribir acuerdos y tratados en asuntos relacionados con derechos humanos, protección del medio ambiente, derecho del mar, desarme, o han cedido aspectos de su soberanía a cuerpos supranacionales o multilaterales. En este contexto, el poder del Estado está siendo transformado en el mundo interdependiente pero no han surgido alternativas para el Estado como eje central del orden internacional. Los pronunciamientos de los dos últimos Secretarios Generales de la ONU son muy ilustrativos sobre estos asuntos. A finales de su mandato, en 1991, Javier Pérez de Cuéllar expresó:

"Ahora se percibe más que el principio de no interferencia en la jurisdicción doméstica de los Estados no se puede ver como una barrera protectora detrás de la cual los derechos humanos puedan ser masiva o sistemáticamente violados impunemente...La posición de defensa de la soberanía, la integridad territorial y la independencia política de los Estados, es por sí misma fuerte. Pero ella sólo sería debilitada si ello implicara que la soberanía ...incluye el derecho de masacrar o de lanzar campañas sistemáticas de exterminio, de éxodo forzado de la población civil en nombre del control de disturbios civiles o de una insurrección..."[42]

---

[41] Ibid. p. 22

[42] Citado por Newman, Edward. *Realpolitik and the CNN factor of Humanitarian. Intervention.* pp. 190-211. p. 195.

A su vez, Boutros-Ghali, a propósito de la Resolución 794 del Consejo de Seguridad sobre Somalia, expresó que ella:

"establece un precedente en la historia de las Naciones Unidas, por primera vez se decide intervenir militarmente por estrictos propósitos humanitarios. Por esta Resolución, el Consejo autorizó el uso de todos los medios necesarios para establecer, tan pronto como sea posible, un entorno seguro para las operaciones de ayuda humanitaria...".[43]

3.1 "Fuerzas para el mantenimiento de la paz" y "fuerzas para el logro de la paz"

Las operaciones de paz preocupan al Movimiento de los NOAL por diversas razones. Porque es en los países en desarrollo donde históricamente se han ejercido ese tipo de acciones. Porque la decisión sobre ellas depende del Consejo de Seguridad, organismo sobre el cual, como se ha visto, el Movimiento de los NOAL tiene reservas en cuanto a su composición y al papel determinante que juegan la potencias que tienen un asiento permanente. Porque cada vez el Consejo Permanente es más laxo en cuanto a la interpretación de la Carta de la ONU para determinar cuáles son los elementos que se considera ponen en peligro la paz, y esa interpretación del texto de la Carta genera la desconfianza de los países de los NOAL. Porque ese tipo de operaciones, aunque en ocasiones se encubran con pretextos humanitarios, cada vez derivan más hacia acciones militares, las que distraen los recursos que debieran ser destinados a programas de desarrollo y cooperación. Porque la proliferación de estas operaciones han llevado a la bancarrota a las Naciones Unidas, lo cual, entre otros efectos, tienen el de obrar en detrimento de los programas de desarrollo financiados por este organismo. Porque como se ha demostrado en múltiples casos, las Naciones Unidas sirven como cobertura de la operación, pero la dirección y la hegemonía la lleva una potencia. Además, desde el punto de vista operacional, en estas acciones operan tropas de diferentes Estados, pero las de los países pobres

---

43 Ibid., p. 196

miembros del Movimiento no tienen el mismo tipo de garantías económicas. Su pago es diferente, los seguros e indemnizaciones también lo son, y esto implica discriminación. Por otra parte, el retraso en el reembolso a los países que suministran tropas afecta más a los países pobres que las envían. Por esta razón, daremos un vistazo a ese tipo de operaciones, a sus características y a los problemas que han suscitado. A las operaciones para el mantenimiento de la paz se refiere el Documento Final de la IX Cumbre de los NOAL, en los numerales 61-67. Los jefes de Estado reconocieron la importancia de las operaciones para el mantenimiento de la paz y manifestaron que ellas debían ajustarse estrictamente a los principios y propósitos consagrados en la Carta de las Naciones Unidas.[44] Pidieron que se diferenciara este tipo de operaciones de las de asistencia humanitaria, expresaron su preocupación por el desequilibrio entre los gastos destinados a estas operaciones y los asignados a actividades de desarrollo, y expresaron sus reservas por la tendencia que se observa de que las operaciones de mantenimiento de la paz se convierten en operaciones militares que no están contempladas en las disposiciones de la Carta.[45] Pidieron uniformidad en las compensaciones para los casos de muerte o incapacidad, respecto al personal que actúa en estas operaciones.[46] Encomiaron la valiosa contribución de los miembros del NOAL a las operaciones de mantenimiento de la paz.[47] Recalcaron que es necesario abordar el problema de las demoras en el reembolso de los costos de las tropas y del uso de equipos propiedad de las mismas a los países participantes, sobre todo a los países No Alineados y a otros países en desarrollo.[48]

Tradicionalmente se ha hecho una distinción entre *fuerzas para el mantenimiento de la paz* (Peace-keeping) y *fuerzas para lograr la paz* (Peace enforcement).

---

[44] Documento Final. Op cit. Numeral 62

[45] Ibid. Numeral 63

[46] Ibid. Numeral 64

[47] Ibid. Numeral 67

[48] Ibid. Numeral 65

Fuerzas para el mantenimiento de la paz

Las fuerzas para el mantenimiento de la paz, como su nombre lo indica, fueron concebidas para preservar la paz y la seguridad. Estas operaciones son determinadas por el Consejo de Seguridad, tienen un carácter temporal y de antemano se sabe que no resuelven por sí solas el conflicto. Una vez que el Consejo define unos objetivos claros y realizables y organiza el personal, el mando pasa a manos del Secretario General, quien es responsable de la dirección de la operación y de presentar reportes periódicos al Consejo. Las operaciones emprendidas pueden ser misiones de observadores o agentes armados o no armados, o ambos.

En su concepción original se establece que para que estas misiones se puedan dar, deben contar con el consentimiento del gobierno concernido y de las partes envueltas en el conflicto, jugar un papel imparcial y no amenazante, no intervenir en los asuntos internos, y sólo usar las armas en legítima defensa personal o de sus posiciones. "Las fuerzas para el mantenimiento de la paz son más para aconsejar que para combatir".[49] El consenso, de por lo menos una de las partes en el conflicto, se requiere no sólo para iniciar las operaciones sino para decidir la forma en la que éstas se llevarán a cabo, así como para definir los países que harán parte de la operación.

Los principales objetivos de las actividades de mantenimiento de la paz son actuar como tercero imparcial que ayuda a establecer y mantener la cesación del fuego, el retiro de tropas y la separación de fuerzas beligerantes. Estas operaciones aunque involucran personal militar, desarrollan actividades primordialmente civiles en áreas administrativas, políticas y diplomáticas. Las operaciones de mantenimiento de la paz incluyen misiones que van desde la negociación con las partes, pasando por la realización de actividades de buenos oficios que consiste en la búsqueda de un escenario propicio para el diálogo, traslado de observadores, hasta el cumplimiento de funciones de mediación, conciliación y arbitraje. [50]

---

[49] James, Alan. *UN Peacekeeping: Recent and Current Problems.* Ibid. pp. 105-123. p. 105

[50] Baehr, Peter y Gordenker, Leon. *The United Nations in the 1990´s.* St. Martin´s Press. Second Edition. New York. p. 60-61.

Las operaciones de mantenimiento de la paz no están contempladas en la Carta de la Naciones Unidas, motivo por el cual en un comienzo se cuestionó la legalidad de tales actividades. Sin embargo, con el tiempo, se ha llegado a un tipo de consenso de que las actividades de mantenimiento de la paz tienen como sustento los amplios poderes que la Carta le da a la Organización, especialmente al Consejo de Seguridad. Sin embargo, la Carta reglamenta en el capítulo VI el proceso de solución pacífica de los conflictos que se refiere fundamentalmente a la necesidad de cooperación entre las partes.

Uno de los propósitos de la Carta de San Francisco, como resultado de la Segunda Guerra Mundial era la de lograr un poder militar efectivo que lograra controlar agresiones. Esto fue imposible durante el período de la *guerra fría*. Sin embargo, en este período se llevaron a cabo numerosas actividades en materia de mantenimiento de la paz. Su principal característica es que se refiere a misiones para el mantenimiento del statu quo; ayudaron a suspender conflictos y a acercar a las partes a la negociación. El siguiente cuadro muestra las misiones de mantenimiento de la paz que se llevaron a cabo durante el período de la *guerra fría*.

AÑOS ACTIVOS	OPERACION
1948- presente	UNTSO. Organización de las Naciones Unidas para la Supervisión del Armisticio. Sede: Jerusalén.
1949- presente	UNMOGIP. Grupo de Observación Militar de las Naciones Unidas en India y Pakistán.
1956-1967	UNEF I. Fuerza de Emergencia de las Naciones Unidas 1958 UNOGIL. Grupo de Observación de las Naciones Unidas en el Líbano
1960-1964	ONUC. Operación de las Naciones Unidas en el Congo
1962-1963	UNSF. Fuerza de Seguridad de las Naciones Unidas en Nueva Guinea
1963-1964	UNYOM. Misión de Observación de las Naciones Unidas en Yemen

1964-presente	UNFICYP. Fuerza de Mantenimiento de la Paz en Chipre
1965-1966	DOMREP. Misión de Representantes de la Secretaría General en República Dominicana
1973-1979	UNEF II. Segunda Fuerza de Emergencia en el Canal del Suez y en la Península del Sinaí
1974- presente	UNDOF. Fuerza de Observación de Desarme en los Altos del Golán.
1978- presente	UNIFIL. Fuerza Interina de las Naciones Unidas en el Líbano

FUENTE:WEISS, FORSYTHE Y COATE. The United Nations and Changing World Politics. Westview Press.Boulder. 1994. p. 51

Las principales operaciones para el mantenimiento de la paz en los noventas

La primera misión de mantenimiento de la paz fue sólo de observación y se llevó a cabo en Palestina en 1948.[51] Una segunda misión para el mantenimiento de la paz fue en 1956 durante el conflicto que se presentó en el Canal del Suez entre Egipto e Is-

---

[51] Después de la primera Guerra Mundial Gran Bretaña prometió devolver el territorio de Palestina a los árabes, debido a su colaboración en la lucha contra los turcos. Sin embargo, paralelamente, los ingleses, mediante la firma de la Declaración de Balfour, prometieron lo mismo a los judíos. Para mediados de la década de los treinta los ingleses, que mantenían el territorio en forma de protectorado propusieron dividir el país en dos. No obstante, en 1939 emitieron un documento, llamado la Carta Blanca, en la que aseguraban crear un solo Estado en el momento de su retirada de la zona. Después de la segunda Guerra Mundial Gran Bretaña elevó su caso a consideración de la Asamblea General de las Naciones Unidas. Mientras ellos deliberaban comenzó la lucha armada entre palestinos y judíos por el control del territorio. En 1948 Gran Bretaña terminó su mandato sobre Palestina y, aprovechando esto, el pueblo judío decretó el nacimiento del Estado de Israel. Debido a la profundización de las luchas las Naciones Unidas conformaron una Organización de Supervisión de la Tregua, UNTSO. Esta fuerza contaba con 600 observadores, no armados de Bélgica, Francia, Estados Unidos y Suecia. Al comienzo sus éxitos fueron escasos, pero en 1949 lograron establecer un armisticio entre las partes. Esta fuerza permaneció en Israel por varios años. (Gordon. p.40-43)

rael.[52] Una tercera misión fue en el Congo en 1960 a partir de las guerras internas que surgieron en el territorio tras su independencia de Bélgica.[53]

Otras múltiples actividades de mantenimiento de la paz fueron adelantadas por la ONU en los años siguientes. Algunas de ellas incluían acciones en India, Pakistán, Líbano, Yemen, República Dominicana, El Salvador, Afganistán, Angola, Namibia, etc.

A partir de la década del noventa, y debido a la finalización de la *guerra fría*, las operaciones para el mantenimiento de la paz han adquirido un carácter diferente. En primer lugar, la motivación ha estado justificada en razones de tipo humanitario y, en segundo lugar, han obedecido a situaciones de problemática interna de los Estados. Así mismo, se ha dado un crecimiento inusitado de actividades. Dentro de estas operaciones sobresalen los casos de Cambodia, Somalia y Yugoslavia.

---

52 A principios de los años cincuenta Egipto comenzó a restringir el paso de barcos israelíes por el Canal del Suez. Paralelamente ya se presentaban disturbios entre los dos países en la zona de la Franja de Gaza. En 1956 los Estados Unidos decidieron retirar una fuerte ayuda económica para la construcción de una represa en el Nilo, motivo por el cual, días después el Presidente Egipcio decretó la nacionalización de la compañía del Canal, de origen inglés y francés. Estos dos países pidieron al Consejo de Seguridad que evitara esta afrenta al orden y seguridad internacionales. No obstante la resolución que el Consejo emitió de manera unánime para el restablecimiento del orden en la zona, Israel decidió atacar a Egipto en 1956. Originalmente todos los países del Consejo pidieron el retiro de las tropas israelíes, pero más adelante los ingleses y franceses vetaron una propuesta en este sentido, a la vez que respaldaron militarmente a Israel. Debido a que el Consejo quedó paralizado, la Asamblea General asumió funciones de negociación mediante la conformación de una fuerza, sin capacidad militar, para asegurar y mantener el cese del fuego, la UNEF I o Fuerza de Emergencia de las Naciones Unidas. Sus principales debilidades fueron que debido a que surgió como una propuesta de la Asamblea no tenía la posibilidad de participar activamente y dependía de la voluntad de las partes para intervenir. Finalmente, Israel negó a la UNEF la entrada a su territorio. Egipto, por su parte, le permitió permanecer por 11 años hasta 1967, cuando decidió entrar en conflicto nuevamente con Israel. (GORDON. Op. Cit. p. 45-47).

53 La magnitud de las luchas hicieron que el Consejo de Seguridad promoviera acciones de mantenimiento de la paz en la zona. Las tropas, organizadas bajo la fuerza ONUC (Opération des Nations Unies au Congo), alcanzó a tener aproximadamente 20.000 miembros. Esta misión que originalmente era sólo de mantenimiento de la paz adoptó medidas para el logro de la paz, debido a un cambio en las órdenes del Consejo. Estas fuerzas lograron prevenir la secesión de la parte y logró que la Compañía minera belga aceptara pagar impuestos al gobierno central. Con estos logros la fuerza se retiró en 1964. Los costos de esta operación tuvieron una magnitud tal que dejaron a la Organización casi en bancarrota e, inclusive, le costó la vida al Secretario General Hammaersklöld en un accidente aéreo. (Weiss Thomas, Forsythe, David y Coate Roger. Op. Cit., p. 46).

Camboya

Después de años de negociaciones infructuosas en este país debido a la sistemática violación de derechos humanos en razón conflicto interno permanente, en 1991 las Naciones Unidas lograron establecer una enorme fuerza conocida como Autoridad Transitoria de las Naciones Unidas en Cambodia (UNTAC). Con un total de 20.000 agentes militares y 2400 civiles, el principal objetivo era lograr el desarme del 70% de las tropas de los cuatro bandos en conflicto y mantener el cese al fuego.

Somalia

Una misión más reciente fue la que se llevó a cabo en Somalia con el fin de aliviar y evitar la prolongación de la hambruna en este país. A comienzos de 1992 La Organización, junto con varias ONG´s hacían hasta lo imposible para prevenir el robo de alimentos por parte de las diferentes bandas que luchaban por controlar el territorio. Por ello, las Naciones Unidas permitieron la conformación de una pequeña fuerza militar que asegurara la distribución de alimentos. Esta fuerza adoptó el nombre de Operación de las Naciones Unidas en Somalia, UNOSOM. Estos esfuerzos fueron inútiles, motivo por el cual los Estados Unidos quisieron adoptar una posición más fuerte. El Secretario General Boutros-Ghali quiso prevenir lo sucedido en la Guerra del Golfo cuando Estados Unidos actuó bajo su propia iniciativa. Sin embargo, los Estados Unidos no aceptaron actuar bajo la dirección de las Naciones Unidas. Además varios países no se negaron a tener a los Estados Unidos como líder de la operación. (Gordon p. 54) Debido a dudas sobre la seguridad de sus tropas, los Estados Unidos decidieron retirarse rápidamente de la zona y dejar el mando a la misión de la Organización. Aunque su primera misión para controlar la hambruna logro tener éxito, a nivel político las luchas continuaron. Por este motivo, Estados Unidos resolvió devolver sus tropas a Somalia. Sin embargo, las pérdidas humanas generaron el retiro definitivo de Estados Unidos de la zona en 1994.

Yugoslavia

Un caso difícil para las Naciones Unidas ha sido el de Yugoslavia. Desde la independencia de Eslovenia, Croacia y Bosnia a partir de 1989 las luchas entre bosnios y serbios fueron incesantes. La primera acción del Consejo de Seguridad fue imponer un embargo de armas para todo el país. Luego, se definió un equipo de negociadores que solicitó la conformación de una fuerza de 14.000 soldados para detener la lucha. Sin embargo, a mediados de 1992 la propuesta se desechó debido a que la intensificación de la lucha en Croacia no podría ser solucionada por una misión de agentes con funciones de mantenimiento y no de logro de la paz. Las propuestas de los negociadores también incluían la división del país en provincias según la mayoría étnica en cada una de ellas.

Debido a la negativa de los Serbio bosnios el Consejo estableció una zona de no vuelo sobre Bosnia y un refuerzo a la vigilancia del bloqueo.

Haiti

En 1994 una fuerza estadounidense desembarcó en Haití con el fin de permitir el retorno del Presidente Jean Bertrand Aristide, derrocado por militares golpistas. Estas tropas actuarían bajo la bandera de las Naciones Unidas. Además de ellos también actuaron tropas francesas y canadienses. Debido a la dificultad para llevar a cabo la transición política, los Estados Unidos declararon un embargo económico sobre la isla con base en la Resolución 841 del Consejo de Seguridad. Debido a los múltiples tropiezos que sufrió la *Operación para Restaurar la Democracia* y al fracaso estadounidense en Somalia, este país decidió limitar su participación en la misión. En Julio de 1994, el Consejo emitió una resolución en la que autorizaba la utilización de *todos los medios necesarios* para remover el gobierno militar. Con ésta, se decidió que las fuerzas multinacionales serían reemplazadas por una fuerza de 4100 agentes de la Organización que actuaban bajo el nombre de misión UNMIH. Además, mediante la resolución el Consejo de Seguridad abría la puerta a la invasión estadounidense sobre la isla, hecho que efectivamente se llevó a cabo.

Momentos antes de la expiración del mandato de esta misión, el Consejo de Seguridad lo prolongó por un período de cuatro meses, pero recortando el número de efectivos a 1200. Este recorte se debió a la presión que la China ejerció sobre el Consejo, dado su rechazo a las relaciones que Haití mantenía con Taiwan. Para salvar la misión, que se encontraba en peligro, Canadá ofreció prestar los servicios de 700 soldados, además de reemplazar a Estados Unidos en la conducción de la misión.

La invasión de Estados Unidos a Haití contó con el respaldo del Consejo de Seguridad, pero posterior a ella, los Estados Unidos ignoraron totalmente a la Organización. Esto llevó a que el enviado especial de las Naciones Unidas en Haití, Dante Caputo renunciara. Según él "la ausencia total de consultas y de información del gobierno de Estados Unidos, me hace pensar que ese país se ha tomado de hecho la decisión de actuar unilateralmente en el proceso haitiano."[54]

Las misiones para el mantenimiento de la paz que se han realizado a partir de 1988 son:

AÑOS	OPERACION
1988-1990	UNGOMAP. Misión de Buenos Oficios de las Naciones Unidas en Afganistán y Pakistán
1988-1991	UNIIMOG. Grupo de Obsevación Militar en Irán e Irak
1989-1990	UNTAG. Grupo de Asistencia a la Transición en Namibia
1989-1991	UNAVEM I. Misión de Verificación en Angola
1989-1992	ONUCA. Grupo de Observación en América Central
1991- presente	UNIKOM. Misión de Observación en Irak e Irán.
1991- presente	ONUSAL. Misión de Observación en El Salvador
1991- presente	MINURSO. Misión para el referendo en Sahara Occidental

54 Simons, Geoff. *UN Malaise. Power, Problems and Realpolitik*. St. Martin´s Press. New York. 1995. p.116.

1992-1993	UNTAC. Autoridad Transitoria en Cambodia
1992- presente	UNPROFOR. fuerza de Protección en la Antigua Yugoslavia
1992- presente	UNOSOM. Operación en Somalia
1992- presente	ONUMOZ. Operación en Mozambique
1993- presente	UNOMUR. Misión de Observación en Ruanda y Mozambique
1993- presente	UNMIG. Misión de Observación en Georgia
1993- presente	UNMIH. Misión en Haití
1993- presente	UNOMIL Misión de Observación en Liberia.

Fuente: Weiss, Thomas, FORSYTHE, David y COATE, Roger. *The United Nations and Changing World Politics*. Westview Press. New York. 1994. p.62

Las misiones para el logro de la paz

Por su parte, las fuerzas para el logro de la paz, tienen un carácter propiamente militar y coercitivo y se encuentran reglamentadas en el capítulo VII de la Carta. De manera general, estas misiones facultan al Consejo de Seguridad a asumir acciones que van más allá de las recomendaciones. Para poder actuar la primera acción del Consejo debe ser la de determinar si existe una amenaza y rompimiento de la paz. Algunas de las medidas contempladas pueden ser un rompimiento parcial o completo de las relaciones económicas, de las comunicaciones, de las relaciones diplomáticas. Con estas medidas se espera que el agresor restaure la situación debido a la magnitud de las consecuencias que se pueden desprender de las acciones del Consejo.[55]

---

[55] Baehr y Gordenker. Op. Cit., p.63

Sin embargo, dado el reconocimiento de que estas medidas no son siempre efectivas, la Carta establece la posibilidad de acciones más contundentes con un carácter netamente militar. Se había previsto que el Consejo estaría asistido por un Comité Militar compuesto por los miembros permanentes del Consejo de Seguridad. Sin embargo, debido a los enfrentamientos entre ellos durante el período de la *guerra fría* fue imposible que llegara a funcionar.

Los principales casos

A nombre de las Naciones Unidas se ha actuado militarmente un menor número de veces, una en Corea, donde Colombia, el único país latinoamericano, contribuyó con tropas, y otra en contra de Irak, en la guerra de 1990-1991. Recientemente ha intervenido en Somalia.

La guerra de Corea

Así, la primera misión para el logro de la paz fue aquella organizada para contribuir al fin de la Guerra de Corea en 1950. En ese año Corea del Norte, con la ayuda de la Unión Soviética, invadió Corea del Sur. Inmediatamente, el Consejo de Seguridad, por solicitud de los Estados Unidos, pidió el cese al fuego y el retiro de las tropas. Esta declaración fue posible ya que el representante de la URSS en el Consejo no estaba presente debido a que este país estaba haciendo una protesta porque el puesto de China en el Consejo no se le había retirado a Chiang Kai-shek para dárselo al gobierno comunista de la China continental. La resolución del Consejo de Seguridad motivó a los Estados Unidos a proponer una fuerza militar, liderada por ellos, pero con participación de otras naciones. Aunque las fuerzas estaban bajo el comando de estadounidense, tuvieron el derecho de actuar bajo la bandera de las Naciones Unidas. Pero de hecho, ese ejército no tuvo la dirección o las suficientes comunicaciones con el Secretario General. En 1951 Estados Unidos decidieron adoptar una recomendación de la Asamblea General para promover el fin de la guerra. Sin embargo, los resultados de esta operación, aunque mantuvieron la existencia de Corea del Sur como Estado independiente, no fueron nunca claros para la Organización.

La guerra del Golfo

La segunda intervención fue durante la Guerra del Golfo, a partir de la invasión de Irak a Kuwait en 1990. La primera actuación del Consejo de Seguridad fue una resolución que pedía el retiro inmediato de las tropas iraquíes y el comienzo de un bloqueo económico y diplomático si no cumplía con lo solicitado. De manera similar a como sucedió en el caso de la guerra de Corea, Estados Unidos tomó la iniciativa para profundizar acciones en la zona. Debido al nuevo contexto mundial de finalización de la *guerra fría*, la Unión Soviético no se opuso a la propuesta estadounidense. Por su parte, la China se abstuvo de vetar la propuesta debido a su débil posición tras los acontecimientos ocurridos en la Plaza de Tiananmen.[56]

En primera instancia Estados Unidos envió tropas a Arabia Saudita para asumir una posición defensiva y para hacer cumplir el embargo. Esta situación cambió a partir de una resolución bastante ambigua del Consejo de Seguridad en el que le daba la oportunidad a Irak de retirarse de Kuwait a la vez que permitía a los Estados Unidos utilizar los medios necesarios si Irak no se retiraba antes de enero 15 de 1991. El 16 de enero Estados Unidos comenzó las operaciones de bombardeo sobre Irak y tras una rápida operación, el 28 de febrero comenzó la negociación del armisticio.

4. Crisis financiera de las Naciones Unidas

Como se mostró en el cuadro anterior, en los últimos años, es decir con el final de la *guerra fría*, se ha producido un crecimiento desmesurado en el número de operaciones para el mantenimiento de la paz (Peace-keeping). Estas misiones no siempre han sido exitosas. Muchos de los problemas se desprenden de las dificultades en la libertad de movilización y en el logro de la cooperación entre las partes, pero sobresalen las dificultades financieras para llevar a cabo estas operaciones. Así, podría decirse que la fuente principal de la crisis de las Naciones Unidas proviene de su dificultad para financiar oportunamente las misiones de mantenimiento de la paz.

56 Gordon, W. The United Nations At The Crossroads Of Reform. M.E. Sharp. New York. 1994. p. 50

Ahora bien, si entre 1945 y 1987, hubo 13 operaciones para el mantenimiento de la paz, en el período 1988 y 1992, se iniciaron 13 operaciones de este tipo por parte del Consejo de Seguridad, es decir, en sólo 4 años se dio el mismo número que en los 40 anteriores de vida de la Organización. Pero en El Salvador, Cambodia, Nicaragua, Haití y Namibia se mezclaron no sólo las tradicionales actividades de mantenimiento de la paz sino también actividades civiles que incluían reducción de fuerzas armadas, creación de fuerzas de policía, reforma del sistema judicial y del electoral, la protección de los derechos humanos, la promoción de asuntos sociales y económicos, el control de aspectos de la administración nacional, la organización de elecciones, la repatriación de personas, la distribución de ayudas.[57]

En 1993, 70.000 personas servían para este tipo de operaciones a un costo de tres mil quinientos millones de dólares, lo cual ha incidido notoriamente en la aguda crisis económica por la que pasa la Organización.[58] El presupuesto para operaciones de paz ha crecido enormemente: de 1.4 billones de dólares en 1992, a 3.6 billones en 1993. En comparación, el crecimiento del presupuesto regular es modesto, de cerca de 2.19 billones en el bienio 1990-1992, a cerca de 2.47 billones en el bienio 1992-1993.[59] A su vez, ha crecido la deuda impagada de los Estados a las Naciones Unidas. En 1994 se le adeudaban a la Organización 2.7 billones de dólares, de los cuales 1.3 billones eran por atrasos en el pago para el presu-

---

57 Voronkov, Leo. *International Peace and Security: New Challenges to the UN*. Ibid. p.. 1-18. p. 12.

58 "El énfasis que el actual Secretario General le ha dado a las operaciones militares para el mantenimiento de la paz, ayudado por el Consejo de Seguridad que decidió transferir a la ONU las misiones que antes realizaban algunas potencias, ha desplazado así, de una manera bastante ventajosa, el costo de dichas intervenciones a toda la comunidad internacional para evitar asumirlo a nivel de nación. Estas determinaciones han sumido a la Organización en una de sus mayores crisis financieras. El Secretario General ha sido reiterativo y ha indicado u preocupación por la incapacidad de atender los compromisos contraídos, en especial, frente a las operaciones de paz. Sin embargo, en vez de replantear la conveniencia de continuar con en incremento de dichas operaciones, la Organización exhorta a los países a cumplir con el pago de cuotas. Estas son cada vez más altas para los países en desarrollo, dada su obligación de contribuir en forma más que proporcional para cubrir el costo de las operaciones que inicia el Consejo de Seguridad." Jaramillo Correa, Luis Fernando y Londoño Jaramillo, Patti. Op. Cit. p. 50.

59 Kostakos, Georgios. Op. Cit., p. 70

puesto ordinario y 1.4 billones, por operaciones de paz. Los más grandes deudores son los Miembros del Consejo de Seguridad, encabezados por los Estados Unidos y seguidos por la Federación Rusa. Colombia, como ha sido su política tradicional, está al día en sus pagos.[60]

Las siguientes cifras muestran la relación de pagos y deudas de tres aportantes, Estados Unidos, Japón y Rusia para misiones de mantenimiento de la paz hasta 1994.

	CONTRIBUCIONES EFECTUADAS (Millones de US$) (A Enero de 1994)	CONTRIBUCIONES AUN NO PAGADAS (Millones de US$) (A Febrero de 1994)
ESTADOS UNIDOS	US $ 350,952	US $ 284,859
JAPON	US $ 83,206	US $ 3,432
RUSIA	US $ 530,694	US $ 480,963
OTROS	....	.....
TOTAL	US $1,511.447	US$ 2,460.869

Fuente: Gordon, Wendell. *The United Nations at the Crossroads of Reform*. M.E. Sharp. New York. 1994. p. 107.

En enero de 1992, el Consejo de Seguridad efectuó una reunión sin precedentes para debatir sobre la paz y la seguridad internacionales. A esta Reunión Cumbre concurrieron por primera vez en la historia de la Organización los Jefes de Estado y de Gobierno de los cinco Estados Miembros permanentes y ocho de los diez

---

[60] "Se supone que los Estados Unidos pagan un cuarto del presupuesto regular de la ONU, que es de cerca de US$ 1.3 billones por año y de los costos de los cuerpos para las operaciones de paz son de US$ 3.2 billones al año. Pero la crónica mora de Washington (de aproximadamente US$ billón), ha llevado a las Naciones Unidas al borde de la bancarrota." Gashko, John. *Inspector General: man of many notes*. The Washington Post. Nov. 12. 1995.

Miembros No Permanentes. Los otros dos se hicieron representar por sus Ministros de Relaciones Exteriores. Cuando esta Cumbre se reunió, la situación sobre las fuerzas para el mantenimiento de la paz apenas suscitaban algunas cuestiones sobre financiación, sobre su número creciente y sobre la complejidad de dichas operaciones, pero todavía no se había llegado a una crisis de las proporciones de la suscitada por las operaciones en Somalia y Bosnia. Frente a esta crisis el secretario Boutros-Ghali propuso recuperar la solvencia de la Organización, redefinir el nivel de las contribuciones de cada país y contener el crecimiento de los costos. Con el fin de ahorrar recursos la Organización emprendió un congelamiento de la planta. Sin embargo, esta sólo produjo un ahorro de US $60 millones. Los resultados de restricciones en gastos de viaje fueron igualmente modestos.

Según datos de 1995, del total de las deudas a las Naciones Unidas, más de un 80% se debe a operaciones de mantenimiento de la paz. El 20% restante de la deuda sólo se refiere al presupuesto regular de la Organización. Algunas de las razones que explican este descalabro financiero son las siguientes:

1. Hay un plazo muy largo entre el momento en que se inician las misiones de paz y el momento en que se reciben las contribuciones.
2. Los países miembros se han acostumbrado a entregar sus contribuciones sólo hasta finales del segundo semestre, lo que altera el ciclo presupuestal.
3. La Organización no cuenta con unas reservas de caja adecuadas.
4. La dificultad de pago oportuno de los Estados Unidos. Se impuso la tendencia de diferir desde febrero hasta principios de octubre de cada año los pagos de esta delegación. Es decir, se difieren durante 9 meses las respectivas contribuciones y además en los últimos años la complicación ha radicado en la dificultad de mantener el pago correspondiente a cada año.[61]

---

[61] Woren, Christopher. "The UN´s Master Juggler. An Accountant Copes with Deadbeats and Bat Debt". en: *The New York Times*, diciembre 8 de 1995.

Algunas de las alternativas que se estudian son el pago anticipado para operaciones de mantenimiento de la paz, el ajuste y cruce final de cuentas, revisar los criterios de participación de los países introduciendo criterios más realistas. Inclusive, aunque no fue una propuesta de la Organización, se estudió la posibilidad de establecer un impuesto internacional de US $1.50 a todos los tiquetes aéreos de viajes internacionales. Particularmente, uno de los posibles hechos sería la reducción de la cuota de Estados Unidos, quien pasaría de pagar el 25% del presupuesto a un 15 o 20% máximo. Otra propuesta ha sido la de establecer un impuesto a corporaciones multinacionales. Sin embargo, parece difícil que acepten tal contribución.[62]

En esa reunión se contempló el fortalecimiento de la función y el papel del Secretario General, a lo cual Boutros-Ghali respondió, en junio de ese año, con su documento *Una Agenda para la Paz*, en el cual esboza cuatro pasos para preservarla: la diplomacia preventiva, la consecución de la paz, la salvaguarda de la paz y la construcción de la paz.[63]

El Secretario General propuso que el papel de la Organización fuese más activo en el campo del logro de la paz mediante su participación en actividades de mediación, negociación y arbitraje. Así mismo, recomendó que para recuperar la credibilidad de las Naciones Unidas era necesario tomar medidas para que el Consejo de Seguridad pudiera ejercitar facultades militares en casos de agresión. Para esto propuso la creación de *unidades de resguardo de la paz*, para ser desplegadas de manera rápida y que estuvieran adiestradas para afrontar el cese al fuego y otros hechos que excedieran los objetivos de la misión.(ABC. p.35)

Las más fuertes reservas a este documento han provenido de los Estados del Tercer Mundo, preocupados por las potenciales limitaciones a la soberanía y por el carácter no representativo del Consejo de Seguridad. El documento fue criticado por no referirse a una revisión a fondo del Consejo de Seguridad, a la promo-

---

62 Gordon. Op. Cit., p. 112

63 Rivlin, Benjamin. "The Un Secretary-Generalship at Fifty" In: Bourantonis, Dimitris y Wiener, Jarrod. (Eds.) Op. Cit., p. 94

ción de los derechos humanos, al tráfico de armas, y por no tratar los asuntos con una perspectiva social y económica de largo alcance.

El optimismo que se produjo con la Reunión Cumbre del Consejo de Seguridad, fue seguido al poco tiempo por un fuerte debate en el que se analizaron las experiencias de las misiones de Naciones Unidas en Bosnia y en Somalia, y el papel de las fuerzas para el mantenimiento de la paz. Pero lo que más ha incidido en el debate y en la crítica, es el cambio en las funciones de este tipo de misiones. La visión clásica de ellas, como un cuerpo neutral entre dos fuerzas en disputa para preservar ceses de fuego o armisticios, no corresponde con lo que pasó en Bosnia o en Somalia. La naturaleza del conflicto ha llevado a que estas fuerzas de Naciones Unidas se involucren en acciones militares, más allá de la protección humanitaria. Como señala un experto, existe malestar por parte de muchos Estados miembros de la ONU por el papel determinante del Consejo de Seguridad y por lo

"que se percibe como desdén por los que no son Miembros del Consejo. Esto fue evidente cuando el reporte del Consejo de junio 1991-1992, fechado en 1993, se debatió en la Asamblea General poco después de ser recibido. Oradores de Africa (al norte y al sur del Sahara), Asia, Latinoamérica, Australia y Europa del Este, hicieron una verdadera letanía de quejas acerca de las prácticas del Consejo. Fue muy interesante, en este contexto, la crítica del Representante de Colombia sobre la falta de relación o de causalidad entre lo prescrito por el Capítulo VII de la Carta -sobre las medidas de fuerza-, y las medidas que toma".[64]

5. La injerencia humanitaria

Otro asunto de ardua discusión es el relacionado con la llamada injerencia o intervención humanitaria, no sólo porque en su nombre se han ejercitado acciones unilaterales y multilaterales sino

---

[64] James, Alan. Op. Cit., p. 110

por el debate teórico que se ha desatado sobre estos conceptos. Según un autor

> "La intervención humanitaria es una acción dentro de un territorio delimitado, ostensiblemente dirigida a aliviar graves necesidades humanas, sean éstas el resultado del hambre, las enfermedades, atrocidades o persecución grave, una desposesión generalizada o un inminente daño por éstas u otras amenazas. Ha sido usada para describir acciones de corto término en respuesta a necesidades inmediatas, con o sin el consentimiento del territorio que recibe, para reconstrucciones por períodos largos que implican distribución de comida, equipos médicos, abrigo y también protección militar y rescate. Este tipo de acción ha sido conducida sobre bases unilaterales o multilaterales".[65]

Una de las grandes complejidades de este tipo de intervención se refiere a que la injerencia humanitaria ha sido aplicada con una gran inestabilidad política donde no existe un gobierno que interpele a todas las partes en conflicto. Este es el caso de Somalia, la exYugoslavia y Cambodia. A pesar de que esta ha sido aplicada, la intervención no está contemplada en ninguna norma del derecho internacional, así como tampoco existe ningún organismo internacional que tenga la autoridad y el poder sancionatorio para permitir la injerencia.

Históricamente, la intervención humanitaria no ha sido aceptada ni por el Derecho Internacional ni por los Tratados. Sin embargo, desde el fin de la *guerra fría* y con el cambio de la correlación de poder mundial, así como por las nuevas visiones sobre la soberanía, ha habido cambios en la práctica, para tratar de hacer un balance entre soberanía de los Estados y ayuda a las necesidades humanas. Una corriente ideológica y jurídica, especialmente de representantes políticos o ideológicos de las potencias, promueve la idea de que el sufrimiento humano en gran escala representa una amenaza para la paz, lo cual crearía una situación pro-

---

[65] Newman, Edward. Op. Cit., p. 191

picia y suficiente para que el Consejo de Seguridad pudiera decretar medidas o acciones para preservarla. Otros, ante este tipo de situación, hablan ya no de *derecho* sino de *deber* de injerencia de la comunidad internacional a través de la ONU, o inclusive de un país individualmente, para que intervenga sin el consentimiento del territorio intervenido. Y hace carrera en algunos sectores la idea de que ante la quiebra del Estado en algunos países del sur, éste debe ser reconstruido por la intervención multilateral o la de los países del norte.

"El *deber de asistencia* quedó consignado por primera vez en la resolución 43/31 de 1988 del Consejo de Seguridad de las Naciones Unidas, a propósito de la asistencia humanitaria a las víctimas de catástrofes naturales. Por entonces, esta asistencia debía ser realizada exclusivamente por las ONGs, aunque debía ser solicitada y facilitada por los Estados. Luego, la resolución 45/100 de 1990 estableció la creación de couloirs d´urgence destinados a facilitar la llegada de ayuda médica y alimenticia a las poblaciones afectadas. Más tarde, la resolución 688 saltó a otro terreno más delicado pues con ella se dio el paso del deber de asistencia de las ONGs al derecho de injerencia de los Estados. Expedida a propósito de la persecución a los Kurdos en plena euforia occidental de la campaña contra Hussein, la nueva resolución le exigió a Irak que permitiera la acción humanitaria y habló de un cierto derecho de intervención en los asuntos internos de los Estados ante la existencia de represión contra la población civil".[66]

Ante estas posiciones surgen preguntas que demandan respuestas sobre la legalidad y la necesidad de tal tipo de intervención. ¿Si más allá de un derecho o de un deber, no se trata de una prerrogativa del fuerte con respecto al débil, del norte con respecto al del sur? O si no se trata de una visión etnocentrista, de una versión neocolonial con reminiscencias *del fardo del hombre blanco* del

---

66 Ramírez Vargas, Socorro. "El Intervencionismo en las Pos "guerra fría" " en: Revista *Análisis Político*. Instituto de Estudios Políticos y Relaciones Internacionales. Universidad Nacional de Colombia. Bogotá. No. 21. enero-abril 1994. p. 49-68. p. 52

que hablara Kipling. Para Cornelio Sommaruga, Presidente del Comité Internacional de la Cruz Roja:

"Cuando los Estados (o grupos de Estados) invocan el *derecho de injerencia humanitaria*, para intervenir aún donde existen necesidades reales, siempre van a suscitar dudas sobre el carácter verdaderamente imparcial de la ayuda, con más razón si la acción de socorro es conducida bajo comando militar. Con ello se despiertan sospechas alimentadas por mucho tiempo en un gran número de beneficiarios del socorro: ¿Esta ayuda que recibimos es verdaderamente la manifestación de un altruismo sincero? ¿No se trata sobre todo de una tentativa disimulada y hábil de intervención política? Las experiencias históricas de los países del sur no contradicen lo bien fundado de esa sospecha. ¿Cuántas veces en el pasado los colonizadores, los predicadores y ejércitos enteros se han desplegado sobre estos países, con propósitos de paz en los labios pero con sed de poder y de riqueza?... Me parece peligroso unir la acción humanitaria que tiene por fin responder a las necesidades de las víctimas, con medidas de carácter político que tienden a resolver los diferendos que oponen a las partes o a restaurar la ley y el orden donde reina el caos generalizado".[67]

Las nociones de injerencia humanitaria han cuestionado el papel de la soberanía de los Estados. Hoy en día, bajo este nuevo marco, la soberanía podría reconocerse como la existencia de un gobierno nacional que define su política interna, pero siempre bajo los parámetros del derecho internacional. En estos términos se ha pronunciado el Secretario General Boutros-Ghali, "la doctrina de cientos de años de una absoluta y exclusiva soberanía ya no persiste más, y nunca fue tan absoluta como condescendiente en la teoría. Un gran esfuerzo intelectual de nuestro tiempo es repensar el interrogante de la soberanía."

Estas situaciones han sido analizadas por el Movimiento NOAL, el cual ha señalado su preocupación por la tendencia creciente de

---

[67] Sommaruga, Cornelio. "Les périls du droit d´ingérence humanitaire". En *Tribune de Geneve*. 4 février. 1993

algunos Estados a promover sus intereses nacionales por conducto del Consejo de Seguridad y ha expresado que las operaciones para el mantenimiento de la paz se deben ceñir a los propósitos y principios de la Carta y no conducir a un "nuevo sistema de injerencia en los asuntos internos de los Estados"[68]. Para el Movimiento, cada vez más, los países que lo conforman son objeto de intervención unilateral y multilateral en sus asuntos internos y por eso expresó su "preocupación ante los continuos intentos de socavar los principios de soberanía y de no injerencia en los asuntos internos de los países del Movimiento..."[69]. El Movimiento considera que es necesario distinguir entre las diferentes actividades operativas de las Naciones Unidas, especialmente entre las referentes a la asistencia humanitaria y las de mantenimiento de la paz. Que para mantener su independencia y neutralidad, "las actividades humanitarias y las acciones políticas y militares deben conservar su propia dinámica individual, además de objetivos y tareas diferenciados". [70]

Para algunos países no es claro si el hecho de aprobar los tratados internacionales en materia de derechos humanos, como el convenio firmado en 1948, les permite rechazar cualquier forma de injerencia mencionando sus derechos de soberanía. Según un autor indio, J.R. Garat, el problema radica en que las operaciones para el logro de la paz que implican injerencia por motivos humanitarios, no han sido especificados en ningún convenio y sólo son posibles si los Estados están dispuestos a *renunciar* a su soberanía nacional.[71]

Dentro del Movimiento también existe preocupación por el desequilibrio entre los gastos destinados al gran número de operaciones para la paz y los que se destinan a actividades de desarrollo, así como reserva por la "reciente tendencia mediante la cual

---

68 Documento Final. Op cit. Numeral 12

69 Ibid., Numeral 13

70 Ibid., Numeral 382

71 Garat, J.R. "Forty Years of Humanitarian Intervention in the Cause of Human Rights". en Venkataramiah, J. (Ed.) Human Rights in the Changing World. International Law Association. India. 1988. p. 87

las operaciones de mantenimiento de la paz se convierten en operaciones militares que no están contempladas en las disposiciones de la Carta".[72] Las operaciones de asistencia humanitaria deben diferenciarse de las de mantenimiento de la paz y éstas deben ajustarse *estrictamente a los principios y propósitos consagrados en la Carta* de la ONU y a los principios adoptados en la XI Conferencia Ministerial del Movimiento, celebrada en El Cairo en 1994.

La posición colombiana

Colombia, bajo la bandera de las Naciones Unidas, participó en el conflicto de Corea en operaciones con Fuerzas para el logro de la Paz, así como en la Región del Sinaí con Fuerzas para el mantenimiento de la paz. Tradicionalmente ha participado en los reiterados intentos que la ONU ha emprendido para estudiar la reforma de la Carta de San Francisco. Así mismo, ha estado atenta para que los instrumentos internacionales se vayan adecuando a las nuevas situaciones de la política mundial. Pero ha mantenido una posición firme y constante en el sentido de que no se desvirtúen ni la letra ni el espíritu de la Carta de San Francisco, de que el Consejo de Seguridad no se extralimite en sus funciones, especialmente en cuanto a los requisitos para autorizar una intervención y para que sólo se pongan en práctica medidas cuando realmente está en peligro la paz, respetando principios tan difíciles de conciliar como el de la soberanía y el derecho a la defensa. En ese sentido Colombia, tanto en la OEA como en la ONU, ha reivindicado el principio de la no intervención y se ha opuesto a operaciones tales como las relacionadas con la intervención en Haití.

En palabras del Delegado Colombiano ante la Cuarta Comisión durante el período de sesiones de la Asamblea General de 1994: "Nos preocupa que a las Naciones Unidas se les identifique cada vez más con operaciones militares que con gestiones de orden económico o social ... o lo que es peor, que la organización contribuya a ampliar una de las principales causas de los conflictos que combate, como es el gigantesco mercado mundial de armamento.

---

[72] Documento Final. Op cit. Numeral 63

Cada vez más las operaciones de mantenimiento de la paz son la expresión de la voluntad del Consejo de Seguridad, y en ocasiones éstas no consultan los deseos del conjunto de los Estados miembros de la organización. Por esta razón, mi gobierno considera que el futuro de las operaciones se encuentra claramente ligado al tema del mejoramiento del papel de la Organización y en especial a la reestructuración del Consejo de Seguridad ... No cesaremos de insistir en que todas las acciones que realicen las Naciones Unidas deben hacerse dentro del más estricto y ortodoxo apego a la Carta de las Naciones Unidas y a los principios del Derecho Internacional, y en especial a la no intervención en los asuntos internos de los Estados, el respeto a la soberanía nacional y a la integridad territorial de los Estados. En el caso de las operaciones de mantenimiento de la paz, éstas deben guiarse primordialmente por la imparcialidad y el consentimiento de todas las partes en conflicto".

VII
Violencia y salud
en Colombia

Saúl Franco Agudelo

Introducción

Parece incontenible el avance de las violencias en Colombia. Un día se agudizan las masacres - asesinatos colectivos-, con niveles de crueldad tan crecientes como desconcertantes. Otro día nos asombran las cifras de secuestros y desapariciones. Al día siguiente bordeamos el horror al enfrentar la intensidad y la diversidad de los malos tratos a los niños y a los ancianos, y de las violaciones a las adolescentes. Cada día, sin pausa, vivimos como espectadores o como víctimas el atraco callejero, la discriminación por la raza, el sexo o el nivel socio-económico. Y, aún como agentes, nos implicamos diariamente en una compleja red de agresiones en el transporte urbano, en el medio familiar, en la escuela y en el lugar del trabajo.

La salud de las personas y de los colectivos resulta ser uno de los campos más afectados por la violencia en Colombia. Registramos las tasas de mortalidad por homicidio más altas del mundo. Nuestra salud mental se pone a prueba y se deteriora en forma progresiva ante la incapacidad de procesar los volúmenes y niveles de violencia cotidiana. La calidad global de vida tanto urbana como rural se deteriora también por la tensión, el dolor, la incertidumbre y el desespero generados por el avance arrollador de la violencia en sus diferentes formas.

Adicionalmente, las diferentes instituciones del denominado sector salud padecen una avalancha en la demanda tanto de servicios de urgencias para atender a las víctimas de la violencia, como en los servicios de atención ambulatoria, rehabilitación y psiquiatría. Del mismo modo, los servicios de medicina legal se ven cada vez más sobrecargados por la demanda de reconocimientos y procedimientos directamente relacionados con casos de violencia. Más allá de la sobrecarga institucional, la violencia constituye en Colombia el principal problema para el sector salud en su conjunto. Ella demanda la elaboración de políticas y el financiamiento de las acciones y transformaciones requeridas. Exige la reformulación de los procesos de formación de personal para el sector y el planteamiento y ejecución de procesos educativos sociales. También en los campos de la investigación la violencia viene demandando esfuerzo y creatividad, con respuestas importantes pero aún insuficientes. Ella interroga por igual la práctica del clínico, la propuesta del planificador y la gestión del administrador en salud, la tarea del docente y el sentido del conocimiento del investigador.

Si la violencia es la sustitución de toda argumentación por la fuerza, o una confrontación de discursos que no se escuchan sino que se disparan y se golpean, la construcción de un discurso sobre la violencia desde la vida y la salud puede tener el papel de configurar un territorio reflexivo, potencialmente convocante. Es decir: no se trata sólo de verbalizar y racionalizar la violencia. Ni, menos aún, de pretender sustituir la acción por la palabra o las opciones por reflexiones. Se trata de contribuir a la comprensión de un fenómeno que está en el centro de las preocupaciones nacionales. Y, sobre todo, de intentar clarificar para buscar alternativas. El gran papel social del conocimiento es su estímulo transformador. Para el caso: pensar la violencia para ayudar a enfrentarla.

Para desarrollar la temática enunciada en el título, y con plena conciencia de la dosis de subjetividad y los límites del trabajo, se organiza el material en tres puntos:

- Breve delimitación conceptual.

- Algunas dimensiones del problema de la violencia y la salud en Colombia.
- El sector salud frente a la violencia en Colombia.

1. Breve delimitación conceptual

Hasta mediados de la década del setenta del presente siglo, en Colombia *La Violencia* era un concreto con referentes causal y temporal precisos: era el conjunto de actos de fuerza, generalmente atroces, cometidos al amparo de motivaciones de predominio político-partidista entre 1948 y 1964. Desde el libro clásico que inició la violentología en Colombia: *La Violencia en Colombia* [1], hasta la recopilación de los *Once ensayos sobre la Violencia* [2], pasando por una variada bibliografía y literatura al respecto, todos se refieren a la misma unidad temática y cronológica, con obvias variaciones de enfoque, énfasis, periodizaciones e hipótesis interpretativas.

El incremento de múltiples formas de violencia al empezar los ochenta, hizo pensar en *una nueva violencia*, en trascender la circunscripción temporal vigente y en abrirse a nuevas preguntas y problemas. Un grupo de consulta convocado por el gobierno nacional abordó el tema en 1987, intentó una especie de tipificación de la violencia y sugirió alternativas estructurales y sintomáticas. Para tomar distancia de diferentes reduccionismos, decidieron que: "el presente documento entenderá como violencia todas aquellas actuaciones de individuos o grupos que ocasionen la muerte de otros o lesionen su integridad física o moral. En sentido muy general la violencia se puede ver como algo -sic- que impide la realización de los Derechos Humanos, comenzando por el fundamental: el derecho a la vida" [3]. Aparece entonces la violencia como actividad humana, dañina y productora de deterioro de la integridad y de limitación de los derechos. El documento citado cons-

---

[1] Guzmán C. Germán. Umaña L. Eduardo. y Fals Borda Orlando. *La violencia en Colombia*. Monografías sociológicas. Facultad de Sociología, Universidad Nacional, Bogotá, 1962.

[2] Bejarano, Jesús. Fals-Borda, Orlando. Fajardo, Darío. y otros. *Once ensayos sobre La Violencia*. CEREC-Centro Gaitán, Bogotá, 1985.

[3] Comisión de estudios sobre la violencia. *Colombia: Violencia y Democracia*. Universidad Nacional de Colombia - COLCIENCIAS, Bogotá, 1989.

tituye un hito en la elaboración del concepto y del problema de la violencia en el país. Y desde él la violencia en Colombia empieza a reconocerse como realidad polimorfa, multicausal, presente en todo el tejido social e individual.

En varios documentos anteriores[4-5] he venido desarrollando algunas ideas sobre el perfil de ese complejo problema que llamamos violencia. En síntesis se trata de reconocerla como imposición de la fuerza, al servicio de un determinado interés o conjunto de intereses, ejercida en condiciones de asimetría, con una direccionalidad específica y produciendo la negación y/o limitación de alguno o algunos de los derechos de la(s) víctima(s). No es entonces el producto de una determinación genética, ni el imperio del azar, ni la carencia de lógica. Es actividad humana - consciente, inteligente, finalística-, gestada en el desarrollo de las formas de relación interhumanas y, por tanto, cambiante, histórica. Se expresa en actos concretos pero requiere y supone determinados contextos, motivaciones, legalidades, escalas valorativas. Tampoco termina en los actos. Genera nuevos procesos, respuestas, produce alteraciones y consecuencias en los tejidos individuales y colectivos. Es un proceso, mejor aún: un conjunto de procesos. Tiene raíces, finalidades, consecuencias mediatas e inmediatas. Es lenguaje no verbal, materialidad y símbolo. Cada acto violento deja víctimas, hiere, duele, mata. Y, al mismo tiempo, es representación de confrontaciones, luchas de poder, surgimiento o reafirmación de fuerzas y proyectos, mensaje cifrado.

Uno de los grupos que ha venido desarrollando el tema en Brasil -el Centro Latinoamericano de Estudios de Violencia y Salud- insiste en que la violencia se genera y desarrolla en la vida en sociedad, resaltando su especificidad histórica y el entrecruzamiento en su configuración de problemas de la política, la economía, la moral, el derecho, la sicología, las relaciones humanas e institucionales y el plano individual. El mismo grupo ha enfatizado

---

4 Franco, Saúl. Violencia y Salud. *Revista Universidad de Antioquia.* 220:18-27. Medellín, Abril-Junio, 1990.

5 Franco, Saúl. *Violencia, Ciudadanía y Salud Pública.* Serie Documentos Especiales, No 4. Corporación Salud y Desarrollo, Bogotá, 1995.

el carácter de *red* de la violencia, red en la cual no siempre somos víctimas sino que, con frecuencia, pasamos de objetos a sujetos, de víctimas a agresores [6].

En la última década la Organización Panamericana de la Salud se ha venido interesando en el tema y ha apoyado algunas convocatorias a enfrentarla desde el sector salud. En algunos de sus documentos aún prima el énfasis de su reflexión y de sus proposiciones sobre la dimensión conductual de la violencia. De hecho, prefiere hablar de conductas violentas[7] y, por tanto, privilegiar las propuestas de acción al nivel del comportamiento individual. Obviamente, la Organización no tiene al respecto una posición monolítica. Producciones financiadas por ella o de algunos de sus funcionarios temporales, han contribuido a ampliar el horizonte teórico, las dimensiones políticas y la información disponible sobre el tema.[8-9-10]

Finalmente, el escenario de la presente reflexión acerca de las relaciones violencia-salud, es Colombia. La magnitud y las tendencias de los indicadores de algunas formas de violencia - el homicidio y el secuestro, por ejemplo - hacen del país el mejor escenario mundial para la exploración de las relaciones en cuestión. Si bien una caracterización de la actual realidad nacional trasciende las posibilidades y objetivos de este documento, es esencial hacer algunos señalamientos mínimos. En primer lugar, reafirmar que ni la violencia es un patrimonio exclusivo nacional, ni tenemos las cifras máximas de la mayor parte de las formas de

---

[6] Minayo, María Cecilia. A violencia social sob a perspectiva da saúde pública. *O impacto da violencia social sobre a saude*. *Cadernos de Saúde Pública* Vol 10: Supl. 1:7-19. Rio de Janeiro, 1994.

[7] OPS . *Violencia y Salud*. Resolución XIX. Mimeo. Washington, 1993.

[8] Franco, Saúl. *La violencia: un problema de salud pública que se agrava en la región*. Boletín Epidemiológico OPS, 11:1-7. 1990.

[9] Camacho G. Alvaro. *Dimensiones de la democracia y la violencia en las Américas*. Mimeo. Paho/HPP/94.23. Washington, 1994.

[10] Yunes, Joao. Rajs, Danuta. "Tendencias de la mortalidad por causas violentas en la población general y entre los adolescentes y jóvenes de la región de las Américas". *O impacto da violencia social sobre a saúde*. *Cadernos de Saude Pública*. Vol 10, Supl. 1:88-125. Rio de Janeiro, 1994.

violencia, ni parecen existir marcadores genéticos o niveles hormonales específicos que hagan de los colombianos un grupo humano particularmente violento. Existen sí algunos elementos culturales - unos explorados[11-12-13-14] y otros por explorar - y existe una compleja coyuntura nacional en la cual se interseccionan determinantes internacionales, acumulación de inequidades y exclusiones en el ordenamiento económico-político nacional, el fenómeno del narcotráfico, crisis y transiciones ético-valorativas, conflictividad político-militar, e inoperancia de la justicia y crecimiento de la impunidad.[15-16-17-18-19-20] Anotar también la importancia de las multiplicidades y diversidades regionales, culturales, étnicas y políticas que incluimos bajo la realidad totalizadora de Colombia. Las marcadas diferencias en la estructura y dinámica familiar en la costa en relación a la región andina, por ejemplo, hacen que la violencia intrafamiliar tenga también perfiles e intensidades diferentes. Como los tienen también la violencia urbana y la rural, la de las grandes y las pequeñas ciudades, o la de las

---

[11] Fals-Borda, Orlando. Lo sacro y lo violento, aspectos problemáticos del desarrollo en Colombia. En: Bejarano, J. Fals-Borda, O, Fajardo, D. y otros. *Once ensayos sobre la Violencia*. CEREC-Centro Gaitán, Bogotá, 1985.

[12] Perea R. Carlos Mario. *Porque la sangre es espíritu: imaginario y discurso político en las élites capitalinas.* En prensa, Bogotá, 1995.

[13] Restrepo, Luis Carlos. *Democracia vivencial y cultura de la convivencia.* Revista Nómadas, No 2: 60-67. Fundación Universidad Central. Santafé de Bogotá, Marzo-Agosto 1995.

[14] Salazar, Alonso. *No nacimos pa'semilla.* CINEP - Corporación Región. Santafé de Bogotá, 1990.

[15] Camacho G. Alvaro. *La Violencia en Colombia: elementos para su interpretación.* Revista Foro No.6: 3-12. Bogotá, Junio 1988.

[16] Camacho G, Alvaro. *Cinco tesis sobre narcotráfico y violencia en Colombia.* Revista Foro No. 15: 65-73. Bogotá, Septiembre, 1991.

[17] Deas, Malcolm. y Gaitán Daza, F. *Dos ensayos especulativos sobre la violencia en Colombia.* FONADE- DNP. Tercer Mundo Editores. Santafé de Bogotá, 1995.

[18] De Roux, Francisco. Fundamentos para una ética ciudadana. En: *Colombia: una casa para todos; debate ético.* Programa por la paz. Santafé de Bogotá, 1991.

[19] Kalmanovitz, Salomón. *Economía de la Violencia.* Revista Foro No. 6: 13-24. Bogotá, Junio, 1988.

[20] Richani, Ignacio. *La economía política de la violencia: el sistema de guerra en Colombia.* Mimeo. Instituto de Estudios Políticos y Relaciones Internacionales. Santafé de Bogotá, 1995.

áreas en las cuales el narcotráfico y/o la guerrilla han tenido una mayor o menor penetración. Un discurso sobre la violencia en Colombia tiene que dar cuenta de esas y otras diferenciaciones.

2. Algunas dimensiones del problema de la violencia y la salud en Colombia

Resulta imposible elaborar y presentar un cuadro completo de la relación violencia y salud en Colombia. A la complejidad de la relación se suman las graves deficiencias de la información. Tanto en Colombia como en muchos otros países hay problemas a nivel de los códigos e indicadores utilizados, de los eventos registrados y de la cobertura y calidad de los sistemas de información sobre violencia tanto a nivel general como a nivel del sector salud. Reconociendo y advirtiendo estas limitaciones, opto por destacar algunos aspectos y por describir el comportamiento y las tendencias de algunos indicadores que pueden dar una idea de la magnitud del problema y de la urgencia de decisiones y acciones.

La epidemia de homicidios

Hace tres décadas, la violencia - entendiendo como tal el conjunto denominado *causas externas* en la terminología del sector salud - ocupaba el noveno lugar entre las causas de muerte en Colombia. En los setenta pasó al cuarto lugar y desde los ochenta se ubicó en el primer lugar, tomando cada vez mayor ventaja en relación a las demás causas de muerte de los colombianos. Pero el gran indicador del incremento de la violencia en Colombia es realmente el número y la tasa de homicidios. En la última década han muerto en el país más de 230.000 personas sólo por homicidios, cifra superior a la de 200.000 víctimas calculada para el período de los cuarenta y cincuenta ya señalado como el de la Violencia en Colombia. En 1994 los homicidios constituyeron el 70% del total de muertes violentas registradas en el país, según datos suministrados por el Instituto Nacional de Medicina Legal y Ciencias Forenses -INMLCF-.

La Gráfica N° 1 muestra los valores de la tasa de homicidios en el país entre 1987 y 1994. Pasamos en menos de una década de 36

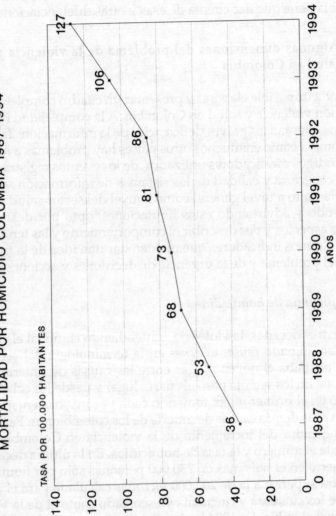

GRAFICA 1
MORTALIDAD POR HOMICIDIO COLOMBIA 1987-1994

TASA POR 100.000 HABITANTES

ANOS

FUENTES DE DATOS:
MINISTERIO DE SALUD
INSTITUTO DE MEDICINA LEGAL

a 127 homicidios por 100.000 colombianos. Es decir, los homicidios se nos han multiplicado en ese período por un factor de 3.5. Este crecimiento nos coloca en la actualidad como el país con las más altas tasas de homicidio registradas a nivel internacional.

Lo grave no es sólo el número total de homicidios. Lo es también su distribución por sexos y por grupos de edad. Los hombres jóvenes - y cada vez más jóvenes - son las víctimas más frecuentes de los homicidios. Por supuesto que no escapan las mujeres. Mientras en la década pasada en Medellín se registraron 18 asesinatos de hombres por cada mujer asesinada[21], en 1994 la relación es de 13/1[22], lo que indica el mantenimiento del predominio masculino, con un incremento preocupante de la participación femenina. Según el INMLCF, el grupo de edad comprendido entre los 15-24 años aportó el 34.2% del total de los homicidios del país en 1994, mientras el grupo de 25-34 años aportó el 33.3%, resultando que casi el 70% de las víctimas de homicidios tenían entre 15 y 34 años. La Gráfica N° 2 muestra la distribución de los homicidios en el país en 1994, por grupos de edad y sexo. Además de lo anotado, puede observarse la alarmante participación de los niños como víctimas del homicidio. Ya al empezar los 90 el homicidio aparece como la segunda causa de muerte en el grupo de 5-14 años[23]. Sólo en la ciudad de Medellín en los primeros ocho meses de este año se reportaron 700 muertes violentas de menores de 18 años [24]. *Itaguí* es la única de las diez ciudades del país con mayor número de necropsias en 1994 en la cual los homicidios son la principal forma de muerte violenta en todos los grupos de edad a partir de los cinco años[22]. Para el mismo año, las tres principales ciudades colombianas - Bogotá, Cali y Medellín - que concentran la tercera parte de la población del país, respondieron por el 50% del total

---

[21] García, Héctor. Velez, Carlos. *Muerte violenta por homicidio en Medellín en la década del 80.* Tesis de Maestría. Facultad Nacional de Salud Pública. Medellín, 1992.

[22] Instituto Nacional de Medicina Legal y Ciencias Forenses, Centro de Referencia Nacional sobre Violencia. *Reporte del comportamiento de lesiones fatales y no fatales en Colombia 1994.* Santafé de Bogotá, 1995.

[23] Arbelaez, María Patricia y Ruiz, Isabel Cristina. *Vigilancia epidemiológica: indicadores y mapeo de riesgo.* Minsalud-OPS. Santafé de Bogotá, Julio, 1994.

[24] El Tiempo. Iglesia denuncia exterminio de la niñez (p:15A). Bogotá, 30 de Septiembre, 1995.

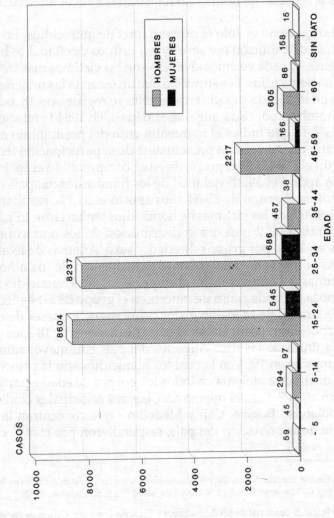

GRAFICA 2
HOMICIDIOS SEGUN EDAD Y SEXO
COLOMBIA 1994

FUENTE: I.N.M.L.-MEDICINA LEGAL EN CIFRAS 1994

de homicidios registrados. Este dato contribuye a fundamentar la hipótesis de la *urbanización* de la actual violencia en el país, factor de diferenciación con la violencia clásica ya referida[25] . En la misma dirección, la Policía Nacional estimaba que para 1990 el 85% de los delitos contra el patrimonio económico y el 78% de los delitos contra la vida y la integridad personal se cometían en áreas urbanas[26]. Por supuesto, la urbanización de la violencia es una tendencia, pero no significa la extinción de la violencia rural. En el departamento del Guaviare, por ejemplo, de franco predominio rural, los homicidios representan el 61% del total de las muertes.[23]

La categoría *causas externas* incluye también los accidentes de tránsito. Es una cuestión controversial puesto que, si bien una parte indeterminada de ellos cabría dentro del perfil de violencia antes enunciado, otra parte difícil también de determinar cabría rigurosamente dentro de la categoría de accidente, que excluye la intencionalidad, la direccionalidad y la elaboración del acto. Pues bien, al desagregar las causas externas de muerte en Colombia en sus tres componentes principales: homicidios, accidentes de tránsito y suicidios, y observar su desempeño en seis años consecutivos - Gráfica N° 3- puede reafirmarse el predominio creciente de los homicidios y el mantenimiento a niveles bajos y casi constantes de los accidentes de tránsito y de los suicidios. En 1984 se registraban dos homicidios por cada muerte en accidente de tránsito, y ocho homicidios por cada suicidio. Diez años después, en 1994, los homicidios cuadruplican tanto a los suicidios como a las muertes en accidentes de tránsito, según las cifras del INML. El 60% de los suicidios ocurre en población joven, entre los 14 y los 34 años, estableciéndose una relación de 4 hombres por cada mujer suicida. En el departamento de Antioquia, en donde los homicidios tienen una tendencia francamente ascendente desde 1984, las muertes por accidentes automovilísticos muestran una sostenida tendencia descendente desde 1985, mientras los suicidios se mantienen en su mismo nivel bajo [27].

---

[25] Misión Siglo XXI. *La violencia urbana en Colombia: evidencia empírica y propuestas de política.* Ministerio de Justicia y del Derecho. Santafé de Bogotá, diciembre, 1994.

[26] Policía Nacional. *Criminalidad 1990: tendencias de la criminalidad 1958-1991.* Santafé de Bogotá, 1990.

[27] DSSA (Dirección Seccional de Salud de Antioquia), Oficina de Epidemiología. *Series Cronológicas de salud.* Medellín, 1994.

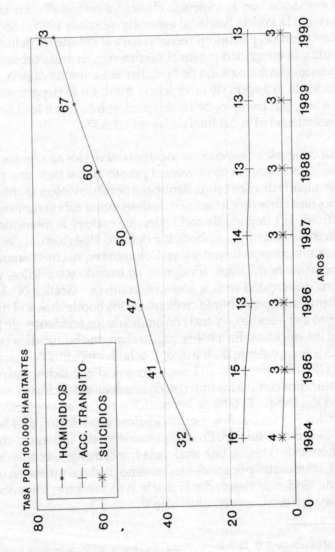

GRAFICA 3

MORTALIDAD GENERAL EN COLOMBIA POR HOMICIDIOS, SUICIDIOS
Y ACCIDENTES DE TRANSITO

TASA POR 100.000 HABITANTES

- HOMICIDIOS
+ ACC. TRANSITO
* SUICIDIOS

ANOS

FUENTE DE DATOS: YUNES, JOAO. RAJS, DANUTA
CADERNOS DE SAUDE PUBLICA, VOL 10. SUPL 1: 88-125 RIO DE JANEIRO, 1994

Hay muchos datos y algunos estudios sobre la distribución de las víctimas de la violencia en Colombia según estratificación socio-económica. Según un trabajo del Ministerio de Salud publicado en 1993[28], las muertes por accidentes de tránsito tienen una distribución casi aleatoria en todos los estratos, mientras el suicidio muestra una tendencia ascendente de los estratos bajos hacia el alto e, inversamente, el homicidio tiene mayor impacto en los estratos bajos, con tendencia decreciente hacia el alto.

Otra manera de apreciar la magnitud del problema de la violencia en Colombia es establecer comparaciones con otros países. Entre todos los países de América, por ejemplo, Colombia ocupa un primer y aventajado lugar en la mortalidad por el conjunto de las causas de violencia. Según cifras de la OPS, en 1990 dicha tasa era de 76/100.000 para Colombia, seguida por Puerto Rico con 27/100.000. En homicidios las cifras comparativas son más preocupantes aún. Para el mismo año y según la misma fuente, Colombia encabeza el listado americano con tasa de 73/100.000, mientras la cierra Canadá con tasa de 2/100.000. En accidentes y suicidios, en cambio, el país ocupa posiciones intermedias. En suicidio, mientras Canadá registra la mayor tasa con 13/100.000 en ese año, la de Colombia es de 3/100.000. Y en accidentes el mayor registro en 1989 lo tenía Chile, con 66/100.000, mientras Colombia para el año siguiente sólo llegaba a 39/100.000. En conjunto, Colombia aporta aproximadamente el 15% del total de víctimas fatales de violencia en América Latina y El Caribe, y el 20% del total de homicidios de la misma región. Al concentrar la observación sólo en el problema de los homicidios en Colombia y los Estados Unidos, el contraste es alarmante. Mientras en el período observado - 1984-1989 - la tasa de homicidios para los Estados Unidos, en población de 10 a 24 años, no pasa de 12/100.000, la de Colombia llega a 63 en 1989 y a 75 en 1990 - Gráfica N° 4. El contraste es aún más dramático en el grupo de 20 a 24 años. Mientras la respectiva tasa en 1989 es de 19/100.000 en los Estados Unidos - tasa muy por encima de lo aceptable para los países llamados desarrollados -, la de Colombia en el mismo año es de 126. En otra forma: una tasa colombiana trece veces mayor que la de los Estados Unidos - Gráfica N° 5.

---

[28] Ministerio de Salud. *Salud Mental y consumo de sustancias sicoactivas.* Bogotá, 1993.

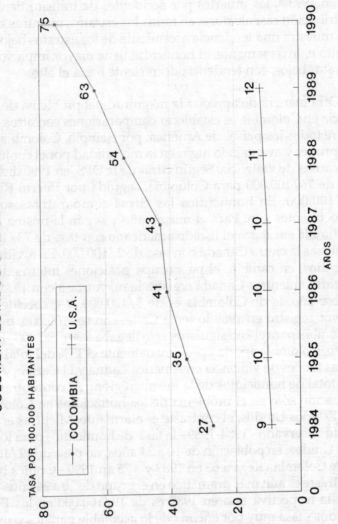

GRAFICA 4

MORTALIDAD POR HOMICIDIOS EN POBLACION DE 10-24 AÑOS.
COLOMBIA-ESTADOS UNIDOS. 1984-1990

TASA POR 100.000 HABITANTES

ANOS

— COLOMBIA   + U.S.A.

FUENTE DE DATOS: YUNES, JOAO. RAJS, DANUTA
CADERNOS DE SAUDE PUBLICA, VOL 10. SUPL 1: 88-125 RIO DE JANEIRO, 1994

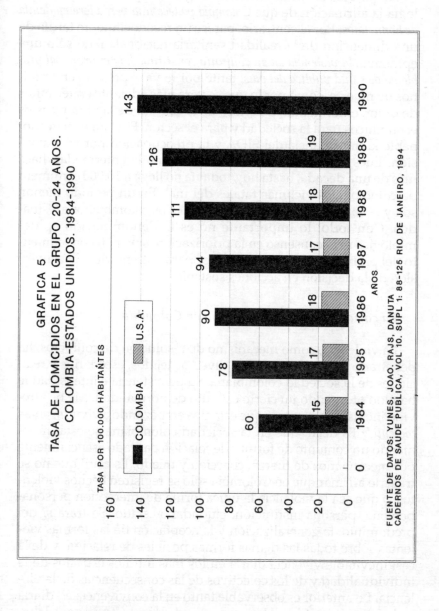

GRAFICA 5

TASA DE HOMICIDIOS EN EL GRUPO 20-24 AÑOS.
COLOMBIA-ESTADOS UNIDOS. 1984-1990

TASA POR 100.000 HABITAÑTES

ANOS

FUENTE DE DATOS: YUNES, JOAO. RAJS, DANUTA
CADERNOS DE SAUDE PUBLICA, VOL 10. SUPL 1: 88-125 RIO DE JANEIRO, 1994

No parece constituir entonces ningún atropello a la epidemiología la afirmación de que *Colombia padece una verdadera epidemia de homicidios*. Por el contrario, parece un reconocimiento tardío de una dimensión de la realidad sanitaria nacional. Y no sólo una epidemia, *la violencia en su conjunto constituye hoy el principal problema de salud pública del país*, tanto por lo ya expresado en términos de muerte, como por lo que se verá más adelante en términos de dolor, enfermedad, deterioro de la calidad de la vida y costos económicos para la sociedad y para el sector. Es clara e incuestionable la importancia del SIDA y la preocupación por su expansión. Pues bien: desde cuando se describió la enfermedad hace más de una década, hasta hoy, todavía no llega a 10.000 el número de colombianos víctimas fatales del mal. En un período menor, son ya - como se anotó - más de 230.000 los colombianos asesinados. Con todo, lo importante no es la denominación epidemiológica ni el consenso en la priorización, sino el reconocimiento del problema, la decisión política para enfrentarlo y la conversión de la decisión en acciones sostenidas.

La cotidianidad de la violencia en Colombia

La violencia, como mecanismo de resolución de conflictos, ha penetrado profundamente los diversos tejidos, escenarios y relaciones de la sociedad colombiana. Su persistencia e intensidad le han ido otorgando un cierto estatuto de normalidad. Me he atrevido inclusive a plantear que estamos empezando a vivir *un orden violento*[5.] Es decir: que en la sociedad colombiana se está imponiendo un conjunto de formas de relación pautado esencialmente por mecanismos de fuerza, coacción y miedo. Es claro que no se trata de afirmar que en Colombia sólo se registren hechos violentos, o que sea la violencia la única forma de interacción persona-persona, persona-institución, ciudadano-estado. Se trata sí del predominio, la generalización y la aceptación de las formas violentas sobre todas las demás formas posibles de relación, y de la casi inevitable vivencia diaria en los más íntimos espacios de la individualidad y de los colectivos de las consecuencias de la violencia. Lo anterior es observable tanto en la convivencia (?) diaria en los distintos niveles de realización de la vida: familiares, laborales y ciudadanos, como en los diferentes escenarios: la calle, la escuela, el estadio, la casa. Según los datos del INMLCF y de las organizaciones que luchan contra el secuestro, cada día durante todo el año de 1994, se registraron en promedio en el país 73 homicidios, 4 suicidios y 4 secuestros. Pero, además, cada día acontecen centenares de casos de violencia intrafamiliar y decenas de violaciones sexuales, sin anotar la cotidiana violación de otros derechos humanos como el del trabajo, la salud y el estudio. Las mínimas diferencias de intereses, opiniones y derechos, y hasta de gustos y amores, se intentan resolver por la vía contundente de la fuerza. Igual una transgresión en las normas del tránsito vehicular, que una derrota - y hasta un triunfo - deportivo, una disputa limítrofe que una pequeña deuda o un proceso judicial, para todo aparece la violencia como la opción más inmediata y definitiva.

Ciertas formas y escenarios de estas múltiples violencias cotidianas han venido mereciendo especial atención. Una de ellas es la de la *violencia intrafamiliar*. Sobre el tema se vienen realizando eventos, experimentando respuestas tales como las Redes de Prevención[29-30] y recientemente se publicó una compilación de investigaciones[31]. Por descontado que no es posible hablar de la familia como una estructura única, integrada por padre, madre, hijos y algunos eventuales. Hoy la familia tiene un perfil más amplio y puede caracterizarse mejor como un conjunto de relaciones mediadas por lazos consanguíneos, y materializada en formas múltiples y cambiantes. Como escenario cotidiano de afectos, poderes, pasiones, intereses y diferencias, es campo potencial de violencia. Por la cotidianidad y complejidad de las relaciones familiares, y por la ambigüedad público-privado, existen pocas dudas de que lo que se sabe y registra de la violencia intrafamiliar es apenas un porcentaje bajo y una imagen parcial de lo que en realidad acontece en la interioridad de las familias. Aún así, y sabiendo además que al Instituto Nacional de Medicina Legal sólo

---

[29] Redes de Prevención de Violencia Intrafamiliar -Subsecretaría de la Mujer- ICBF. *Violencia Intrafamiliar.* Memorias. Litoarte. Medellín, 1993

[30] SSSA (Servicio Seccional de Salud de Antioquia). *Violencia intrafamiliar: cotidianidad oculta.* Medellín, 1994.

[31] Facultad de Enfermería. Universidad de Antioquia. Subsecretaría para la mujer. Despacho de la Gobernación de Antioquia. *La violencia: un problema de la vida de familia.* Medellín, 1995.

llegan los casos de mayor gravedad e implicaciones penales, dicha entidad atendió durante el año de 1994 un promedio diario de 93 casos de violencia intrafamiliar, las tres cuartas partes de ellos relacionadas con problemas conyugales, y un 13% con maltrato infantil. En el maltrato conyugal la mujer es la víctima más frecuente, en una relación de 20/1 con relación al hombre[22]. Según una encuesta[32], en Colombia una de cada tres mujeres que convive con un compañero ha sido insultada, una de cada cinco ha sido golpeada y una de cada 10 ha sido forzada sexualmente. Por estratos económicos, según el estudio ya citado del Ministerio de Salud[28] el maltrato verbal contra las mujeres es frecuente en todos los estratos, mientras el físico parece ser un poco más frecuente en los estratos bajos.

El *maltrato infantil* está siendo objeto de especial preocupación. De un lado, como ya se anotó, es cada vez mayor la participación de los niños como víctimas fatales. En el primer semestre de 1994 el 6% de los homicidios cometidos en Medellín tuvieron como víctimas a menores de 15 años. En Bogotá, de 18 homicidios diarios, 4 son de niños, dando un promedio de un infanticidio cada seis horas. En la misma ciudad, según una encuesta del Instituto Colombiano de Bienestar Familiar, la cuarta parte de los niños han sido maltratados por sus padres. Por estratos socio-económicos, parece que tanto el maltrato físico como el verbal es más frecuente en los niveles medios y bajos. También en la violencia sexual registrada, las niñas aparecen como las principales víctimas. El INML realizó durante 1994 un promedio diario de 30 dictámenes por delitos sexuales. En el primer trimestre de 1995 su número se aumentó en un 8% en relación al mismo período del año anterior. El 60% de los dictámenes correspondían a menores de 14 años, con una relación de diez mujeres por cada hombre[33]. Existen otras formas frecuentes de maltrato infantil como el abandono, la explotación laboral y la marginación. Y otras formas de impacto de la violencia generalizada sobre los niños, tales como los desplazamientos forzosos -con sus secuelas de desarraigo cul-

32 Profamilia - DHS. Encuesta de prevalencia, demografía y salud, 1990 - Bogotá, junio , 1990.

33 CRNV (Centro de Referencia Nacional sobre Violencia) - INML. Boletín CRNV, Vol 1, No 2, Santafé de Bogotá, 15 de Septiembre de 1995.

tural, desintegración familiar y desajuste económico- y la orfandad[34].

No sólo como víctimas son atrapados los niños y niñas en las redes de la violencia. Lo son también, y crecientemente, como agentes. En 1993 se abrieron 14.461 nuevos expedientes judiciales contra niños infractores, cifra que en la actualidad supera los 35.000. Las filas de la guerrilla, del sicariato, de la delincuencia organizada y de la no organizada, se engrosan cada vez más con niños cada vez más niños. Su participación es progresiva, desde tareas de apoyo y complicidad, hasta responsabilidades directas en la ejecución de delitos y homicidios. Hay información fehaciente de la participación de niños aún en la ejecución de las recientes masacres de la región de Urabá. El tema reviste especial interés y es motivo de gran preocupación particularmente cuando se piensa en el futuro. Con él se colocan sobre la mesa de discusión temas como: la crisis de la estructura familiar; la experiencia violenta en la infancia y la reproducción de la violencia en los adultos; la inequidad; los contenidos y métodos de la educación formal e informal; el papel de los medios de comunicación tanto en la información como en su participación en la formación de conciencia y valores sociales; la fundamentación ética; la penalización y rehabilitación de niños delincuentes. Y más que el interés analítico, el problema está llamado a convocar la acción de la sociedad si realmente se quieren poner las bases para un futuro menos violento tanto en las grandes tareas políticas y sociales como en la vida cotidiana.

La cotidianización está llevando también a una especie de *banalización* de la violencia. Es decir: a aceptarla como algo intrascendental, a aumentar los niveles de tolerancia frente a ella, reducir los mecanismos de respuesta individual y grupal, perder la capacidad de asombro y sucumbir ante el miedo y la indiferencia. Esta banalización deviene en un nuevo eslabón en la cadena de incremento del problema y en la sustentación de un cierto fatalismo, de perversas consecuencias al momento de intentar la activación de mecanismos de reacción.

---

[34] Gaylin, Ned. Sadlier, Karen. Salas, S. Miguel. *The effects of chronic community violence on Colombian children and their families.* Final Report presented to The Pan-American Health Organization. Washington, D.C. September, 1994.

El sicariato, los desechables y las masacres

Estas tres categorías hacen parte del diccionario cotidiano de la violencia en Colombia. Y son tres realidades altamente representativas y expresivas de la actual situación de violencia. Ninguna es un invento ni un patrimonio nacional, pero las tres han ganado presencia e importancia en la última década en el país. Una breve reflexión sobre ellas dentro del objeto de estas consideraciones, es un reconocimiento a lo que representan en la actual configuración del problema de la violencia, una advertencia sobre la gravedad de su persistencia y una invitación a contribuir a su desmonte. Es imposible considerar sana a una sociedad o sano a un país que padece masacres, alimenta el sicariato y produce y elimina desechables.

Desechable es una categoría del mundo industrial. Se refiere originalmente a productos y objetos cuya vida útil ya terminó y se requiere, por tanto su eliminación. El concepto se humanizó a partir de la configuración de lo que Hanna Arendt denominó hace décadas *poblaciones superfluas*, cuyo perfil vienen explorando muy bien en Brasil algunos investigadores[35]. En Colombia la categoría no se refiere a un grupo homogéneo, sino a grupos de diferente naturaleza, pero unificados por una misma valoración: están de más, son indeseables e infuncionales y, por tanto, deben ser eliminados. Desechable es para unos el que asume una conducta sexual diferente -la prostituta, el trasvesti, el homosexual-; para otros el ladrón callejero, el oponente político, el rival en el amor o en el mercado, el mendigo, el minusválido, el de otra raza. Frente a su exterminio los sectores sociales que los evalúan como tales no son sólo permisivos, son promotores o ejecutores activos. Si en el orden violento matar es la forma casi normal de intentar resolver el conflicto, matar al desechable es una tarea de limpieza social, término con el cual se ha justificado el exterminio de muchos de ellos.

Más que *los sicarios*, el problema real es *el sicariato*. Los primeros son los ejecutores a sueldo, las terminales de circuitos comple-

---

35 Cruz-Neto, Otávio. Minayo, María C. Exterminio: violentacao e banalizacao da vida. *O Impacto da violencia social sobre a saude. Cadernos de Saúde Pública*, Vol.10, Supl 1:199-212. Rio de Janeiro, 1994.

jos, la cara externa de actores ocultos. Es grave que existan sicarios, pero es más grave que exista el sicariato. Es grave que alguien mate porque le pagan, pero es más grave que alguien pague por matar. Ambos eventos tienen una misma fundamentación: es válido asignar y pagar o recibir un precio en dinero por la eliminación del derecho a la vida de otro. Pero mientras el sicario ejecuta sin más objetivo que la remuneración, los verdaderos protagonistas del sicariato son quienes en función de sus valores e intereses seleccionan la víctima, le ponen precio, proveen el dinero y contratan la acción. Todo este proceso sicarial es una negación categórica de cualquier ordenamiento jurídico, del carácter innegociable de la vida humana, de algunos de los papeles esenciales asignados al Estado y de las relaciones de ciudadanía.

Es llamativo que en Colombia, país en el que el fenómeno del sicariato ha alcanzado dimensiones alarmantes, se haya avanzado tan poco en la comprensión de sus raíces, en la desarticulación de sus redes y en la identificación de sus responsables. Es posible que su vinculación con el complejo y riesgoso fenómeno del narcotráfico haya contribuido a dificultar su esclarecimiento. Pero, para superar los actuales niveles de violencia se requiere, entre otras muchas cosas, comprender el fenómeno del sicariato y proceder a su desmonte.

Las masacres son asesinatos colectivos y simultáneos. Se vienen registrando en el país con mayor frecuencia desde la década pasada. Se concentran temporalmente en determinadas regiones. Según información de los principales periódicos del país, en los primeros diez meses de 1994 se registraron en el Valle de Aburrá, región donde se ubica la ciudad de Medellín, 43 masacres con un total de 179 víctimas y un promedio de cuatro muertos por masacre, la mayoría hombres jóvenes. En los meses de agosto y septiembre de 1995, las masacres se concentraron en la región bananera de Urabá: 8 masacres con un total de 91 muertos y un promedio de 11 muertos por episodio. En la misma región, en el Municipio de Apartadó, se cometió en enero de 1994 una de las mayores masacres en la historia reciente del país: 36 muertos y 17 heridos, todos residentes en un barrio de invasión y muchos de ellos reinsertados a la vida civil después de pertenecer a una organización guerrillera.

No apuntan siempre las masacres al mismo blanco. Unas se han dirigido a eliminar alguno de los distintos tipos de *desechables*, otras a cobrar cuentas pendientes entre traficantes de drogas o de armas, a eliminar oponentes o rivales políticos, a demostrar fuerza y dominio en determinados territorios y a advertir sobre los riesgos de disentir, y hay indicios fundados de que otras -parece ficción- hayan sido la prueba final para culminar el entrenamiento y optar el título de sicario. En todos los casos, la colectivización de la muerte tiene un efecto simbólico y profundas consecuencias intimidatorias. Las masacres evidencian la indefensión social, la absolutización del interés personal o grupal sobre cualquier pauta o implícito elemental de convivencia, la pérdida del monopolio de la fuerza por parte del Estado, y reafirman el nivel de desvalorización de la vida humana al que se ha llegado. Además, por su propia dinámica, más de una masacre ha sido respuesta a otra anterior, generándose una especie de círculo perverso de asesinatos colectivos. Más que racionalización, las masacres -como hechos de violencia colectiva- demandan acciones y reacciones colectivas que las deslegitimen y tiendan a controlar o eliminar los factores que las hacen posibles.

Los costos en salud de la violencia en Colombia

Igual si se mira desde una perspectiva económica y social que emocional o sicológica, son altísimos los costos de la violencia sobre la salud y sobre el sector salud en Colombia. Provisionalmente, se consideran aquí dentro de la categoría costos tanto la dimensión cuantitativa de bienes, recursos y dinero gastados en la atención y recuperación o dejado de percibir por causa del daño sufrido, como la dimensión de impacto negativo sobre la calidad de la vida individual y colectiva. Por supuesto el tema requiere mayor precisión conceptual e investigaciones directas de gran profundidad. Para los objetivos del presente trabajo puede ser suficiente señalar algunos indicadores que ilustren con claridad la magnitud casi insospechada de lo que cuesta para la salud y el sistema de salud del país padecer las actuales condiciones de violencia.

Varios grupos y autores, con muy diversas metodologías han abordado aspectos del tema en distintos países o subregiones[36-37-38-39-40-41]. Realmente se trata de estudios locales, sectoriales o regionales, cuyas metodologías aún no permiten una aproximación ni a costos globales, ni a muchas de las dimensiones consideradas aquí como importantes. Los indicadores más utilizados han sido: las tasas de morbilidad y de mortalidad por *causas externas*, ya comentadas; los Años de Vida Potencial Perdidos -AVPP-; porcentaje del total de la mortalidad debido a *causas externas;* porcentaje de camas hospitalarias y de días de estancia hospitalaria dedicados a la atención de víctimas de violencia; costos directos de la atención médica y hospitalaria debidos a violencia. Recientemente algunos investigadores e instituciones han venido empleando el indicador Años de Vida Saludables Perdidos -AVISA- en el cual se estiman los años perdidos tanto por la mortalidad prematura como por la incapacidad generada. Es posiblemente en indicadores de deterioro de la calidad de vida por cada causa específica en donde se dispone de menos información y en los que se requiere, por tanto, un mayor trabajo futuro.

De los estudios citados el que intenta una mayor globalidad e incluye datos parciales de tres países -México, Perú y Brasil-, es el patrocinado por la División de Promoción y Protección de la Salud de la OPS -HPP/OPS/OMS-[41]. Con todo, son estudios de caso, referidos sólo a los costos de atención hospitalaria, con metodologías, universos y períodos diferentes. En México y Perú,

---

[36] HUSVP (Hospital Universitario San Vicente de Paúl). Universidad de Antioquia. Servicio Seccional de Salud de Antioquia. *Análisis de las condiciones de rehabilitación en Antioquia. Su relación con causas violentas.* Mimeo. Medellín, 1987.

[37] Médici, André. *As raizes económicas da violencia e seus impactos na saúde.* Trabajo presentado en el Grupo de Trabajo sobre Violencia y Salud en América Latina. Río de Janeiro, 1989.

[38] De Mello Jorge, María Helena. *O impacto da violencia nos servicos de saúde.* Mimeo. Trabajo presentado en el grupo de trabajo sobre Violencia y Salud en América Latina. Río de Janeiro, 1989.

[39] Cano, G. Eduardo y Castrillón, Z. María T. *Egresos por lesiones personales, 1989.* Fundación Hospitalaria San Vicente de Paúl. Medellín, Septiembre, 1990.

[40] Mondragon, Delfi. *Hospital costs of societal violence.* Medical Care, Vol. 30 No. 5: 453-460 1991.

[41] HPP/OPS/OMS. División de Promoción y Protección de la Salud. OPS/OMS. *El impacto económico de la violencia sobre las instituciones de salud en países de América Latina y El Caribe: Informe Preliminar.* Washington, D.C. Noviembre, 1994.

por ejemplo sólo se tomó como referente un Hospital e, inclusive, en Perú sólo los datos de uno de los servicios hospitalarios, mediante una encuesta durante una semana. Aún así, los autores se atrevieron a realizar análisis prospectivos para el conjunto de los países de América Latina y El Caribe y concluyeron que el costo de la atención al 50% de las víctimas fatales y al 100% de las víctimas leves y graves fluctuaba en la región entre US$ 3.600 millones y US$ 5.600 millones, cifra que representa entre el 4 y el 7% del gasto nacional total en salud del conjunto de los países de la Región delimitada. Para las pérdidas económicas debidas a las muertes prematuras y a las discapacidades producto de la violencia, el estimativo fue de US$ 11.400 millones para la misma Región.

En Colombia el principal factor de AVPP es, de lejos, el conjunto homicidio-accidentes. Para 1991 dicho conjunto respondió por el 39.9% del total de AVPP, seguido de las causas perinatales, responsables del 13.3%[42]. Según la misma fuente, en la década comprendida entre 1983 y 1992, la proporción de AVPP por causas relacionadas con violencia y accidentes tendió a aumentar. Si se parte de que la Esperanza de Vida al Nacer -EVN- de un colombiano promedio es hoy de 69 años y de que la edad promedio de las víctimas de homicidio es de 29 años, resulta que por cada asesinato se pierden en promedio 40 años de vida potencial. Si estimamos en aproximadamente 30.000 el número de homicidios al año, resulta que *anualmente el país pierde por homicidios 1.200.000 años de vida potencial*. Mientras en 1983 la violencia y los accidentes representaban el 17% de la mortalidad total del país, en 1991 dicho porcentaje se elevó al 27%. Es decir: *de cada cuatro colombianos muertos, uno muere por violencia y accidentes*. Antioquia, que tiene una alta participación en la tasa de homicidios, calculó en 64.833 el número de AVPP por dicha causa para 1982, equivaliendo al 20% del total de AVPP. Para 1992 el número de años se elevó a 507.200 y el porcentaje alcanzó la escandalosa cifra de 84%.[27] En cuanto a la denominada carga de la enfermedad estimada en los AVISA, los homicidios tienen el mayor peso. Para el período 1989-1991 ellos respondieron por 1.356.675 AVISA, representando el

---

42 Ministerio de Salud: *La Salud en Colombia: diez años de información*. Santafé de Bogotá, 1994.

24.6% de su total, porcentaje que duplica el atribuible a las enfermedades cardiovasculares[43]. Tiene lógica la hipótesis de que, si no fuera por la violencia, la esperanza de vida promedio de los colombianos sería hoy superior a los 69 años que se estima. El hecho probado de que la esperanza de vida de la población femenina sea superior a la masculina y de que el diferencial tienda a incrementarse así lo indica.

En términos monetarios las cifras son aún parciales y de poco rigor, o demasiado globalizantes y con unidades aún sujetas a discusión. Basada en un estudio del Departamento Nacional de Planeación, una publicación económica nacional[44] divulgó recientemente algunas cifras acerca del costo total de la violencia en Colombia. Según la publicación, cada año el país gasta por concepto de violencia 6.2 *billones de pesos colombianos*. El total resulta de sumar los gastos en defensa, seguridad - pública y privada -, justicia, pagos por secuestros, costos por delitos contra el patrimonio público y privado y valor estimado de los homicidios. Sintomáticamente no aparece el estimativo de los gastos del sector salud. La cifra dice algo de la magnitud del problema, pero es imprecisa tanto por incluir rubros demasiado amplios, como por excluir otros demasiado esenciales.

Específicamente en el sector salud, en 1993 el entonces Ministro del ramo estimó en col$ 600.000 el costo promedio de la atención de un caso de trauma y en col$ 80.000 millones el costo anual de la atención de la violencia y el trauma en el país. Para el mismo año, el Director del Hospital Universitario San Vicente de Paúl de Medellín, entidad que debe dedicar la cuarta parte de sus camas a la atención de casos graves de violencia y que registra la tercera parte de sus egresos por atención a lesiones personales, estimó en $ 5.340 millones el costo de la atención del trauma en la institución, dando un promedio diario de col$ 15 millones. En 1990 la tercera parte del presupuesto total de dicho Hospital se gastó en cubrir los costos de hospitalización del rubro lesiones personales.[39] En 1994 el mismo hospital recibió en su servicio de urgen-

---

[43] Ministerio de Salud. *La carga de la enfermedad en Colombia*. Santafé de Bogotá, 1994.

[44] Portafolio. Semanario de Economía y negocios. *La Industria de la Violencia*. Año 3, No. 107. Santafé de Bogotá, 2-8 de Octubre, 1995.

cias de adultos un promedio mensual de 1.268 casos de trauma y violencia. Si se mantiene el mismo estimativo promedio de col\$ 600.000 por la atención de cada caso, tendríamos un costo mensual aproximado en la institución de col\$ 760 millones y un costo anual de col\$ 9.120 millones. ¿Quién paga estas cantidades, proyectadas ya a nivel nacional?

Otro grupo de costos insuficientemente valorado lo constituyen las secuelas orgánicas y las limitaciones síquicas y físicas dejadas tanto por las violencias directas no mortales, como por las consecuencias indirectas. Es el caso de la pérdida o limitación de extremidades u órganos, de las alteraciones del desarrollo y del funcionamiento sicológico, afectivo, intelectual y motor, y de la disminución de la agudeza sensorial y perceptiva. Tampoco son de menor cuantía los costos de la rehabilitación de las funciones recuperables. Ni lo son los incrementos en los costos de los servicios de Medicina Legal y Forense, esenciales para decisiones jurídico-penales y para el avance del trabajo científico-técnico en la importante frontera de los territorios médico-legales.

Posiblemente los costos mayores son incalculables en términos cuantitativos o económicos. ¿Quién puede estimar el costo de quedar huérfano o viuda? ¿Cómo valorar el impacto de una masacre sobre los parientes de las víctimas, sobre sus vecinos y compañeros de afectos y de luchas y sobre la población en general? ¿A cuántas unidades de dolor y de infelicidad constantes equivale contar para siempre con un desaparecido en la familia o en el círculo de amigos? Tienen costos difíciles de estimar contra el bienestar de las personas y de los grupos los desplazamientos y los exilios forzados por las amenazas y demás formas de violencia. No se disfruta igual, ni se duerme, trabaja o come de la misma forma antes que después de que un hijo es asesinado, un pariente desaparecido o una amiga violada. La salud mental es una de las cajas de resonancia interior de la violencia padecida directa o indirectamente. Y lo son también el tracto gastrointestinal, el cerebro y la presión arterial. Es posible que la dosis diaria de risa de los colombianos haya disminuido significativamente en la última década, en buena parte debido a las múltiples violencias padecidas. Y hay indicios que deben comprobarse rigurosamente de que han aumentado las consultas y/o el consumo de medicamentos por depresión, gastritis, cefalea e insomnio.

3. El Sector salud frente a la violencia en Colombia

Por descontado el reconocimiento al sector en su conjunto y a cada uno de sus agentes en particular por el esfuerzo cotidiano en responder, con limitaciones en ocasiones extremas, a las diarias demandas derivadas de la atención a las víctimas de la violencia. Hay allí muchas historias aún no contadas de genialidad, solidaridad y heroísmo. El objeto de estas reflexiones finales es perfilar los diferentes frentes en los cuales es posible, desde el sector y en conjunto con otros sectores, contribuir a enfrentar el problema de la violencia y a encontrar alternativas de formas de convivencia ciudadana. Puede enunciarse una hipótesis preliminar para ordenar la discusión y tratar de avanzar: la respuesta de las diferentes instituciones del sector salud de Colombia frente a la violencia es aún insuficiente e inadecuada en relación a la magnitud, dinámica y tendencias del problema.

Dos autocríticas para empezar. La primera: en ocasiones el sector salud en lugar de contribuir a enfrentar y atenuar la violencia, se convierte en generador de más violencia. Estructuralmente, la descubertura en salud de casi la tercera parte de la población colombiana, es una forma grave de violencia. Además, cuando el sector por intermedio de alguno de sus agentes impone autoritariamente sus pautas y decisiones, o pretende desconocer elementos importantes de la subjetividad del paciente, puede incurrir en abiertas violaciones de derechos humanos y en consiguientes actos de violencia. En la atención de mujeres sexualmente violadas, o en la imposición de procedimientos e internaciones pueden encontrarse frecuentes ejemplos. Y la segunda autocrítica: generalmente nos quedamos cortos frente al problema de la violencia. Es decir: la fundamentación conceptual, los mecanismos de ejercicio profesional y la asimilación y apropiación de determinados roles sociales, nos llevan con frecuencia a reducir la práctica y el saber médico a parcelas pequeñas de la realidad, para el caso, la de la violencia. De esta forma, terminamos por desconocer la identidad, magnitud y dinámica del problema en cuestión, empobreciendo el aporte sectorial potencial y contribuyendo al fraccionamiento indebido de su conocimiento y enfrentamiento.

En principio pueden distinguirse tres tipos de instituciones del sector salud que necesariamente tienen que relacionarse con la violencia y de los cuales tiene derecho la sociedad a demandar mejor respuesta y mayor colaboración. Son ellos: las instituciones formadoras de personal para el sector; las encargadas de la atención y recuperación de las víctimas, y las responsables de la orientación, gestión, financiamiento y evaluación del sector.

Igual si se miran los planes de estudio que los contenidos temáticos, los campos de práctica que las líneas de investigación, las habilidades cultivadas que las horas dedicadas al tema, puede confirmarse que existe un enorme desfase entre la magnitud del problema de la violencia en Colombia y la importancia que realmente se le da *en el proceso de formación* de los técnicos, auxiliares, profesionales y especialistas del campo de la salud. Ya era hora de tener una integración más orgánica, fundamentada y persistente de los distintos aspectos del tema a los diferentes momentos del proceso formativo. Si la magnitud social del problema tuviera una correlación positiva con los intereses, los contenidos y la actividad diaria de la academia, la violencia - como objeto de conocimiento y de transformación y su enfrentamiento como responsabilidad social - debería ser un tema mucho más presente a lo largo del ciclo formativo y merecer mayor esfuerzo intelectual y mayor creatividad para diseñar estrategias, mecanismos y acciones de respuesta. En respuesta a la segunda autocrítica anteriormente planteada, la reacción de las escuelas frente a la violencia debe cuidarse de una especie de medicalización de la violencia, es decir: de reducirla a la lógica bionatural y de pretender enfrentarla con los recursos y las disciplinas tradicionalmente utilizados por las diferentes profesiones de la salud. Por su naturaleza, dinámica, significados e implicaciones la violencia requiere una comprensión y un manejo intersectorial e interdisciplinario, multiprofesional y participativo. Hay que superar la ignorancia y los prejuicios frente a la economía y al derecho, la sociología y la ética, la historia y la filosofía. Hay que asomarse a otros escenarios por fuera de los consultorios y los hospitales, escuchar a otros interlocutores diferentes a los pacientes, asociarse con nuevos actores y emprender nuevos frentes de trabajo.

Como parte de la comunidad académica nacional, *los investigadores* han cumplido un papel importante en el esclarecimiento del problema de la violencia en Colombia. Pero también aquí hay un desfase negativo entre la necesidad social y las prioridades científicas. Y es aún largo el camino por recorrer. Tanto la epidemiología como la medicina legal y las ciencias forenses, la vigilancia epidemiológica como los más modernos sistemas de información, la racionalidad socio-médica como las bases fisiopatológicas de la violencia y del trauma podrían y deberían tener en Colombia los mayores desarrollos científicos a nivel internacional. En la comprensión científica del problema y en el desarrollo de conciencia social frente a él, la academia tiene ante el país una tarea inconclusa.

Los *servicios asistenciales* han pagado una cuota alta en el enfrentamiento de las peores consecuencias de la violencia. Sus trabajadores han soportado la presión de las urgencias y del desespero de las víctimas y de sus familias. Las instituciones han tenido que multiplicar sus recursos, generalmente escasos, para atender una verdadera avalancha de demanda. Es preciso, no obstante, reconocer también que con frecuencia la respuesta ha sido más pasiva que activa y que los recursos son aún insuficientes en relación a la naturaleza, dinámica y magnitud de la violencia. Formado el personal sin suficiente visión y capacitación para entender y atender el problema, estructurados los servicios para determinadas formas y tipos de atención, y limitados estructuralmente por graves carencias, es aún precaria su adecuación a las necesidades impuestas por la violencia. Ella demanda comprensión sicológica; equipo multiprofesional de respuesta rápida y trabajo coordinado y en red; mecanismos ágiles de intervención y remisión; materiales, equipos y distribución espacial adecuados; elaboración y sistematización de la experiencia asistencial y mecanismos permanentes de evaluación y ajuste. Pero además, sin diluir su responsabilidad asistencial, las instituciones deberían trabajar directamente y apoyar e intensificar acciones en los frentes de *la prevención* del problema, de *la promoción de la salud y de la defensa de la vida*. Estos frentes requieren acciones intersectoriales, algunos recursos adicionales y capacidad de nuevas relaciones, actividades y riesgos. Obviamente no puede pedírsele a los servicios asistenciales la solución del problema, pero sí tienen un papel importante en un punto muy sensible del problema. Y contribuirían mucho más a atenuar el impacto, a ahorrar dolor y vidas y a reducir costos si en su orientación, estructuración, funcionamiento y financiamiento la violencia tuviera una importancia real, proporcional a su magnitud.

Referido a su objeto y a sus frentes de acción, algo similar a lo anterior puede afirmarse en relación con las *instancias e instituciones dedicadas a la formulación de políticas*, a la toma de decisiones, al financiamiento, programación, gestión y evaluación del sector salud. No se pretende reestructurar todo en función de la violencia. Pero resulta contraproducente y muy costosa una actitud de desconocimiento o subvaloración reales del problema. No puede darse un tratamiento marginal o sólo sintomático o, peor aún, de oportunidad política, a un problema que responde por la cuarta parte de las muertes y por la tercera parte de los servicios prestados por el sistema de salud. Conviene enfatizar una vez más la necesaria intersectorialidad e interinstitucionalidad requerida para el correcto abordaje del tema-problema. Y conviene destacar también la importancia de la cooperación internacional y de la articulación de las políticas y planes nacionales con las internacionales sobre el mismo problema para tratar de potenciar los esfuerzos y recursos.

En un reciente documento propuse articular el trabajo científico y político de la corriente médico social a nivel internacional en torno a *la construcción e implementación de una agenda por la vida*[45]. Si la salud es la vida en presente positivo, y si la violencia constituye hoy en Colombia la principal amenaza y la mayor realidad de signo contrario al bienestar y a la vida, con mayor razón conviene, más allá de las acciones e intervenciones particulares y sectoriales, convocar a articular también todo el trabajo del sector salud, de la epidemiología y de la salud pública frente a la violencia en Colombia alrededor de *una gran movilización en defensa del derecho a la vida y a la salud*. Ello implicaría una clara decisión de política general y de opción en los niveles individuales y colectivos, una serie de acuerdos intra e interinstitucionales a nivel local, regional y nacional, una priorización de aspectos, tareas, recursos y mecanismos y una activa participación de los medios de comunicación a favor del proyecto. Además del poder de convo-

---

[45] Franco, Saúl. *La salud al final del milenio. Análisis Político*, No. 24: 51-64. Santafé de Bogotá, Enero- Abril, 1995.

catoria y de la ruptura de la apatía y tolerancia a la violencia, la agenda por la vida y la movilización por su defensa y la de la salud, puede convertirse en un mecanismo concreto de participación ciudadana, de reformulación de la acción estatal y de creación o reforzamiento de sociedad civil. Y todo ello es esencial para revertir en un plazo razonable el intolerable espiral de violencia que hoy registramos y padecemos.

VIII
La lucha por las siete llaves: Minorías Étnicas en Colombia

Luis Guillermo Vasco Uribe

Primer recorrido

Los indígenas del Cauca dicen que conocer es recorrer. Pero, no sólo podemos recorrer con nuestros pies sino que podemos recorrer también con nuestra mente. Para iniciar, entonces, vamos, con nuestro pensamiento, a hacer un rápido recorrido por·lo que hoy, en este momento, constituye el territorio de la república de Colombia.

Al comenzar por los ardientes desiertos de la península Guajira, encontramos allí, asentada desde hace siglos, a la población wayú, conformada por no menos de 300.000 personas repartidas entre Colombia y Venezuela.

Si continuamos avanzando hacia el sur, nos encontramos de repente con el gigantesco macizo de la Sierra Nevada, en el cual habitan poblaciones descendientes de los antiguos tayrona: los ik o arhuacos, los kogui, los wiwa y, ya en las vertientes, los kankuamos y los chimilas.

En el costado izquierdo de nuestro descenso, sobre la Serranía del Perijá y a ambos lados de la frontera, habitan los yupkas o yukos y los barí.

Y, si continuamos nuestro viaje, de norte a sur, de occidente a oriente, vemos que casi toda la geografía colombiana está ocupada por pueblos indígenas: los embera, en el sur de la Costa Atlántica y, junto con los waunaan y tule-kuna, en la Costa Pacífica, no ·solamente de Colombia sino también de Panamá y Ecuador.

Llenando la zona andina, muiscas de la sabana, guambianos, yanaconas y paeces del Cauca, pijaos en el Tolima, pastos, quillacingas, kamsá e ingas en las tierras altas del sur de Nariño y en el Alto Putumayo. En las estribaciones orientales del Cocuy, cobijados a la sombra de las nieves, los tunebos o uwas.

Y si continuamos, ya no por las cordilleras, con sus tierras templadas y frías, sino desbordándonos sobre los llanos y la selva, el número y variedad de estos grupos y de sus lenguas se multiplica. Los sikuani, cuivas y betoyes, los sálibas, makaguanes y piapokos en los llanos. Y, ya en la selva, los grupos que hablan lenguas arawak, aquellos que hablan tukano, los huitotos, sionas, kofanos, decenas que conforman el inmenso mosaico étnico que constituye la amazonía colombiana, y que se extiende más allá, por Brasil, Perú y Venezuela.

En su conjunto, no menos de 80 sociedades diferentes, que hablan cerca de 60 lenguas distintas.

No son sólo los indígenas, sin embargo, los que conforman étnicamente a Colombia. Los grupos negros o afrocolombianos ocupan también, en un número más amplio, una gran parte de la geografía más cálida, más tórrida de nuestro país. En las costas, en los valles de los ríos Magdalena, Cauca y Patía. También, todavía en el silencio, como lo estuvieron hasta no hace mucho los indígenas y los afrocolombianos, otra minorías, como los gitanos, recorren o se sedentarizan dentro de las fronteras de este territorio.

Con la constitución política aprobada en 1991, parecería que por primera vez en la historia de nuestro país, estos grupos han alcanzado un reconocimiento y un respeto.

Segundo recorrido

Para llegar allí y para entender si esto realmente es así, precisamos hacer otro recorrido. Un recorrido con nuestra palabra, a través del pensamiento. Para entender porqué, si cuando llegaron los españoles había varios centenares y, según algunos, miles de grupos aborígenes diferentes, con más de 20 millones de población, encontramos ahora sólo unos 80 grupos diferentes, con una población sobre cuyo número nadie logra ponerse de acuerdo. Quienes hablan de 300 mil, quienes hablan de medio millón, quienes hablan hasta de un millón de indígenas.

Algo parecido ocurre con los afrocolombianos. Algunos, incluso, afirman que la tercera parte de la actual población colombiana es, al menos en su origen, afrocolombiana. Población que, además, ocupa, en forma creciente, espacios considerables en algunas de las principales ciudades del país.

Para entender también por qué estas poblaciones, indias y negras, han estado sometidas a un proceso que, sobre todo en el período republicano y so capa de los derechos del hombre de libertad, igualdad y fraternidad, pregonados por la revolución francesa y por nuestros dirigentes, han estado sometidas no solamente a un permanente proceso de despojo de sus territorios, de saqueo de sus riquezas y recursos humanos y naturales, de su fuerza de trabajo, sino también a un proceso persistente de negación de pensamiento y de cultura.

Para ello, no es necesario remontarnos a las discusiones de los grandes teólogos de los primeros años de la conquista y de la colonia para decidir si los indios y los negros eran gente, si tenían o no alma, para concluir, finalmente, en que los indios sí la tienen, pero que de los negros no se puede decir nada con seguridad.

Tampoco dilucidar si esto pertenece o no a la leyenda negra de la conquista y de la colonia, si sólo fue algo de las primeras épocas o sólo del oscurantismo colonial y terminó con la luz de la libertad.

Quiero referirme, sí, en este recorrido por el pensamiento, a algunos de los fundadores de la Colombia moderna de este siglo, a los próceres de los partidos y las clases que todavía nos gobiernan, para entenderlos. Si mencionáramos, si nos encontráramos en nuestro recorrido con gente del siglo pasado, podría pensarse que nuestro país realmente se ha hecho moderno sólo en este siglo y que no vale la pena recordar aquellos momentos de su infancia.

En 1907, Rafael Uribe Uribe, cuya importancia todos reconocen, miraba así el problema de los indígenas en Colombia. En una memoria significativamente titulada Reducción de los salvajes, escribía al Presidente de la República, al Congreso y a todas las altas autoridades del país, entre muchas otras cosas, la siguiente:

> *Como se ve, la población cristiana posee apenas una reducida porción de la parte central de esa enorme área llamada Colombia: casi toda la circunferencia está en poder del salvaje, que posee también las regiones más fértiles... De manera que en la mayor porción del suelo patrio no pueden establecerse familias nacionales o extranjeras sin exponerse a los ataques de los bárbaros... De donde se deduce que domesticarlos... equivale a verificar la conquista de un territorio casi del tamaño de Europa y con certeza más rico... Evidentemente, el hecho de la existencia de 300.000 bárbaros dominando la mayor parte del territorio colombiano, donde no puede penetrar la civilización, por el obstáculo que le oponen esos miles de salvajes, muchos de ellos aguerridos y que no entienden nuestra lengua, pudiendo hacer, como ya sucede, irrupción contra los cristianos, es un embarazo para el progreso y un peligro que crecerá en razón directa con la multiplicación de los indios... Repito que la cuestión no versa únicamente sobre la utilidad que de ellos podemos sacar, sino también sobre los riesgos y gastos que se nos impondrán si no cuidamos de amansarlos desde ahora. Abandonados a su natural desenvolvimiento, no tardará el día en que tengamos que derramar su sangre y la nuestra para contenerlos.*[1]

---

[1] Findji, María Teresa. *Relación de la sociedad colombiana con las sociedades indígenas*, en Boletín de Antropología, vol. V, Nos. 17-19, Departamento de Antropología, Universidad de Antioquia, Medellín, 1983, pp. 500-501.

Y, agrega:

> *El constante testimonio de la Historia y de la experiencia con-*
> *temporánea demuestran que dondequiera que una raza civili-*
> *zada se pone en contacto con una raza bárbara, se plantea ipso*
> *facto este dilema: la primera se ve forzada a exterminar o escla-*
> *vizar la segunda, o enseñarle su lengua.*[2]

Resulta sorprendente, si tenemos en cuenta lo que se nos ha
solido enseñar y lo que constituye nuestro pensamiento común,
que uno de los prohombres del partido liberal, nos cuente, en este
siglo, que la conquista todavía no ha terminado y que Colombia
tiene por conquistar unos territorios y una población más grandes y más ricos que Europa.

Sin embargo, todo parece indicar que, pese a las a las políticas
que se pusieron en práctica para lograr eso (Uribe Uribe recomen-
daba un plan de *domesticación de los bárbaros* con la utilización simultánea de colonias militares, cuerpos de intérpretes y misioneros), los grupos indios no permitieron que terminara la conquista.

En los años 20, en un debate en el Senado, una de las *glorias*
nacionales, el poeta payanés Guillermo Valencia, el mismo que acudió en 1917 al Puente del Humilladero en Popayán, con toda la
clase dirigente, con sus políticos, terratenientes, poetas y obispos,
a burlarse, insultar y escupir al indio Quintín Lame hecho prisionero, nos dice, en una forma no tan poética:

> *Las agrupaciones de la primera clase (indígenas en posesión de*
> *un territorio continuo subdividido en resguardos) tienen suma*
> *importancia para la vida nacional. Constitúyenlas restos de an-*
> *tiguas tribus bárbaras que conservan los instintos atávicos de*
> *crueldad, de desconfianza y odio al blanco. Las parcialidades de*
> *Tierradentro son modelo preciso de tal género. Descendientes*
> *de los antiguos paeces, mantienen su instinto guerrero y guar-*

---

[2] Citado por: Pineda Camacho, Roberto. *La reivindicación del indio en el pensamiento*
social colombiano (1850-1950), e: Jaime Arocha Rodríguez y Nina S. de Friedemann (eds.):
Un siglo de investigación social. Antropología en Colombia, Etno, Bogotá, 1984, p. 207).

dan siempre vivo el ímpetu de reconquista. Cerrados a todo in-
flujo que provenga del blanco, sólo la voz del sacerdote alcanza
un poder limitado sobre ellos... Es desalentadora la obra de asi-
milación que se intenta sobre ellos...

Es menester que la República obre ya directamente sobre aque-
llos núcleos, sacando el problema del romanticismo palabrero al
de la realidad sociológica. Es urgente la similación de aquellos
grupos, su inserción en nuestra vida orgánica. Es menester aca-
bar con aquellas costumbres ancestrales que paralizan en ellos
toda iniciativa, que los llevan a borrar en sus hijos hasta las
huellas de civilización que penosamente les imprimen en almas
y cuerpos. Es menester transformar en colombianos aptos aque-
llos exponentes de inutilidad aborigen que se consumen en la
desidia, el rencor y el desaliento. Para esto es indispensable ir
con mano resuelta a la división de los resguardos...

La República se sorprenderá cuando sepa de qué es dueña en las
mejores tierras del macizo andino, sobre todo en la Cordillera
Central. Minas de oro, fuentes saladas, caleras, bosques
preciosísimos, mantenidos hoy bajo siete llaves por quienes son
incapaces de beneficiarlos y que se abrirán francos a la compe-
tencia nacional.[3]

Todavía, nos dice Guillermo Valencia, esta vez sin metro y sin
rima, inmensas riquezas están en manos de los indios y Colombia
está en mora de conquistarlas.

Pasan los años y nos encontramos, ya en los albores de la década del treinta, con quienes orientan el país y proponen sus programas de gobierno. Oigamos, porque la letra escrita lo permite,
a Laureano Gómez en su conferencia de 1929 en el Teatro Munici-
pal de Bogotá. No vamos a compañarlo en todo su recorrido por
la geografía patria, cuya idea central es la misma de Valencia que
acabo de mencionar, pero ya no referida sólo a los indios, sino a
Colombia: somos un inmenso depósito de riquezas naturales que
no somos capaces de aprovechar.

---

[3] Exposición de Motivos del proyecto de ley *Sobre división de resguardos indígenas*, 12
de septiembre de 1924, pp. 8-10.

Miremos su análisis de nuestra población, de nosotros mismos, de este pueblo y este país que él gobernó y que sus descendientes, por parentesco o por pensamiento, han seguido gobernando y aspiran a gobernar. Después de pasar revista a nuestra herencia española, muy noble de sangre, muy regular de cultura, pues España sólo produce guerreros y santos, como él nos dice, pero no creadores de civilización ni de cultura, añade:

> Nuestra raza proviene de la mezcla de españoles, de indios y de negros. Los dos últimos caudales de herencia son estigmas de completa inferioridad.[4]

Luego continúa:

> Otros primitivos pobladores de nuestro territorio fueron los africanos, que los españoles trajeron para dominar con ellos la naturaleza áspera y huraña. El espíritu del negro, rudimentario e informe, como que permanece en una perpetua infantilidad. La bruma de una eterna ilusión lo envuelve y el prodigioso don de mentir es la manifestación de esa falsa imagen de las cosas, de la ofuscación que le produce el espectáculo del mundo, del terror de hallarse abandonado y disminuido en el concierto humano.

> La otra raza salvaje, la raza indígena de la tierra americana, segundo de los elementos bárbaros de nuestra civilización, ha transmitido a sus descendientes el pavor de su vencimiento. En el rencor de la derrota, parece haberse refugiado en el disimulo taciturno y la cazurrería insincera y maliciosa. Afecta una completa indiferencia por las palpitaciones de la vida nacional, parece resignada a la miseria y a la insignificancia. Está narcotizada por la tristeza del desierto, embriagada con la melancolía de sus páramos y sus bosques (ibid., pp. 46-47).

Pero los políticos, y sobre todo cuando están en plan de dirigir un país, de fijar los derroteros que lo han de llevar hacia adelante, no solamente analizan, también concluyen, y esta es la conclusión de Laureano Gómez:

---

4 *Interrogantes sobre el progreso de Colombia*, Editorial Revista Colombiana, Colección Populibro, No 29, Bogotá, 1970, p. 44.

Bástenos con saber que ni por el origen español, ni por las influencias africana y americana, es la nuestra una raza privilegiada para el establecimiento de una cultura fundamental, ni la conquista de una civilización independiente y autóctona (ibid., p. 49).

Y termina:

El problema se llena de sombras cuando se considera que la situación de nuestro país en el globo terrestre establece una suerte de determinismo geográfico. La distribución del calor y de la humedad no hace apto nuestro territorio para el establecimiento de una buena organización social. Somos una especie de inmenso invernadero, un depósito de incalculables riquezas naturales, que no hemos podido disfrutar, porque la raza no está acondicionada para hacerlo. Pero en nuestra vecindad inmediata, encima del Trópico de Cáncer, hay una vasta sociedad humana, definitivamente constituida e industrializada, la que habita la América septentrional, o sea, en la zona templada y fría, que ambiciona y que necesita disfrutar del inmenso almacén de materias primas que se encuentra en nuestro suelo, y que posee todos los recursos y la técnica necesarios para aprovecharlos.

Hallámonos, pues, en presencia de un conflicto biológico. Las agrupaciones formadas en marcos naturales idóneos tienden a desbordarse sobre aquellas otras en que el hombre, peor instalado, no domina; antes, es dominado por la exuberante naturaleza, que al mimarlo, brindándole una vida fácil, aunque miserable... lo reblandece y subordina a los que se fortalecieron en ásperas batallas por la conquista de un positivo bienestar y fueron además favorecidos por otras circunstancias como la sangre, la posición y los contactos con la cultura universal.

Horroriza pensar que el desenlace esté ya escrito en el libro del destino de América. ¿Seremos ineluctablemente presa de los americanos del Norte? (ibid., pp. 52-53).

Se trata, además, de un pensamiento consistente. Del mismo modo como Valencia mira los indios y su relación con la sociedad colombiana, Gómez nos mira a nosotros mismos y nuestra relación con los Estados Unidos de América del Norte. Y las conclusiones son idénticas: así como nosotros necesitamos ser dueños de las riquezas de los indios, los Estados Unidos pueden y necesitan ser dueños de las nuestras.

Pero, se dirá, ese es el ideario de la derecha conservadora. Oigamos, entonces, en los años 40, a uno de los fundadores de la ciencia social colombiana, a uno de los precursores de la sociología, a una de las personas que como ministro de educación en el gobierno de Alfonso López Pumarejo, tuvo mucho que ver con la existencia y desarrollo, con la modernización de la Universidad Nacional, Luis López de Mesa.

López se pasea por Colombia, recorre nuestro territorio, y éste hace surgir en su conciencia liberal los mismos sentimientos e idénticas reflexiones que aquellas que provoca en la supuestamente antagónica mentalidad conservadora. No voy a extenderme contando cómo él mismo reconoce que la selva le produce pavor y le genera dudas acerca de cómo puede vivir el ser humano en ese inmenso caos que lo aprisiona, *en ese ambiente de lo inesperado, de la traición, de lo inextricable y sombrío,* en donde la vista no tiene horizonte, en donde los pies no pueden caminar en línea recta hacia adelante, en donde el hombre se ofusca por los rigores del trópico.[5]

Voy a citar solamente dos pequeños apartes:

Este cuadro tiene aspectos excepcionales por ambos extremos. En las capas inferiores de predominio aborigen, tanto en ciudades como en regiones campesinas, se observa todavía la moral relajada de un pueblo ignorante y deprimido durante los siglos de la colonia, y tal vez no preparado nunca antes para las reacciones de una ética espiritual... De ahí que sea notable todavía un comportamiento indeseable, tal el poco respeto por la propiedad ajena, la crueldad fría, casi torpe, de sus castigos y venganzas, la incuria en sus relaciones sexuales, que va hasta el inces-

---

[5] López de Mesa, Luis. *De cómo se ha formado la nación colombiana,* Bedout, Colección Bolsilibros, Medellín, p. 51).

to, la mentira y la falsedad en todas sus formas, la embriaguez
que busca para alejarse de la realidad y como única expansión
de ánimo o lenitivo a su alcance (ibid, p. 75).

Para terminar diciendo:

Sobre estas materias de la civilización de los aborígenes ameri-
canos la historia y la sociología tienen una palabra que añadir:
y es que sólo el cruzamiento con las razas superiores saca al
indígena de su postración cultural y fisiológica. De ahí que el
esfuerzo catequista de varios siglos en nuestras selvas del sur y
en las estepas del oriente, con un gasto que ya monta a muchos
millones desde el tiempo de la colonia hasta nuestros días, no
está representado por nada, por absolutamente nada que no sea
el relato anual de los inmensos sacrificios que hacen los misio-
neros en meterse en esas desoladas regiones de cuando en cuan-
do para bautizar por la décima vez a los mismos salvajes que
eternamente permanecen salvajes. Son cincuenta mil indios que
allá viven, que allá han vivido, y cuya educación total en Oxford
habría costado a la República menos tal vez que la secular tarea
de evangelizarlos cada año nuevamente (ibid., p. 113).

No es, por supuesto, con la población colombiana que hay que
cruzarlos; no somos nosotros, los colombianos, quienes constitui-
mos las razas superiores que podemos sacar a los indios de su
postración y su miseria cruzándonos con ellos. Son, en el programa de López, los europeos, y su propuesta es estimular una gran
emigración europea para que se cruce con los indios; y, aunque
no lo dice, su análisis de lo que es la raza colombiana mestiza
permite deducirlo, también con nosotros.

El exterminio

Con esta clase de pensamiento campeando entre las clases dirigentes, podemos entender que a finales de los años 60, para
mencionar solamente un caso, se produzca un acontecimiento que
horrorizó a una parte del país en esa época, la llamada masacre de
La Rubiera. Una comunidad de indios cuivas fue invitada a una
hacienda ganadera a comer y, mientras lo hacían, 18 de sus 20
miembros, hombres, mujeres y niños, fueron masacrados a bala y

machete; luego, arrastraron los cadáveres amarrados a la cola de los caballos hasta un lugar vecino y allí los rociaron con gasolina y los quemaron. Cuando fueron detenidos los asesinos, su defensa se basó en un argumento, que primero se creyó inventado y que luego resultó verdadero: no sabíamos que matar indios era malo, pensamos que los indios son como las fieras salvajes, como las plagas; no sabíamos que matar indios era malo.

Lo más golpeante es que el jurado acogió su tesis y los absolvió. Y se descubrió que existía, en una vasta región del país, el verbo guahibiar, que significaba salir de cacería a matar guahibos; y que no era extraño entre la población colona de los Llanos Orientales salir a pie o a caballo, con perros y fusiles, a cazar guahibos; que la masacre de La Rubiera no era solamente el caso patológico de un familia o un grupo de colonos que había asesinado a 18 indígenas, sino que era una práctica común y aceptada social y judicialmente en los Llanos.

Fue necesaria una vasta protesta nacional, un gran clamor de indignación, para que se declarara contraevidente el veredicto, se trasladara el juicio al centro del país y esos colonos, y sólo ellos y no aquellos que durante decenas de años habían guahibiado, fueran juzgados y condenados.

Entendemos porqué se encuentran todavía comunidades en distintas regiones del país que, frente a los colombianos, a quienes orgullosamente expulsamos de nuestro territorio el dominio español, nos llaman, nos dicen: los españoles; comunidades indígenas en cuyo pensamiento, como resultado de la continuidad de sus condiciones de vida y de relación con la sociedad nacional, no han descubierto todavía que existió la independencia, no saben todavía que los españoles se fueron, y afirman, cuando se va a hablar con ellos, que la guerra de conquista continúa; y que, cuando llegamos los orgullosos colombianos, nos dicen: ¡españoles!

La organización y la lucha

Y comprendemos, entonces, por qué los salvajes, los bárbaros, los indios, -o los indígenas, como eufemísticamente queremos llamarlos ahora-, comenzaron a organizarse y a luchar otra vez a inicios de los años 70, a dar la pelea en esa guerra de conquista que Uribe Uribe nos recuerda que continúa, que Guillermo Valencia nos incita a continuar, y que los indígenas paeces de la época, víctimas de la violencia de los años 40 y 50, de la violencia de los años 60, afirman, cuando comienzan su organización, que todavía no termina.

En ese trasfondo, en una visión de guerra de conquista y de guerra de reconquista, como lo alcanza a percibir Guillermo Valencia, o de resistencia, como otros la llaman, logramos entender el fenómeno que comienza a desarrollarse a comienzos de los años 70. Siguiendo la tradición de lucha de Quintín Lame en los años 20, continuando la tradición de lucha de la insurrección de los wayú en la misma época, la de los tunebos en los años 30, los indígenas, primero los del Cauca y, luego, como un inmenso río, los de todo el país, comienzan a organizarse para recuperar, como ellos mismos lo dicen, su tierra, su autoridad y su cultura, con organizaciones específicamente indias.

Y no es por ignorancia que se organizan como indígenas, pues han ensayado los sindicatos, han probado las ligas campesinas, uno de sus dirigentes, José Gonzalo Sánchez, estuvo afiliado al partido Comunista, viajó a la Unión Soviética y conoció su experiencia. Decantados todos los ensayos que tuvieron lugar entre los años 20 a 70, desde aquella lejana época en que Quintín Lame presidió la mesa directiva del primer congreso obrero nacional, a partir del cual comenzó a existir el movimiento obrero colombiano organizado a escala nacional, desde ese momento, los indígenas ensayaron sin resultado todas las formas de organización que les ofrecía nuestra sociedad, y entendieron una lección que los dirigentes arhuacos de la Sierra Nevada sintetizaban así: no queremos que nadie use autonomías sobre nuestra autonomía.

Decidieron, pues, organizarse como indios, con formas de organización nuevas, como lo era en ese momento el Consejo Regional Indígena del Cauca, un consejo de autoridades indígenas, relacionado con distintos sectores de la sociedad colombiana, pero propio. Y la semilla prendió. Por todo el país surgieron consejos regionales indígenas: del Vaupés, del Tolima, de Caldas y Risaralda, etc. ¿Para aislarse?, ¿para independizarse, como a veces se dijo? No; para tener en cuenta la desigualdad.

Luciano Quiguanás, uno de los dirigentes indígenas del Cauca en ese momento, sobreviviente de varias masacres realizadas por los pájaros al servicio de los terratenientes, nos da su idea de qué es la desigualdad. Lo dice así:

Todos no somos los mismos... entiendo que todo no es igual.[6]

Esta declaración, claramente contraria a los derechos del ciudadano proclamados por la revolución francesa, especialmente aquel de la igualdad, tiene una explicación. Uno razona: es cierto, indios y blancos no son iguales, Quiguanás tiene razón. Pero no es eso lo que él piensa. Oigamos su explicación:

Antes, los que eran blancos, todos eran al pie de los grandes terratenientes y, aún más, los indígenas mismos. Entonces era, pues, desigualdad. Y ahora, a través de la explotación misma, se ha abierto mucho dentro de la mente... Ahora sí un poco se ve media parte igual...

No conocían, no sentían la explotación, y eso era pues, que no había igualdad de conocimiento. Y todo el mundo, los explotados -tanto los indígenas y los blanquitos víctimas de la misma explotación- no sentían y no pensaban a luchar unidos. Entonces, eso era, pues, la desigualdad. Era los blancos entre los blancos y los indígenas entre los indígenas; entonces, eso era pues la desigualdad (ibid.).

No podría resumir aquí lo que significaron tres décadas de lucha indígena, de guerra indígena, porque los indígenas comprendieron que hay formas y variedades de guerra, que no sólo con balas se libran las guerras, que no sólo con balas se vive o se muere. En los momentos de ese comienzo, Trino Morales, indígena guambiano, presidente del CRIC, que luego llegaría a ser el primer presidente de la Organización Nacional Indígena de Colombia, ONIC, decía:

No sólo con balas nos acaban; no solamente con bayoneta nos matan. Nos pueden matar de hambre y nos pueden matar con sus ideas.

---

[6] Citado por: Bonilla, Víctor Daniel. *Pensamiento político del indio de hoy. Habla un gobernador páez,* en Semanario Cultural de El Pueblo, No. 129, Cali, 1978, p. 10)

Se nos mata con las ideas cuando se nos destruye como indios.
Cuando se hace creer a todo el mundo que el ser indio es ser
animal ruin, perjudicial para la comunidad. Y se nos mata con
ideas cuando a nosotros mismos nos meten en la cabeza que es
vergonzoso seguir nuestra propia cultura, hablar nuestra pro-
pia lengua, vestir nuestros propios vestidos, comer ciertas co-
sas que la naturaleza nos da o que nosotros producimos.[7]

Reivindicaron entonces la recuperación y conservación de sus territorios, la recuperación de sus autoridades propias, de sus usos y costumbres, de su pensamiento y su cultura. Y en esa búsqueda y en esa lucha, muchos, muchos de esos participantes fueron víctimas de la guerra. No nos alcanzaría el espacio para nombrar aquí el inmenso rosario de muertos que tuvieron que desgranar entre sus manos los indígenas del Cauca, pioneros en ese movimiento, y los de todo el país; que se siguen desgranando; que se incluyen y se piensan como una parte más de esa pavorosa violencia que nos azota; y frente a los cuales habría que decir, como dice Luciano Quiguanás, no todo es igual, no todo tiene la misma significación.

Y se recuperaron tierras. En los dos primeros años de lucha indígena en el Cauca, mientras el Incora entregó a regañadientes 12 mil hectáreas, la lucha recuperó 50 mil. Pese a la oposición de las autoridades locales y regionales, los cabildos extinguidos, -pues en virtud de las medidas tomadas gracias a los consejos de estos dirigentes de las clases dominantes que hemos citado antes, muchos resguardos y muchos cabildos se extinguieron en el pasado-, comienzan un proceso de reconstitución de resguardos y cabildos, que se legitiman en virtud de lo que luego llamarían el Derecho Mayor, el derecho de ser legítimos americanos, el derecho de haber vivido y trabajado desde mucho adelante de los españoles en estas tierras.

Y, cuando uno oye hablar de Derecho Mayor, piensa inmediatamente que hay un derecho menor. Ese es uno de los descubrimientos que es posible hacer en el pensamiento y en la concep-

---

[7] *Nuestra lucha es tu lucha*, Asociación de Usuarios Campesinos, ANUC, Bogotá, 1974, pp. 13-14).

ción y la vida indígena: que no todo es igual, que todos tienen derecho, pero no el mismo derecho, que hay derechos mayores y menores.

Esa idea está expresada en un concepto guambiano que quiere decir: *es para todos; esto es de nosotros y de ustedes también*; concepto que no se puede decir sólo con la voz, que no se puede decir sólo con el pensamiento, sino que hay que decirlo también con el cuerpo: *esto es de nosotros y de ustedes también* (Luis Guillermo Vasco, Abelino Dagua y Misael Aranda: *En el segundo día, la gente grande (Numisak) sembró la autoridad y las plantas y, con su jugo, bebió el sentido.*[8]

Cuando se cuentan las historias de la conquista, cuando se habla de la conquista, el pensamiento indio nos da una versión de ella que nos parece extraña, pero que ojalá nos fuera familiar, que ojalá fuera la nuestra, la que orientara el pensamiento de este país, que no es la de borrar a los demás de la faz de la tierra para apropiarse de lo suyo y hacerlo nuestro, que no es la política que percibieron los aztecas con la llegada de los españoles y que se expresa en un poema nahuatl muy hermoso, que termina diciendo: *ellos vinieron a marchitar las flores, vinieron a marchitar nuestra flor para hacer que su flor floreciera*, visión de un derecho que se instituye como negación y desconocimiento del derecho del otro, pensamiento que se contrapone a aquel que dice: esto es de nosotros y de ustedes también.

En una versión guambiana de la conquista, que resumo, se habla así: los españoles vinieron a ocupar nuestras tierras y nosotros estábamos dispuestos a compartirlas con ellos, pero ellos las querían todas para sí, por eso tuvimos que luchar, y luchamos durante siglos y fuimos derrotados y, cuando nos derrotaron, nosotros les dimos el derecho de ocupar estas tierras y, todavía hoy, las siguen queriendo todas para sí.

---

[8] Correa, François (ed.): *Encrucijadas de Colombia amerindia*, Colcultura, Instituto Colombiano de Antropología, Bogotá, 1993, pp. 38-41.

La Constitución del 91 y el día de hoy

Con esta base, con esta idea de pensamiento, entendemos las palabras de Lorenzo Muelas, exconstituyente y exterrajero, siervo, siervo feudal en pleno siglo XX, que se levantó de su servidumbre con la lucha para venir ante el país en la Asamblea Nacional Constituyente a plantear su propósito y el de los indios, que no era únicamente el de reclamar sus derechos, que no era sólo pedir lo propio allá encerrados, perdidos, refugiados en sus resguardos, en sus selvas, páramos o desiertos, sino un deseo de que su lucha fuera para ellos y para nosotros también. Así lo habló Lorenzo:

> Hay una ciencia guambiana, pero esa ciencia está oculta. Debemos sacarla a la luz. Y con ella, combinada con lo mejor de la ciencia occidental, debemos guiar a nuestros hijos para tener un futuro propio y para fortalecernos mejor.
>
> Todo grupo étnico, sin su historia, no sabe de dónde viene, dónde está ni cuáles son sus metas. Es un orgullo existir después de 500 años de invasión y genocidio. Y lo es también conversar el propio idioma. El mundo evolucionó y no podemos ser estáticos, pero hay que evolucionar sobre las propias raíces y el propio pensamiento, afianzándolo con nuestra conciencia, de corazón y de cabeza.
>
> Los indígenas hemos contribuido al nacimiento y al desarrollo de este país. Y queremos seguir contribuyendo. Y, si el gobierno nos niega hasta ese derecho, entonces no hay nada que hablar. Amamos a este país porque los indígenas más que nadie sabemos lo que es perder la patria, lo que es perder el territorio.
>
> No hemos estado metidos en un hueco, no hemos estado encerrados, hemos andado, hemos aportado y queremos seguir aportando.
>
> Desde afuera nos han olvidado, han dicho que estamos encerrados, pero no quieren vernos, nos han dado por escrito lo que tenemos que hacer, sin tener en cuenta que tenemos derecho a ver nuestros propios horizontes.
>
> Si me matan, no importa, porque yo sé por qué muero.

No es entonces merced a los herederos y detentadores del pensamiento de nuestras clases dirigentes que los indígenas llegaron a la Asamblea Nacional Constituyente a dar su pelea, una pelea que, en mi criterio, perdieron. Aunque la visión que se ha dado por parte del gobierno, de los medios de comunicación y, en un primer momento de entusiasmo, por los indígenas, ha dejado en la opinión pública la idea de que fue un gran logro.

Voy a relatar aquí, para comenzar a ilustrar mi afirmación anterior, un pequeño episodio de la historia secreta y prohibida de la Asamblea Nacional Constituyente. Después de meses de trabajo, con base en las propuestas de los movimientos indígenas representados en la Asamblea, se aprobó una propuesta que recogía el reconocimiento de los indígenas como pueblos, que recogía una reivindicación sentida de reconstrucción económica y social. Y, cuando se llegó a las maratónicas sesiones de los últimos días, cuando se daba la segunda vuelta, la segunda votación que se precisaba para que las cosas quedaran aprobadas, el entonces Ministro de Gobierno, hoy Vicepresidente de este país, Humberto de la Calle Lombana, apareció ante la plenaria y dijo: el gobierno se opone a la aprobación en segunda vuelta de la propuesta que se aprobó en primera vuelta, porque implicaría el desmembramiento del país. Y esa constituyente, en ese caso como en otros, después de meses de trabajo y de reflexión, echó por la borda sus propias conclusiones ante el ultimátum oficial y sus miembros votaron en contra la propuesta.

¿Qué había que hacer, entonces? De la Calle expresó que no había que volver a negociar en las sesiones de la Asamblea, que la nueva negociación era con el gobierno. Y designó a uno de sus viceministros para que negociara con el movimiento indígena. Sobre la marcha, en 24 horas se hizo una nueva propuesta. Y, cuando de la Calle la conoció, no estuvo de acuerdo, desautorizó a su viceministro y dijo que ahora debían discutir con él. De esa confrontación y con el criterio de *del ahogado el sombrero,* surgió lo que plasmó la nueva carta política: una propuesta claramente integracionista, que incorpora los territorios, las autoridades, los usos y costumbres, la educación y el pensamiento indígenas a los de Colombia.

Pero no en vano habían transcurrido 30 años de lucha. Las cosas ya no podían formularse con los planes y el lenguaje asimilacionistas de los anteriores dirigentes de este país; era necesario un nuevo discurso. Por eso, se establece que los territorios indígenas se incorporan a la estructura político-administrativa del país en virtud de la constitución; que las autoridades indígenas entran a hacer parte de la estructura de autoridad nacional, lo que no era así antes de la carta del 91; los recursos naturales de los territorios indígenas pasan a ser recursos de este país. En general, se decreta por la constitución lo que en 1924 proponía Guillermo Valencia. El régimen liberal logra sacar adelante en el problema indígena la propuesta conservadora.

En estos tres años, los indígenas han descubierto que detrás del reconocimiento constitucional de sus territorios ha venido una andanada de leyes que los niegan. Se les niega el derecho al subsuelo y sus recursos; son de la nación. Se les niega la propiedad de los recursos no renovables, como el agua y el bosque, el petróleo, el oro, de todas esas riquezas que enumeraba Guillermo Valencia; son de la nación. Al aire, a la atmósfera, tampoco tienen derecho, Colombia se los reserva para colocar satélites, establecer ondas de radio o de televisión, etc. Entonces, ¿sobre qué territorio quedan parados los indígenas?, ¿cuál es el derecho que se les reconoce? Relativamente delgado: 150 hojas de papel de la Constitución o una delgada capa de tierra con la cual pueden hacer lo que quieran, menos excavarla, regarla, lanzarla al aire o cortar sus árboles, sacar su oro o no sacarlo, explotar su petróleo o no explotarlo, pues nada de lo que esté sobre ella o bajo ella les pertenece.

La territorialidad

Por eso, en la actualidad, para referirme sólo al territorio, la ley de reordenamiento territorial ha corrido la misma suerte de la reforma constitucional. Durante tres años, en la Comisión de Reordenamiento Territorial, los indígenas aportaron y discutieron, sostuvieron y confrontaron sus propuestas y tuvieron que hacer decenas de concesiones. Y cuando la Comisión aprobó una propuesta vacilante y restringida, en la cual, en mi criterio, los indígenas apelaron al mismo criterio que en la Asamblea Nacional Constituyente: "del ahogado el sombrero", el Gobierno la desconoció y presentó ante el Congreso una propia, en la cual no solamente no reconoce nada nuevo, sino que desconoce lo que estaba aceptado antes de la nueva constitución, pues, hasta ella, los resguardos se reconocían como territorios indígenas, ahora se plantea una serie de onerosas condiciones, muchas de ellas casi imposibles de cumplir, para validar esa territorialidad.

La Constitución acepta que existen unos territorios indígenas. De acuerdo con la Ley 89 de 1890, las tierras habitadas por indígenas no eran consideradas realmente como parte del territorio colombiano; tanto es así que, en ese momento, el gobierno celebró con el estado Vaticano, un estado extranjero, no sólo el Concordato sino también el Convenio de Misiones, que establecen que en las regiones en donde viven indios, la ley y la autoridad no reposan en el Estado Colombiano sino en el Estado Vaticano, a través de los misioneros, y que les dan autoridad, inclusive, para que legislen, para que veten y hagan cambiar los funcionarios colombianos que no les gusten.[9]

La Constitución del 91, al mismo tiempo que renueva el reconocimiento de esos territorios indígenas, decide que ahora hacen parte de la división político-administrativa del país, en forma similar a un departamento o un municipio. Es decir, que hay en ella un doble contenido: esas tierras se incorporan jurídicamente -la realidad no cambió al otro día de aprobada la Constitución- al territorio colombiano y esas autoridades a la línea y escala de autoridad colombianas, al tiempo que las reconoce como indias. Sin embargo, si los movimientos y las comunidades indígenas se organizan y luchan, pueden encontrar en ese artículo constitucional una base para fortalecer y desarrollar sus territorios, como la encontraron en la ley 89, ley que no se había cumplido sino en aquellas partes que decían que se podían disolver los resguardos y parcelarlos, ley que la lucha indígena obligó a respetar.

En los años 70, una de las reivindicaciones y de las bases de lucha de los indígenas fue hacer cumplir la ley 89 de 1890. La gente organizada y en lucha, como se llamó en un momento determinado el movimiento al proclamar: "El CRIC somos las comunidades organizadas y en lucha", logró recoger el aspecto positivo de

---

[9] Roldán Ortega, Roque y John Harold Gómez Vargas (comps.): *Fuero indígena colombiano*, Dirección General de Asuntos Indígenas, Ministerio de Gobierno, Bogotá, 1994, pp. 65-71).

la ley, aquel que le daba una base legal y jurídica a esa reivindicación. Con mayor razón podrían tenerlo ahora en el articulado de la Constitución que reconoce esos territorios y que plantea las Entidades Territoriales Indígenas, ETI, pero solamente, de eso estoy profundamente convencido después de la experiencia de estos cuatro años, si la gente retoma su organización y sus luchas y no a través de la negociación, no a través de la concertación. La Constitución, sin organización y lucha indígena, sólo significa apertura y penetración. Para que no lo sea, se requiere de la organización para la lucha.

Todo el mundo creyó, cuando se aprobaron las ETI, que se había cogido el cielo con las manos. Después del guayabo, como se suele decir, la gente descubrió que, desde el punto de vista del gobierno, una ETI era sólo una jurisdicción político-administrativa, que no iba a darle tierras a nadie, que con ella ninguna sociedad indígena iba a recuperar un sólo centímetro de tierra.

¿Qué hacer? Hay que luchar para que el criterio de los indígenas de que la ETI es una territorialidad y no meramente una jurisdicción, se imponga. Eso hay que pelearlo, pues el resultado de la negociación ya se ha visto: ahí está la ley de reordenamiento empantanada.

Las ETI abren una inmensa posibilidad si se entienden y crean como territorios. Las sociedades indígenas fueron descompuestas, atomizadas, divididas, parceladas desde la época de la colonia y así ha continuado siendo, inclusive ahora con la creación de los resguardos, para poderlas dominar. Por eso surgió, y todavía se maneja, el concepto de parcialidad; dividieron las sociedades indignas en partes. Las ETI dan la posibilidad de iniciar procesos de reconstitución de sociedades; de que esas decenas, y para el caso de algunas sociedades indígenas, centenas de comunidades que la dominación separó y aisló de las otras de su propio pueblo, comiencen a establecer de nuevo lazos y a reconstituirse de nuevo como sociedades completas.

Una ETI, entendida a la manera indígena y no como el gobierno la interpreta, da esa posibilidad si la gente se organiza y pelea por unirse de nuevo, por dejar de ser comunidades dispersas y, a veces, enfrentadas, y ser de nuevo pueblos. Esto es así para todas las sociedades indias. Pero, para que esta posibilidad se haga realidad, hay que conseguir primero una reglamentación que la permita en lugar de anularla, y que la gente esté organizada y desarrollando la lucha para lograrlo; y eso es lo que no existe ahora.

A cinco años de vigencia de la constitución del 91, lo que se observa es que ese movimiento indígena que creció y floreció durante 30 años, especialmente a partir de los años 70, que logró llevar dos representantes a la Asamblea Nacional Constituyente y luego al Senado, ha desaparecido. Las organizaciones indígenas quedan; tienen sus oficinas en Bogotá y en las principales capitales, tienen personerías jurídicas, etc.; pero el movimiento de los indígenas, la lucha india de las comunidades por sus derechos, desapareció.

Una lucha que logró atravesar el auge y decadencia del movimiento campesino de los años 60 y 70, el auge del movimiento obrero y estudiantil de los años 70, que logró perdurar durante dos décadas y media, se ha derrumbado en los cinco años de vigencia de la nueva constitución, porque estamos en el régimen de la concertación y no en el de la lucha, porque sus dirigentes han aceptado que ya no es preciso luchar sino tener muchos representantes para negociar, y presentar muchos proyectos para que, por medio de la concertación, llueva el dinero.

Fundamentalmente, el punto que se ha cumplido con mayor fidelidad después de la constitución, es el de las llamadas transferencias de fondos del presupuesto nacional a los grupos indígenas; comparativamente, porque tampoco es una gran fortuna, una inusitada lluvia de dinero ha fluido hacia las comunidades y sabemos, como ya lo había visto Colón, que *poderoso caballero es don dinero y con él se abren las puertas del cielo.*

Con él, en mi criterio, se han abierto esas puertas de los resguardos, de los territorios indios, que Guillermo Valencia sentía cerradas bajo siete llaves; por esas puertas fluyen a borbotones los proyectos de toda índole. Y esos proyectos deben estar de acuerdo, porque así lo establece la constitución, con los criterios del Plan Nacional de Desarrollo, que determina, así lo decía la introducción a su primera versión, -versión que se cambió ante las fuertes protestas de los indios y otras personas, pero cuyo espíritu se mantuvo-, que en Colombia hay una sola línea de desarrollo. Es decir, se permite que los indios se vinculen a su manera con esa línea de desarrollo, pero no pueden tener una propia diferente.

Además, existen otros mecanismos, otros caminos para conseguir tal adecuación. Veamos un ejemplo de ello. El gobierno celebró, con el acuerdo de la ONIC, un contrato con la Escuela Superior de Administración Pública, ESAP, para capacitar a dirigentes indígenas en reordenamiento territorial. Y yo pregunto: ¿qué quiere decir que hay que capacitar a los indígenas para que sepan qué es una territorialidad, cómo hay que organizarla y cómo hay que desarrollarla; y más cuando los territorios indígenas existen en este momento y desde siempre?

Mi respuesta es que no se trata de capacitación; se trata de conseguir que ahora los indígenas organicen sus formas de territorialidad a la manera de la sociedad nacional. Porque ellos saben cómo es eso de la territorialidad; la prueba es que la tienen y han logrado mantenerla durante los últimos 500 años, pese a los constantes intentos por arrebatárselas. Entonces, ¿para qué los van a capacitar? Para que hagan territorialidades que se adecúen a los intereses de las clases dirigentes de este país.

Si en los últimos 25 años no han dejado de expresar en todos los términos cómo es su territorio, cuáles sus límites, cómo hay que trabajarlo, en qué forma hay que ocuparlo, qué recursos tiene y qué necesitan, ¿cuál es la capacitación que deben recibir en este campo? Parecería un absurdo que gente de universidades nacionales vaya a enseñar a los indígenas cómo es una territorialidad indígena. Entonces, se dice que es un problema de manejo. Sí, es cierto, es un problema de manejo. Cuando a un indígena o a un grupo o a una vereda o a una comunidad que ha venido planteando a su manera cuáles son sus reivindicaciones y lo que quiere, ahora, en la época de la apertura y la concertación, le dicen que presente un proyecto, ninguna puede presentarlo con los parámetros y criterios de Planeación Nacional o del Banco Mundial, pues se trata de otro pensamiento, otra estrategia de vida, otro propósito. ¿Qué hay que hacer? Darle capacitación para que *sepa hacer proyectos.*

Y la gente hace el proyecto y, en ese proceso de traducción, su idea, su pensamiento, su objetivo, su estrategia de vida y los resultados que esperaba obtener, se cambiaron, porque no es un problema técnico. Lo menos técnico son las técnicas; son lo más profundamente político, porque allí, en ellas, es en donde la política se vuelve operativa, actúa directamente sobre cada persona, sobre cada grupo, y lo domestica, lo incluye dentro de los parámetros y los criterios de quienes fijan cómo debe ser un proyecto y cuáles son los medios que hay que emplear para desarrollarlo.

Hace años, llegué a Guambía para trabajar con una persona designada por la autoridad guambiana para ello, con alguien que se preciaba de ser un arquitecto de la comunidad, que tenía en su casa un diploma del Cabildo donde lo reconocía como tal y que la gente llamaba para que ayudara a construir casas, puentes, escuelas, y él los construía. Una persona con quinto de primaria.

Pasado un tiempo, después que él y su gente habían construido una escuela para su vereda, quisieron ampliarla y solicitaron un auxilio, y les dijeron: pasen un proyecto. Hicieron el proyecto con sus ideas propias y para adelantarlo entre todos. Les dijeron que era algo muy pequeño, que había que tener criterios más amplios y darle una perspectiva dentro de un plan de desarrollo. Entonces, recibieron una asesoría externa para adecuar y crecer el proyecto, y se los aprobaron.

Cuando volví, mi amigo estaba sentado en la cocina de su casa y me contó que ya se estaba adelantando el proyecto. Me extrañé, entonces, que se encontrara allí. Me explicó que, cuando aprobaron el proyecto, la auditoría dijo que los guambianos no sabían construir y entonces mandaron un arquitecto de Popayán y trajeron obreros de Popayán, Cali y Piendamó. Sí, se estaba ejecutando la ampliación de la escuela, pero ya no como ellos la querían, no eran ya los guambianos los arquitectos y constructores, ya no contaban con una base propia, ya les había llegado la dirección del trabajo por escrito, como afirma Lorenzo Muelas.

Así, bajo la capa del reconocimiento, se están aplicando nuevas formas de penetración, dominación y negación de los indígenas. Para decirlo claramente, en esta sociedad a veces es bueno tener las cosas encerradas bajo siete llaves, como decía Guillermo Valencia de las riquezas de las sociedades indígenas.

Apertura de las siete llaves

De este modo, frente al petróleo de los uwa en la Tunebía, los intereses del desarrollo colombiano dictan que hay que explotarlo, no importa si los uwa consideran que no sólo con bala sino con la explotación de petróleo los matan o amenazan con suicidarse en forma masiva; aún así, se acaba de dar el permiso para que continúe la exploración del petróleo en su territorio. Otro tanto ocurre con el oro del Inírida, el petróleo del Amazonas, del pie de monte o de los Llanos, el carbón de los wayúu, la madera del Chocó, con todas las riquezas de los territorios indios. Colombia ha hecho suyas por constitución y por ley esas riquezas que codiciaba Guillermo Valencia.

Porque el programa de Valencia frente a los indígenas era claro: hay que romper con las siete llaves con que tienen cerrados esos territorios, hay que abrirlos a la nación; y se han abierto y se están abriendo y se abrirán cada vez más. Con algunas pequeñas concesiones, por supuesto.

Ahora se plantea reglamentar que los grandes laboratorios internacionales de la industria farmacéutica, las ONG y otras agrupaciones puedan patentar los conocimientos de uso de plantas y minerales con propósitos curativos, incluyendo aquellos creados por los grupos indígenas, negros y campesinos. Pero, tienen que hacer concesiones. Se propone que no cobren regalías a quienes detentan ahora tales conocimientos, si ellos desean seguirlos empleando; que incluyan el nombre de la comunidad o de uno de sus miembros en la patente; que den a aquella una parte de sus ingresos, seguramente mínima, etc.

Y, como ya se hizo, se expropia y explota el carbón de los wayúu, pero se acepta que estos tienen el derecho de convertirse en obreros en las minas y en sirvientes de los trabajadores de las carboneras, o de la exploración petrolera que avanza en su territorio.

O, como ocurre con el plan para la explotación del oro en el Inírida, cualquier comunidad indígena tiene derecho prioritario, si presenta un propuesta de explotación en gran escala; si no la presenta, cualquier empresa tiene ese derecho, que es lo que empieza a ocurrir.

Y, así, se podrían multiplicar los ejemplos que muestran que el programa de apertura de los territorios indios que plantearon las clases dirigentes en los años veinte, consiguió ahora su objetivo. No es de extrañar, entonces, que la reforma constitucional del 91 haya sido hecha por un gobierno cuya consigna era la apertura.

Sin embargo, podría pensarse si no sería mejor explotar esos recursos para bienestar de todo el país. Sí, quizás fuera posible hacerlo así si fuera en realidad para beneficio de todo el país. Pero, ¿quién está explotando los recursos naturales de las zonas indígenas, negras, campesinas y obreras de Colombia?, ¿se hace para el crecimiento y el fortalecimiento de Colombia?, ¿es para que crezcamos juntos colombianos, indígenas y negros que esas riquezas se están extrayendo?, ¿acaso no son las empresas transnacionales y extranjeras las que lo hacen?, ¿no son ellas las que se enriquecen y aprovechan esos recursos?, ¿no nos miran sólo, como decía Laureano Gómez, como un inmenso depósito de riquezas que ellas pueden y necesitan explotar? ¿Progresará Colombia por el hecho de que las petroleras se lleven el petróleo del territorio tunebo? ¿Lo hace con el carbón de los wayúu? Colombia es socia del Cerrejón. Durante sus primeros años, esta empresa ha producido pérdidas y Colombia, como socia, ha asumido su parte de ellas; ahora, cuando las proyecciones dicen que a partir del año entrante va a comenzar a producir ganancias, Colombia planea vender sus acciones. Entonces, ¿estamos creciendo?

Es la misma situación que se presenta en la relación entre negros e indios en el Chocó. En el Bajo Atrato, el negro compra al indio un racimo de plátanos casi regalado, en un contexto que lleva a que el indio se lo venda. Allí, el negro es el que tiene la movilidad, la conexión con la ciudad, el que recoge el plátano de todos los indios. El indio reflexiona: puedo ir a Quibdó y vender mi racimo en 300 pesos, y, ¿cuánto me vale el flete para salir desde el Bajo Atrato hasta Quibdó?; entonces, le vende al negro, que además es su compadre. Pero, ¿se está enriqueciendo el negro?, ¿es él quien se va a lucrar? No; es el intermediario, a través del cual, aquellos que se están enriqueciendo, aquellos que sí se están lucrando y desde hace mucho tiempo, van a seguir engordando; él es una ficha más, una víctima más de ese sistema.

A escala de la relación entre sociedades más amplias, es lo que nos pasa a nosotros; por eso mencioné todo ese pensamiento de las clases dirigentes, porque es una globalidad; por eso anotaba las coincidencias; los colombianos necesitamos las riquezas de los indios, nos dice Guillermo Valencia, pero Laureano Gómez agrega: para dárselas a los gringos; como se las dio cuando fue presidente.

Estoy seguro de que la idea de las poblaciones indígenas sigue siendo esa: este oro es de nosotros y de ustedes también, este petróleo es de nosotros y de ustedes también, esta agua es de nosotros y de ustedes también; pero no es sólo de ustedes, ni es sólo para que la entreguen a otros y ni siquiera sea de ustedes. Ahí radica el problema. No podemos seguir siendo un depósito de recursos para otros. El pensamiento de Lorenzo Muelas nos dice: venimos aquí para que nos dejen participar en la construcción de este país, porque hemos participado y queremos seguir participando, no sólo con nuestro pensamiento, no sólo con nuestro trabajo, sino también con nuestros recursos, pero bajo ese criterio: esto es de nosotros y de ustedes también; no con el criterio de: es sólo de ustedes, y menos aún cuando ustedes ni siquiera son ustedes.

Los derechos de los negros

En cuanto a la situación y derechos de los grupos negros en la nueva constitución, es sabido que en la Asamblea Nacional Constituyente no hubo representantes de estos grupos, aunque sí tuvieron candidatos. Y no los hubo porque, como ellos mismos han reconocido, la mayor parte de la población negra votó por los candidatos de los partidos políticos colombianos y no por los propios.

Sin embargo, en Bogotá hubo un acompañamiento de dirigentes negros durante la Asamblea en forma permanente y se presentaron propuestas que llegaron a ella, sobre todo a través de los representantes indígenas; pero la Asamblea no discutió los derechos de los negros. El último día, en esa maratónica votación a pupitrazos, por presión de los representantes indígenas, se aprobó el Artículo transitorio 55, que establece que, en un plazo máximo de dos años, el gobierno creará una ley

> que les reconozca a las comunidades negras que han venido ocupando tierras baldías en las zonas rurales ribereñas de los ríos de la Cuenca del Pacífico, de acuerdo con sus prácticas tradicionales de producción, el derecho a la propiedad colectiva sobre las áreas que habrá de demarcar la misma ley; además, la ley establecerá mecanismos para la protección de la identidad cultural y los derechos de estas comunidades, y para el fomento de su desarrollo económico y social[10]

Todo lo cual podría aplicarse a comunidades de otras regiones del país que presenten similares condiciones. Nada más quedó consagrado para ellos en la Constitución del 91.

De acuerdo con lo anterior, dos años después, al final de su gobierno, el Presidente Gaviria refrendó la ley 70, aprobada por el congreso, que se ha quedado en el papel y no ha sido reglamentada. En ella se reconoce la propiedad colectiva de sus tierras a las comunidades negras, en los términos de la constitución, y se establece que habrá unos consejos encargados de definir sobre la delimitación y creación de esos espacios. En algunas regiones, las comunidades han venido trabajando para que esos consejos sean reconocidos como autoridades propias, pero nada concreto ni definitivo han logrado hasta el momento.

Los problemas internos por resolver

Entre los grupos étnicos mismos existen problemas y contradicciones. Se presentan al interior de las sociedades indígenas; entre comunidades indígenas, los hay; en algunas regiones del país, especialmente en el Chocó, hay dificultades en la relación entre los negros y los indígenas embera y waunaan. Por supuesto, son problemas cuya base y desarrollo están claramente determinados por las políticas de dominación sobre esas regiones y esas

---

[10] *Constitución Política de Colombia*, Presidencia de la República, Bogotá, 1991, pp. 162-163.

poblaciones, pero no quiere decir, por eso, que no existan. Hay conflictos de tierras y problemas por el manejo de los recursos naturales, en especial la madera, pero también el oro, la pesca y la cacería; y se dan también conflictos de autoridad y de explotación económica; existen, así mismo, formas de relación y de colaboración que se han establecido a lo largo del tiempo. Hay una búsqueda por vivir juntos en paz, pero se presentan igualmente unas condiciones de vida que impiden u obstaculizan esa convivencia.

No creo que las contradicciones que se presentan entre la población negra y la población indígena en el Chocó puedan resolverse, primero, ignorándolas, y, en segundo lugar, por sí mismas, conversando sólo entre indígenas y negros, porque ambos sectores están movidos por unas fuerzas que no responden a su propia dinámica y que vienen de lo que ellos mismos llaman *la colonización paisa*, es decir, de la penetración de la sociedad nacional colombiana como un todo en el Chocó y que ahora, con la *apertura hacia el Pacífico*, se va a agudizar todavía más; pero esta agudización implica al mismo tiempo que va a ampliarse la base para que se puedan relacionar, porque tendrán que enfrentar juntos esa apertura.

Otro problema tiene que ver tanto con la población negra como con la indígena. Al interior de ambas sociedades y de ambos movimientos hay muchas contradicciones, hay gran divergencia de intereses y políticas; situación que es más fuerte dentro de los negros, cosa explicable si se tiene en cuenta que se trata de un movimiento que ha cobrado fuerza en un momento más reciente.

En el movimiento indígena se dan posiciones que siguen una línea de integración a la sociedad colombiana; también las hay en cada sociedad y comunidad indígena. Hay un sector que, como lo dice Lorenzo Muelas, quiere desarrollarse sobre la base de sus propias raíces, y otro sector que es partidario de la apertura, de la modernización. Esto se refleja en los distintos niveles de organización, hasta llegar al nivel nacional, constituido por la ONIC, Organización Nacional Indígena de Colombia, el Movimiento de Autoridades Indígenas de Colombia, el Movimiento Indígena Colombiano y la Alianza Social Indígena.

Recordemos que no todo en la constituyente fue agua de rosas entre los indígenas; hubo contradicciones entre los dos representantes y los dos movimientos a los cuales ellos correspondían. Y lo mismo ha ocurrido en el Senado. Es un problema que vamos a encontrar durante mucho tiempo, porque las sociedades indígenas, y pienso que también algunas comunidades negras de hoy, tienen un doble carácter; por un lado, son nacionalidades, grupos que tienen una especificidad, con una larga historia que viene de siglos, pero, al mismo tiempo y como resultado de esas políticas de integración y de asimilación, están también integrados parcialmente a la sociedad colombiana y hacen parte de su estructura de clases.

Siempre habrá en cada sociedad dominada, explotada y negada, en cada autoridad de los dominados, explotados y negados, en cada organización suya, en la mente de cada uno de ellos, una lucha entre esos dos principios, entre ser ellos mismos y negarse a sí mismos. Como decía Frantz Fanon para el caso de los negros africanos, *piel negra, máscaras blancas.*[11] Y eso representa una lucha. Una lucha que fluctúa y se mueve en un espectro muy amplio según los lugares, las circunstancias y las personas. Eso implica diferencias en la política y en las propuestas y en la manera de proceder frente las decisiones del gobierno y la legislación. En medio de este dilema se tiene que mover el movimiento; y no se puede prever en un momento determinado cuál es la fuerza que va a predominar. Siempre hay altibajos.

Doy un ejemplo cercano. Hace unos años, los miembros del resguardo de Cota, en la sabana, consideraron que ellos no eran indígenas, que la mayoría de los jóvenes y adultos vivía en Bogotá, que eran estudiantes, trabajadores, profesionales algunos; entonces, para qué resguardo y para qué cabildo. Argumentaban que ellos perdían tiempo y plata cada año al tener que ir a sembrar una tierra que nos les interesaba, sólo por mantener vivos su resguardo y su cabildo. Pidieron su disolución y el gobierno los disolvió. Hace poco, dieron marcha atrás; reivindicaron de nuevo su diferencia y su derecho y reconstituyeron el resguardo y el cabildo.

Entonces, ese doble carácter y esa ambigüedad están y van a seguir estando presentes. Eso se va a reflejar, ya se está reflejando, en

---

[11] Fanon, Franz. (¡Escucha, **blanco!**, Nova Terra, 2a. ed., Barcelona, 1970, p. 6).

los niveles de organización: hay varias organizaciones, no se ponen de acuerdo. Eso lo vamos a encontrar todavía por mucho tiempo.

Todo ello tiene que ver con otro tema, que está implícito en algunos de los planteamientos indígenas citados antes. La diferencia no debe ser motivo ni base para la división y el enfrentamiento, al contrario, es un factor de riqueza. Decir que la población negra, la población indígena y otras poblaciones son distintas, no quiere decir que tengan que enfrentarse y no puedan reunirse. La verdadera desigualdad, ya lo decía Quiguanás, es no unirse entre explotados. Lo que él llamaba la desigualdad era estar blancos con blancos, indios con indios y, podríamos agregar, negros con negros, sólo por el color, sólo por la raza o por el grupo étnico. Pero la igualdad no es decir: todo es igual. Quiguanás nos dice: no todo es igual. La igualdad es poderse unir con base en unos criterios, no a pesar de las diferencias, sino enriqueciéndose con esas diferencias, nutriéndose de ellas para crecer.

El camino de no tocar las diferencias porque son un posible motivo de división ya está ensayado, no es un mero postulado teórico. En el movimiento indígena hubo esa discusión y un sector dijo: no hablemos de las diferencias de cultura, de lengua, etc., porque eso nos separa; unámonos como explotados y como campesinos y lo otro lo dejamos para después; cuando haya un gobierno amigo, hablaremos de las diferencias, que son específicas.[12]

Ese camino se ensayó durante años y fracasó. Las diferencias existen, son parte de la realidad, y no se resuelven ignorándolas, se resuelven enfrentándolas, encontrando un mecanismo para crecer en diferencia y para enriquecerse mutuamente.

De nuevo a a lucha

Tengo la plena certeza de que las cosas no se quedarán como están ahora, que los indios se levantarán de nuevo para reanudar su lucha. Quiero terminar recordando las palabras de Lorenzo Muelas. *Si me matan, no me importa, porque yo sé porqué me muero. Pero no quiero que allí, muerto, mi cadáver se tenga que avergonzar por no haber luchado.*

---

[12] Vasco Uribe, Luis Guillermo. *Por los caminos de la organización indígena y sus políticas*, Editado por el autor, Bogotá, 1981.

IX
Mujer siglo xx:
Hacia la construcción de un
nuevo paradigma de feminidad

Florence Thomas

Introducción

Agradezco mucho la oportunidad que me da la Cátedra Manuel Ancizar y el Instituto de Estudios Políticos y Relaciones Internacionales de compartir algunas reflexiones en relación con la mujer en este siglo y, desde mi práctica de psicóloga y de feminista, hablarles de la transformación paulatina del paradigma de feminidad en este final de siglo y de milenio. Por supuesto semejante temática necesitaría mucho más tiempo del que disponemos en esta cátedra y temo tener que quedarme en generalidades que bien merecerían mayor desarrollo.

De hecho a todo lo largo del siglo XX las mujeres se constituyen en sujetos históricos y políticos, gracias a sus luchas por los derechos de ciudadanía, por la subsistencia, por la democracia y contra la discriminación de género, llegando a transformar su identidad y a dar nuevo significado a su existencia como género.

Por supuesto, esta construcción, visibilización y transformación tanto sociológica como subjetiva de las mujeres está articulada a grandes coyunturas ideológicas, sociológicas, económicas y políticas, y en general, a procesos de modernización del país, e incluso, podríamos decir para referirnos más particularmente a este final de siglo y de milenio, a un contexto de pensamiento ligado a la reflexión postmoderna.

Es entonces en este contexto en el cual los debates sobre modernidad y postmodernidad captan la atención de diversas corrientes de análisis de los hechos humanos y sociales, en el que concentraré estas notas sobre la pertinencia y el significado de los temas *feminidad y relaciones de género*.

Buscaremos entonces entender por qué lo femenino y lo masculino se constituyen como campo de problemática (se *problematizan*, como diría Michel Foucault) con particular énfasis a partir de la segunda mitad del siglo XX. Quiero recordar a este respecto que en mi exposición se tratará sólo de la feminidad sin olvidar que la problematización de lo femenino plantea lógicamente la necesidad de una revisión seria del concepto de masculinidad.

Para llevar a cabo el propósito central de mi charla, les propongo el siguiente camino:

En primer lugar examinaremos algunos hechos del contexto nacional que nos permitirán situar mejor el terreno sociopolítico en el cual aconteció dicha problematización de lo femenino. Así mismo dirigiremos una breve mirada sobre unas características de pensamiento del contexto internacional con el fin de entender que la complejización de lo femenino no representa un caso particular en Colombia sino que existe un terreno más amplio de reflexión alrededor de dicha problemática. Sólo entonces y con estos elementos contextuales pasaremos a examinar los nuevos marcadores de la feminidad en este final de siglo para terminar luego con algunas reflexiones a modo de conclusión.

1 Algunos hechos del contexto nacional[1]

De hecho, antes de la década del 50 es difícil entender a las

---

[1] Parte de los datos correspondientes a este numeral son tomados del documento "Propuesta de Postgrado en Género, *Mujer y Desarrollo, Especialización y Maestría,* elaborado por Juanita Barreto, Donny Meertens y Florence Thomas, Universidad Nacional de Colombia, Facultad de Ciencias Humanas, Centro de Estudios Sociales, Programa de Estudios de Género, Mujer y Desarrollo, Santafé de Bogotá, Mayo de 1995, Pags. 12 a 26.

mujeres como sujetos de derecho pues ellas todavía no tenían opción al voto, no tenían posibilidad de administrar sus bienes, se encontraban bajo el yugo de la *potestad marital*, no tenían igualdad jurídica, su acceso a la educación formal era muy reducido, en pocas palabras, se encontraban sin voz, sin representación política y, por supuesto, sin posibilidad de acceso a puestos públicos.

La sociedad les asignaba una pertenencia casi exclusiva al ámbito de lo privado y sus funciones se restringían al campo de lo reproductivo, la reproducción de la especie y de la vida humana; (existieron excepciones, por supuesto, mujeres fuera de lo común que no es el caso mencionar ahora). Pero , los procesos de industrialización, urbanización y modernización generados en Colombia a partir de la segunda mitad del siglo y el reciente proceso de la denominada internacionalización de la economía incidieron de modo significativo en varios aspectos que pasaremos a examinar.

a. El ingreso masivo de las mujeres al mercado laboral y su incorporación, aunque lenta, a distintos sectores de la actividad económica.[2]
En 1951 la participación laboral de la mujer se estimaba en un 27%; en 1980 ascendió a 38.6% y en 1991 al 42.6%. Pese a ello diversos estudios en este campo han demostrado la prevalencia de la ubicación de las mujeres en el sector terciario de la economía, la persistencia de la discriminación salarial de las mujeres (en Colombia y a un mismo nivel laboral, por cada 100 pesos que gana un hombre, una mujer recibe 70) y mayores niveles de desempleo femenino. Recordemos también que aproximadamente el 60% de las mujeres que trabajan ganan menos de un salario mínimo, y que de hecho, en Colombia, las mujeres ingresaron al mercado laboral en un contexto de empobrecimiento creciente y no por razones de calificación .

Pese a estas limitaciones es imprescindible mencionar este hecho como fundamental en la transformación paulatina del paradigma tradicional de feminidad.

b. El aumento progresivo y acelerado de la participación femenina en los distintos niveles de la educación formal.

---

[2] Sólo se tratará de mencionar algunas características sobresalientes de estos aspectos que por supuesto merecerían una mirada más amplia, pero que hoy en día se pueden encontrar en múltiples trabajos especializados sobre el tema.

En las últimas décadas, las mujeres colombianas han mejorado notablemente su condición educativa y si bien es cierto que la evolución de las tasas de analfabetismo entre los años 1964 y 1992 señala una significativa disminución de la población analfabeta tanto en mujeres como en hombres, cuando se trata del sector educativo, la diferenciación por géneros merece especial análisis: en este sentido es interesante anotar que si bien los registros estadísticos de la evolución de la matrícula por niveles de educación formal demuestran que la participación femenina en la educación secundaria es tangencialmente mayor que la masculina, recientes investigaciones demuestran también su menor calidad (comprobada por los puntajes del ICFES, por ejemplo). De otra parte, si bien la inserción de las mujeres en la educación superior es proporcionalmente igual a la de los hombres, continúa concentrándose en profesiones tradicionalmente consideradas *femeninas*, en general relacionadas con la provisión y distribución de servicios. En la Universidad Nacional por ejemplo, la gran mayoría de las matrículas femeninas se encuentran en Trabajo Social, Enfermería (casi el 100% de mujeres), Terapia del lenguaje, Terapia ocupacional, Dietética, Lenguas, Bellas Artes y Humanidades... En pocas palabras, seguimos haciendo lo de toda la vida: cuidar a los enfermos, (y no olvidemos que *cuidar* no significa lo mismo que *curar*..), ocuparnos de los vulnerables, los pobres, los discapacitados, alimentar al mundo etc... salvo que ahora lo hacemos *científicamente*...

c. La radical transformación de las características demográficas del país en lo relativo a la disminución de las tasas de fecundidad.

A manera de ejemplo, la tasa total de fecundidad pasó de 6.7 en el período 1950-1955 a 3.9 en 1980-1985 y a 3.3 en 1990-1995. Se calcula que estará alrededor de 3 para el fin de siglo. Una caracterización de las principales tendencias al respecto acompañada de amplia ilustración estadística y bibliográfica se puede consultar en la investigación realizada por Rafael Echeverry y Elssy Bonilla (1994). Sólo mencionaré aquí de paso el inmenso impacto de dicha transformación que significa para las mujeres, entre otras cosas, la separación de la reproducción y de la sexualidad, sus consecuencias para la subjetividad femenina y, por consiguiente y a mediano plazo, para el mismo paradigma de feminidad.

d. Los intensos procesos migratorios hacia las ciudades que, acentuados por la violencia económica y política del país, condujeron al paso de una estructura poblacional predominantemente rural a una urbana afectando de modo significativo las condiciones y características de vida de las familias colombianas y transformando de manera especial la vida cotidiana y las prácticas de vida de miles de mujeres.

e. El surgimiento de movimientos sociales de mujeres en busca de nuevos espacios de participación orientados al reconocimiento de derechos políticos como el estatus de ciudadana obtenido en 1954, abren caminos para su vinculación en actividades públicas tradicionalmente reservadas a los hombres.

f. La conformación de una comunidad académica interesada por conceder especial interés a los problemas y realidades de las mujeres y más recientemente a las relaciones de género.

La incursión en el ámbito del saber de profesoras e investigadoras apoyadas en la inmensa producción teórica de las grandes corrientes del feminismo contemporáneo producen nuevos conocimientos y dan origen a corrientes de pensamiento relativas a la cuestión femenina a partir de nuevas preguntas a la ciencia social introduciendo en sus distintas disciplinas *género* como una categoría, no sólo descriptiva, sino sobre todo analítica y de una inmensa fecundidad teórica.

g. Las relaciones del Estado y de la sociedad civil con la cuestión femenina.

A partir de la década del 80, el Estado colombiano, en consonancia con las orientaciones internacionales que impulsan la reflexión relativa a la participación de la mujer en el desarrollo y los procesos democráticos (entre otras la declaratoria por parte de las Naciones Unidas de la Década Internacional de la Mujer entre el 75 y el 85) comenzó a mencionar tímidamente a las mujeres en las políticas sociales. Empiezan a volverse prioridad en los planes de desarrollo la madre y el menor, las madres solteras, las mujeres jefes de hogar, la mujer campesina y la mujer trabajadora. En 1987 se crean los Hogares de Bienestar Infantil más conocidos como programa de las madres comunitarias. En 1990 se crea la Consejería para la Juventud, la Mujer y la Familia, hoy Consejería para la Política Social, Secretaría de Mujer y Género. La nueva

Carta Constitucional de 1991 empieza a nombrar a las mujeres, a hacerlas visibles y a reconocerlas en cuanto sujetos de derecho. Se introducen formulaciones relativas a los principios reguladores de la igualdad de oportunidades para mujeres y hombres y a la eliminación de la discriminación por sexo en todos los planos de la vida social, política y cultural del país. En agosto de 1994 el Presidente Samper presenta la *Política de participación y equidad para la mujer* y en noviembre de 1995 se crea la *Dirección general para la equidad y participación de la mujer.*

Finalmente hoy existen aproximadamente 30 proyectos de ley referentes a la mujer y se intensifican los diagnósticos y la producción de investigaciones sobre la situación de las mujeres en Colombia.

No podemos terminar este aparte sin mencionar la importancia de las últimas cumbres internacionales tales como la de Viena (Derechos Humanos), El Cairo (Población), Mar del Plata (Preparatoria de Beijing), Copenhague (Desarrollo Social) y Beijing (Cuarta Conferencia Internacional de la Mujer) en las cuales las mujeres se hicieron presentes, se hicieron oír y presentaron múltiples propuestas de trabajo para construir un mundo más justo y ameno.

2. Breve mirada sobre el contexto internacional de pensamiento y reflexión ligado a un examen crítico de la modernidad

De hecho y para entender mejor la vigencia de la cuestión femenina y de las relaciones de género hoy, nos toca examinar los alcances de la modernidad y de sus discursos dominantes, de sus paradigmas tales como el Sujeto Universal, el Hombre con H mayúscula, la Verdad, la Libertad, la Igualdad y la Historia, entre otros, y examinar críticamente las categorías que accionaban y legitimaban esos discursos, recordando que todo discurso es generado en un contexto histórico y es producto de intereses ideológico-políticos. En este sentido la modernidad, que se inició en el siglo XVIII y que tenía como concepto articulador a la *Razón*, aparece hoy como un proyecto que no pudo cumplir del todo sus promesas (¿un proyecto inacabado?). Sus grandes paradigmas que nacieron con el auge del Siglo de las Luces y de la Revolución

Francesa con su grito de *Libertad, Igualdad y Fraternidad* están puestos hoy en tela de juicio. Cuando en 1789, la *Declaración de los Derechos del Hombre y del Ciudadano* fue cuestionada por la total ausencia genérica de la mitad de la población por la gran revolucionaria Olimpia de Gouges, lo único que se obtuvo fue su muerte en la guillotina en 1793 y se debió esperar hasta la segunda mitad de nuestro siglo para que la *Declaración de los Derechos del Hombre* se volviera *Declaración de los Derechos Humanos* y empezara tímidamente a incluir los derechos de las mujeres como parte de los derechos humanos.

De hecho hoy las grandes teorías construidas sobre los *a priori históricos* que siguen legitimando la subordinación en múltiples campos, y en particular, la subordinación femenina dentro de los marcos del patriarcalismo, están en bancarrota.

En este sentido el *Hombre Universal,* ese que en nuestro subconsciente está significado por la ecuación Hombre=hombre e instalado de una vez en el campo de lo universal y de lo superior, deja el concepto de mujer en el de lo específico, y lo lleva casi de modo inmediato a la consecuente otra ecuación: lo otro=lo inferior. Así, el *Hombre Universal, Sujeto Único,* portador de todas las voces está en crisis porque descubrimos que era más varón que universal y que el famoso Sujeto del discurso era un hombre preferencialmente blanco, anglosajón, cristiano, burgués y heterosexual. Ese fue el Sujeto del *Contrato Social* de Rousseau y el ciudadano de la declaración de los Derechos del Hombre. Habíamos pasado así de una lógica teocentrista a una lógica androcentrista. Se había cambiado de centro y Dios había entregado su poder ordenador a un hombre dotado de razón, pero de alguna manera y a pesar de todo lo que iba a significar este desplazamiento en relación con los alcances de la modernidad, el discurso seguía excluyente. Esto es lo que nos permite descubrir hoy el nuevo feminismo en el marco de la reflexión postmoderna, que nos abre caminos para nuevas formas de sensibilidad opacadas, cuando no acalladas, por la gran diosa de la modernidad: *la Razón.* La *Razón* de un Hombre Universal o sea de un varón, lo que significa que todos y todas, los o las, que no entrábamos en estos parámetros o en los cuales no se reconocía dicho hombre universal, conformamos *lo otro, lo diferente,* que en consecuencia se volvió sinónimo de *lo inferior* puesto que sólo el hombre era la medida de todo.

Y gracias a estos caminos abiertos por una mirada crítica que nos permite mover la razón y abrir los conceptos, indagamos nuevos discursos que son los de la alteridad, estos que dejan aparecer en el escenario social los *sujetos inesperados* como los llama François Lyotard. Estos que nunca habían tenido voz, o sólo excepcionalmente en los circuitos periféricos del poder hegemónico de los discursos masculinos que se constituyeron en los únicos verdaderos para un conocimiento de la realidad y del ser humano. El hombre se había vuelto sujeto del discurso ético, filosófico, político y estético. Y no nos olvidemos que los discursos representan concepciones del mundo y de alguna manera construyen la realidad y, al incorporarse a nuestra cotidianidad, determinan en gran parte nuestro actuar en ella.

Indagar en estos nuevos discursos y nuevos relatos de los sujetos inesperados, era preguntarse por los indígenas, los sin tierra, los negros, los habitantes de la calle, los homosexuales, las lesbianas, los niños, los ancianos y por supuesto las mujeres, en cuanto 52 % de la población mundial, pero también en cuanto género que atraviesa cada uno de los grupos mencionados.

Todo ello significa un inmenso trabajo de construcción de lo que articulaba los discursos dominantes, los regímenes de verdad, los apriori históricos, las categorías bipolares, los pares antitéticos donde uno de los términos tiene carácter hegemónico y el otro se subsume en él, es decir, donde las dicotomías son jerarquizadas. Por ejemplo, en relación con el tema que nos ocupa hoy, las categorías bipolares ordenadoras del discurso patriarcal son, entre otras:

naturaleza	versus	cultura
objeto	versus	sujeto
pasivo	versus	activo
privado	versus	público
inferior	versus	superior
intuición	versus	razón
corazón	versus	reflexión

emoción	versus	abstracción
lo otro	versus	lo uno
lo diferente	versus	lo absoluto

Esta corriente de reflexión nos invita a adentrarnos en el estudio de los trabajos de filósofos tales como Foucault, Deleuze, Derrida, Lyotard, Guattari, y filósofas tales como Julia Kristeva, Victoria Camps , Celia Amorós y Luce Irigaray entre otras.

3. Se transforman los marcadores tradicionales de la feminidad

Apoyándonos en la crisis de los paradigmas tradicionales, en la enorme producción de teorías feministas en el mundo occidental y la consecuente visibilidad de las mujeres como sujetos de derecho, y antes de pasar a examinar unas características de este devenir mujer del fin del milenio, conozcamos algunos pensamientos contemporáneos sobre la cuestión:

Georges Duby (1994) uno de los más importantes historiadores del siglo, expresa:

Las relaciones entre lo masculino y lo femenino ya no son lo que eran. Las modificaciones de conjunto de las relaciones familiares representan una mutación sin precedente, tal vez la más importante de todos los cambios que afectan a nuestra civilización en los albores del tercer milenio.

Así mismo el físico norteamericano Fritjof Kapra (1982), al caracterizar las grandes transformaciones de la humanidad en el próximo milenio, plantea:

El poder del patriarcado es sumamente difícil de entender porque envuelve todo. (...) Es el único sistema que hasta hace muy poco tiempo no había sido jamás desafiado abiertamente en la historia y cuyas doctrinas habían tenido una aceptación tan universal que parecían ser una ley de la naturaleza. Hoy, sin embargo, la desintegración del patriarcado es inminente. El movimiento feminista es una de las corrientes culturales más combativas de nuestro tiempo y sus ideas repercutirán profundamente en nuestra futura evolución.

Por otro lado un poeta francés, Aragón, escribió ya hace unos años, tal vez en medio del inmenso pesimismo que invadió a Europa después de dos guerras mundiales. *La femme est l´avenir de l´homme.*

Pero también Gabriel García Márquez respondió a un periodista que le preguntaba sobre lo que más quisiera para el próximo siglo: *Quisiera que las mujeres administren el mundo.*

Finalmente terminaré con una frase del teólogo brasileño Leonardo Boff (1995) que dice lo siguiente:

> ...*veo el despertar de una nueva humanidad, una nueva civilización mucho más participativa, con mucha veneración del otro, más acogida a las diferencias, más respeto hacia la naturaleza. Veo la emergencia de una nueva civilización planetaria, de un mundo que sabe integrar lo femenino, la dimensión del cuidado, de la ternura, de la defensa de la vida por más sencilla que sea.*

Les propongo ahora explorar algunos ejes de construcción o más exactamente, los principales lugares de ruptura del viejo discurso, y el surgimiento de nuevos marcadores de la feminidad, en este *devenir mujer* de final de siglo.

Se trata entonces, de pasar de una perspectiva en la cual nuestra diferencia había sido impuesta desde una razón y una lógica patriarcal, o sea desde premisas de apropiación y poder, a una perspectiva propia y a una diferencia reconstruida desde nuevos principios de ordenamiento y desde una nueva ética de la diferencia sexual dentro de marcos de equidad y justicia social.

Abriremos así el sentido de los conceptos rompiendo viejas metáforas, viejos moldes y restableciendo la pluralidad, la fluidez, los matices a partir de alternativas para la feminidad (y la masculinidad). Sin pretensión de llegar a un fin preciso, pero sí con una guía que sería la de dejar de ser *Objeto de*, para construirnos desde una posición de *Sujeto.*

Lo primero (primero en cuanto articulador de todo lo demás)

que se fisura, que se cuestiona es la milenaria ecuación patriarcal
Mujer = Madre y su lógica consecuencia de idealización de la maternidad; ecuación que, en un contexto inmerso en una concepción religiosa casi fanatizada, resultado del legado colonial, presenta a la Virgen María como el deber ser femenino por excelencia. María, Virgen y Madre, se constituye en una imagen que resiste y marca todavía los imaginarios colectivos de la feminidad latinoamericana. Maternidad invasora de la identidad femenina, en el sentido de un verdadero destino (fatalidad) biológico que nos inscribía en el orden de la naturaleza. Entonces, y desde esta misma lógica, todas las actividades ligadas a la maternidad, tales como el ser esposa y dedicada al hogar, se concebían como actividades *naturales* y de alguna manera como actividades instintivas de amor. Limpiar, cocinar, alimentar, ordenar, blanquear, lavar, desmanchar, planchar, rezar, criar, pero sobre todo cuidar el ego masculino, eran de hecho actividades inherentes al pacto conyugal, las cuales, mientras se quedaban en el orden de lo invisible y de lo natural, no podían cuestionarse. Aún hoy, en algunas estadísticas y en el campo de la economía, tales actividades siguen siendo invisibles y los sujetos que las generan, considerados como población económicamente inactiva. Sin embargo, la perspectiva de género está permitiendo descubrir, por ejemplo, que el trabajo doméstico participa en un 25% del producto mundial bruto.

De hecho, y gracias a lo que significa hoy la obtención del control de su fecundidad, las mujeres descubren paulatinamente, pero con una imparable voluntad de saber, que este fatalismo biológico se puede romper. Descubren, a la vez que entienden, gracias a aportes como los de Simone de Beauvoir en su tiempo, las teorías feministas, y las demandas de los movimientos sociales de mujeres, que la maternidad no es sino una acepción de la feminidad, dentro de muchas otras.

Ubicando la maternidad como una *opción*, abrimos la puerta a su ubicación en la historia, a su culturalización y a su complejización. Hacemos aparecer nuevas fertilidades y fecundidades ya no sólo del orden de lo genético o genealógico, sino de lo histórico y de lo político. Saliendo de una alienación milenaria, las mujeres se posicionan como sujetos históricos, sujetos de derecho, sujetos visibles e importantes que construyen sentido en la historia y la cultura. Como vemos, esta puerta abierta a la maternidad en cuanto *opción*, permite darle otro significado porque, al mismo tiempo que seguimos trayendo al mundo hijos e hijas, nos volvemos capaces poco a poco de traernos a nosotras mismas al mundo, construyendo un proyecto materno que nos incluya, como propone Silvia Vegetti (1990) en sus reflexiones sobre el ser madre. De esta manera se despoja la maternidad de su amargo sabor a fatalidad y, recuperando una función simbólica que la ubica en el centro de una nueva ética, recobra su viejo significado de privilegio frente a la posibilidad de dar la vida. Reconstruir este significado en un contexto en el cual el valor de la vida tienda a esfumarse, es parte de este sueño que nos presenta el pensamiento feminista.

Las implicaciones de la ruptura de la ecuación *Mujer=Madre* que dejan surgir nuevos significados para la feminidad, son todavía inimaginables en relación con el profundo y radical cuestionamiento del orden patriarcal, para el cual, la maternidad con sus tenaces metáforas de abnegación, de víctima, sacrificio y servicio como verdaderos hábitos que estructuran la identidad femenina, era la piedra angular de la subordinación y por consiguiente la piedra angular del ejercicio del poder patriarcal. Escapándonos de la fatalidad biológica, recuperamos de alguna manera y por lo menos simbólicamente el control de nuestro cuerpo, única manera de acceder a la cultura. Como lo demostró Levi Strauss en la década del 50, las mujeres no eran sino signos que intercambiaban los hombres, pero no habían tenido la oportunidad de volverse generadoras de signos, de sentidos y de cultura pues estando demasiado atadas a la naturaleza parecían incapaces de trascenderla.

Ahora bien, esta ruptura que despotencializa profundamente la maternidad, interrumpe de alguna manera la marcha de los acontecimientos y desencadena múltiples posibilidades de realización para las mujeres.

Se da nuevo significado y se redimensiona el paradigma de feminidad que así se puede articular a un deseo de *ser para sí*, dejando atrás este eterno *ser de otro* que había significado la maternidad obligada. Es que ser madre significa que cada segundo del tiempo es utilizado *en* o *para* otras individualidades en un constante frente a frente con los recién nacidos, los hijos y las hijas, el marido o compañero, la madre o el padre enfermo, los viejos(as), los enfermos(as) y finalmente los muertos(as). Limpiar muertos siempre ha sido un oficio de mujeres, por lo menos mientras no entre en la lógica del comercio funerario. Así, la mujer madre es apropiada materialmente, y por consiguiente desposeída mentalmente. Y en estas condiciones, la frágil emergencia de su ser en el mundo, era fácilmente dislocada.

Inaugurar un *ser para sí*, estrenar una *habitación propia*, como nos lo recomienda Virginia Woolf, significa, empezar a tener un proyecto de vida personal desde una nueva delimitación y estableciendo nuevas fronteras a nuestra identidad, que deja así de ser permeable a todos y todas. Significa también olvidarnos paulatinamente de una socialización para el sufrimiento con su necesaria sublimación, cuyos efectos debían transformar vivencias dolorosas en goce. Significa por tanto caminar hacia un goce menos contradictorio y masoquista, generado desde la afirmación y desde los marcos del deseo de saber como deseo de ser. Un goce de ser para sí, que incluye el reconocimiento de la corporeidad, la sensualidad y el erotismo femenino, conlleva en sí la posibilidad de nacer como sujeto de deseo dejando por fin de ser el eterno objeto del deseo masculino. Significa aprender a definir su ser desde el registro de la afirmación y no de la demanda, de la sumisión, de la dependencia, de la subordinación, generadas por la vieja dialéctica del amo y el esclavo, que nos ofrecía la protección como compensación y garantía. Pero hoy, hemos descubierto con los historiadores contemporáneos que proteger significa también controlar, y controlar, impedir construirse desde marcos de autonomía. Sólo en el ejercicio de la libertad se construye la autonomía y se accede a la ética.

Acabamos de nombrar la *autonomía* como marcador significativo de este paradigma de mujer en construcción. Esta autonomía, que desde mi perspectiva de psicóloga, es también sinónimo de una nueva salud mental para las mujeres, es un concepto complejo aunque fundamental para la feminidad de este fin de siglo, que tendremos que seguir trabajando con el fin de que revele toda su potencialidad y sus articulaciones con otros como el de *empoderamiento, autoridad femenina* y *poder* a partir de una indispensable reconceptualización del poder.

Nos faltarían múltiples marcadores en este camino abierto desde el deseo de ser, entre los cuales resaltaría el descubrimiento de la solidaridad y la complicidad entre las mujeres, la construcción de conceptos tales como *sororidad* y *affidamento* trabajados por el feminismo italiano y referidos al encuentro y valoración de las relaciones entre las mujeres, términos acuñados hoy en la práctica y el discurso feminista que reconocen los límites de palabras que como fraternidad, son producto de un lenguaje patriarcal. Estos nuevos marcadores controvierten el aislamiento, la prevención, la desconfianza que hicieron parte de las prácticas socializadoras de las mujeres entre sí, que durante siglos consideraron a las otras como posibles rivales. Todavía abundan en nuestras pantallas de televisión las inevitables referencias a la *mosquita muerta* de las telenovelas de corte tradicional.

Descubrimos un nuevo espacio entre mujeres, este espacio del *nosotras*, del *entre ellas,* desde donde inauguramos la palabra femenina. Y es bueno saber que en la actualidad existen en Colombia centenares de grupos de mujeres, nuevas casas para nosotras, nuevos refugios para nuestras identidades, todavía tan frágiles y tan sensibles a las diversas formas de resistencia a los cambios.

Ahora bien, estos cambios no eran posibles desde el silencio al cual la historia nos había condenado. Si ahora nos sentimos habitadas por este deseo de saber, es también porque recuperamos la palabra, el relato y el discurso; estamos aprendiendo a tomar la palabra, a hacer uso de la escritura, a pronunciarnos sin miedo, a hacer nuevas preguntas a la ciencia, a resistir a la mimetización que significa para nosotras implantarnos en la cultura dominante, a no pedir permiso para hablar de nosotras y a creer en que los hombres, nuestros compañeros de ruta van a escucharnos con seriedad y menos arrogancia, seguros de que somos interlocutoras válidas dispuestas a hacer propuestas al mundo. ¿Sin este acceso a la palabra, cómo colectivizar, politizar y hacer visibles nuestras existencias? Les aseguro que el patio de atrás, la alberca y el fogón, estos lugares llenos de olores y silencios, no eran particularmente propicios a la socialización del afuera o sea al aprendizaje del uso del poder. Hablo, por supuesto, del poder político. Este acceso a la palabra para nosotras es particularmente angustiante porque es de verdad un ejercicio inaugural pues hasta ahora habíamos sido *habladas, significadas* y *representadas* por los hombres. Todo lo que sabemos de las mujeres hoy nos dice mucho más de los fantasmas masculinos sobre lo femenino, que sobre nosotras mismas. Finalmente este acceso a la palabra nos permitirá reencontrarnos con el silencio dotado, esta vez, de un nuevo sentido.

Con esta recuperación de nuestras voces podremos construir un espacio verdaderamente plural para el cual el género femenino no sea visto más desde un criterio de minusválido o de exclusión y en el cual cada uno y cada una pueda hacerse oír sin prejuicio de lo que revelará. Quiero decir con esto que la mutilación de la expresión de las mujeres no representó sólo una pérdida para ellas, sino para el mundo entero que, sin una de sus mitades, sin su profunda androginia, es huérfano. Quiero expresar que no se trata de proponer una cultura femenina, volviendo a una lógica binaria que criticamos anteriormente. Lo que buscamos es sencillamente *feminizar* el mundo.

Con este panorama, demasiado breve y esquemático, existe el riesgo de llegar a creer que las puertas se nos abrieron , que ya lo logramos, que tal vez nos deberíamos calmar y reflexionar sobre los costos del desorden que introducen estas nuevas mujeres en el mundo y no pedir demasiado...

Pues para los que opinan así, me voy a permitir recordarles algunas estadísticas muy recientes, a la vez que dolorosas, para mostrarles que casi todo está por hacer y puedo afirmarles que no descansaremos un minuto frente a la tarea que nos espera.

> *Las mujeres representan más de la mitad de la población mundial y cerca de la mitad de los alimentos del mundo son cultivados por ellas. Hoy representan 1/3 parte de la fuerza de trabajo oficial pero reciben sólo 1/10 parte del ingreso mundial y poseen menos de una centésima parte de la propiedad inmobiliaria mundial*

> *El 70% del 1.3 billones de pobres del mundo son mujeres y niñas. Se habla de la "feminización de la pobreza"...*

Las mujeres y las niñas representan 2/3 partes de los analfabetas del mundo.

En Colombia la proporción de mujeres en altos puestos de decisión política representa el 6.2%. (En algunos piases nórdicos llega hasta cerca del 50%).

Uno de cada tres hogares del mundo tiene como cabeza de familia a una mujer. En Colombia los hogares encabezados por una mujer llegan al 40%.

En el mundo cada año 500.000 mujeres mueren por complicaciones durante el embarazo y más de 100.000 como resultado de abortos clandestinos.

En Colombia 300.000 mujeres abortan clandestinamente al año, y más de 1000 mueren por esta misma razón. Es la segunda causa de mortalidad materna.

En Colombia, una de cada tres mujeres en unión ha sido insultada, una de cada 5 ha sido golpeada por causa de borrachera, celos o mal genio de sus compañeros .

En Bogotá se reportan 16 mujeres violadas diariamente y se calcula que sólo aproximadamente el 7% de las mujeres reportan este hecho.

Colombia posee la medalla de oro latinoamericana en incestos y en embarazos adolescentes (más o menos 35% de los nacimientos).[3]

4. Dos o tres ideas a modo de conclusión

Para terminar no olvidemos que todo cambio significa también costos, conflictos y dolor de separarse de lo conocido... Y a veces habrá que saber perder algunas cosas para ganar otras.

Tenemos que aprender a negociar y construir nuevos pactos con los hombres que amamos, siempre y cuando se acepten ellos también como mutantes. (Es que este devenir mujer trastoca obli-

---

[3] Datos tomados de las encuestas de Profamilia, del informe de Colombia presentado en Beijing y del CONPES.

gatoriamente el viejo paradigma de masculinidad pero allí son los hombres quienes tienen la palabra porque hay cosas que las mujeres no podemos hacer por ellos...)

Desordenar imaginarios, desarticular prácticas milenarias, romper viejos consensos y luchar contra ideas muy arcaicas es sumamente subversivo y por consiguiente agotador, pero les garantizo que muy pocas de las mujeres que iniciaron este camino están dispuestas a dar un paso atrás y me parece útil saberlo.

Creo que ha llegado el momento para hombres y mujeres de aceptarse como mutantes con creatividad, generosidad y solidaridad.

Terminaré esta muy breve exposición con una frase de Julia Kristeva:

La mujer es una disidente perpetua con respecto al consenso social y político; es exiliada de la esfera del poder y por ello es siempre singular, dividida, diabólica y bruja...La mujer esta aquí para agitar y trastornar, desinflar los valores masculinos y no para abrazarlos. Su papel consiste en mantener las diferencias apuntando hacia ellas, dándoles vida y poniéndolas en juego.

X
Las mafias, la crisis política y las perspectivas de guerra civil

Alejandro Reyes Posada

El país debe atribuir al narcoescándalo electoral provocado por el presidente Ernesto Samper en 1994 el haber empujado hasta el límite de su quiebra al sistema liberal de representación política en Colombia, que desde hacía décadas había iniciado la pendiente de su agotamiento y sustitución por los métodos de la acción fraudulenta o la violencia directa. Y el país debe también lamentar que no se hubiera alistado para afrontar ese derrumbe con la preparación de fórmulas políticas democráticas, y que, en consecuencia, ahora no aparezca una alternativa realista de cambio para reemplazarlo.

Porque la verdadera gravedad del problema que ha salido a flote con el descubrimiento de la financiación de la campaña de Samper no es que caiga el presidente, lo cual mostraría que las instituciones aún sirven, sino la evidencia de la quiebra del sistema liberal de representación del poder, que ha excluido las alternativas políticas para reemplazarlo. Y por eso, también, no es fácil encontrar a un sucesor que pueda convocar el apoyo de los demás miembros de la clase política y empresarial, y mucho menos a uno que pueda representar al verdadero país *nacional*. Quienes prometían ese liderazgo, como Luis Carlos Galán, fueron muertos por el bloque real del poder, y quienes hubieran podido y no han querido asumirlo, prefirieron abdicar de su poder potencial y alejarse de un sistema político que seleccionaba negativamente a sus élites entre los más aventajados en el usufructo personal del poder.

A medida que se produjo este deterioro del poder, éste fue reemplazado por la acumulación y el empleo de organizaciones armadas, creadas para la defensa directa de intereses, sin acudir a mediaciones políticas. A las guerrillas, ejércitos rojos que pretendieron hacer la justicia social por su propia mano y terminaron construyendo un vasto imperio de extorsión y terror, le siguieron los grupos paramilitares, ejércitos negros que buscaron defender a las víctimas de las guerrillas mediante la masacre y limpieza de sus bases sociales. Los paramilitares, a su vez, cobraron autonomía respecto de sus patrocinadores y financiadores y llegaron a ser organizaciones que recogen un tributo a cambio de la valorización de las tierras por el aporte de la seguridad privada.

Esta sustitución del Estado en el campo no se detuvo a las puertas de las ciudades. Primero fue la creación de milicias de inspiración guerrillera en los barrios periféricos, luego la organización de una mano de obra criminal al servicio de las mafias del narcotráfico, después la operación de grupos de limpieza social, tanto oficiales como privados, para la defensa de sectores comerciales y residenciales contra los desviados sociales y la invasión de mendigos.

Sin estado de derecho no funciona la economía interna de mercado ni las relaciones de comercio con el exterior. Por eso, a medida que progresó la sustitución del Estado por la fuerza, avanzó también la sustitución del mercado por los negocios del crimen organizado. Como explican los economistas, al Estado corresponde asegurar las reglas del juego que protegen la propiedad legítima y que reducen a un mínimo los costos de transacción y la incertidumbre en las relaciones económicas y los contratos. El crimen organizado incorpora en el negocio todos los costos de transacción y por tanto cuenta con los medios para cuidar su propiedad y hacer cumplir los compromisos, mediante dos instrumentos privilegiados: la corrupción y la violencia. Como el crimen organizado prospera en la medida que escapa al poder del Estado, tiene la vocación de convertirse en una caricatura de estado alternativo, y la conversión se facilita en proporción directa al deterioro del poder estatal.

Las empresas del crimen organizado encontraron en el mercado ilegal de las drogas y del contrabando una fuente inagotable de alimentación, que les permitió adquirir una parte sustancial de los activos de capital en las mejores tierras, las nuevas edificaciones urbanas y las empresas en proceso de liquidación. Esta bonanza aceleró la sustitución de los agentes económicos dispuestos a someterse a las reglas del juego por quienes estaban por fuera de ellas, hasta llevar a la sociedad a caer en una trampa de deshonestidad, según el modelo desarrollado por Raj Sah en la Universidad de Yale.[1] Como explica Francisco Thoumi, el modelo, *en una sociedad en la que la mayoría de la gente respeta sus leyes es muy costoso no hacerlo y, a la inversa, en una sociedad en la que la mayoría de la gente no respeta sus leyes es muy costoso para cualquier individuo respetarlas.* Cuando se llega a esta situación, según Thoumi, no basta aumentar las sanciones a la corrupción ni hacer pequeños ajustes de política, sino que se requiere hacer profundos cambios sociales.

1. Las dimensiones internas e internacionales de la crisis

Por todo lo anterior, es de elemental prudencia revisar cuál es la verdadera dimensión de la crisis por la que atraviesa el país, para disminuir el riesgo de aplicar las terapias equivocadas, o peor aún, de conjurar los peligros sólo en la imaginación. Primero, es *una crisis de legitimidad* del sistema político de partidos, incapaz de escoger a los buenos líderes, de tramitar conflictos y de hacer urgentes cambios estructurales. Esta crisis requiere una reforma profunda de las maneras como se genera, se elige y se ejerce el poder público. Es condición necesaria, pero no suficiente, separar

---

[1] Sah, Raj. "A general equilibrium model of societal beliefs and behavior about honesty", Facultad de Economía, Universidad de Yale, mimeo. Citado por Francisco Thoumi, en: Economía Política y Narcotráfico. Bogotá, Tercer Mundo Editores, 1994, p.p. 104 y 244.

del poder a quienes fueron elegidos con dineros de las mafias, aún a sus espaldas, pero la legitimidad no se recupera sino al garantizar que el dinero no pueda comprar representación electoral.

Segundo, es *una crisis de gobernabilidad*, que se manifiesta en la sustitución del poder estatal por la fuerza organizada, que ha feudalizado el territorio nacional en dominios de los ejércitos rojos y los ejércitos negros, y las ciudades en milicias, pandillas y bandas de vigilantes. Esta crisis no tiene como solución la escalada de la guerra civil propuesta por Samper como su propio salvavidas, sino la negociación tripartita para desmovilizar las guerrillas y los paramilitares y para reformar las fuerzas militares del Estado, y el restablecimiento de los derechos humanos y la seguridad ciudadana mediante la profesionalización eficaz y civilizada de las autoridades de policía.

Tercero, es *una crisis de deshonestidad*, iniciada por la corrupción tradicional de las élites y las burocracias, pero acelerada hasta niveles peligrosos por el enriquecimiento del crimen organizado y su asociación con la política. En ausencia de una solución de fondo, que vendría al legalizar el consumo de drogas a nivel internacional para arruinar a las mafias, es necesario adoptar políticas de reducción del daño causado por ellas, al disponer no sólo la sanción penal de los infractores sino la expropiación de sus bienes, para disminuir los estímulos causados por el efecto de demostración. Paralelamente, es indispensable reducir al mínimo la corrupción con los dineros del Estado, para que sea cada vez más costoso que se acceda a los cargos para robar y no para servir. Sólo así podríamos comenzar a remontar de regreso la trampa de deshonestidad.

Como el bosque se ve más claro a medida que el observador se aleja de las ramas de los árboles, desde el exterior ya no se ve a Colombia como la más respetable democracia del hemisferio, la sociedad mejor equilibrada, ni la economía mejor conducida. La legitimidad de su Estado ha sido degradada a narcodemocracia. La riqueza excesiva de unos pocos contrasta con la miseria de la mayoría. La violencia colombiana aterra hasta a los habitantes de Beirut y de los gettos de Nueva York. A nuestros generales les niegan la entrada a Alemania y les revocan las condecoraciones en los Estados Unidos, por temor al escándalo de Amnistía Internacional. El presidente Clinton decreta la confiscación de los bienes de empresas asociadas al cartel de Cali. No puede sorprendernos entonces que en marzo de 1996 el Congreso de Estados Unidos hubiera negado la certificación, sin la cual están amenazadas las preferencias comerciales, los créditos y la inversión nueva de ese país en Colombia.

Por primera vez en muchas décadas, los colombianos sentimos el rigor de la estigmatización internacional liderada por Estados Unidos, que se suma al peso de las distorsiones internas causadas por el surgimiento de mafias como élites económicas y políticas. Es un problema externo e interno, de realidad y de imagen, que afecta a la sociedad y al estado, de justicia tanto como de seguridad nacional.

2. ¿La crisis política acerca a Colombia a la guerra civil?

La pregunta que flota en la mente de muchos colombianos es difícil incluso de formular, por temor a que el fantasma se convierta en realidad por su simple invocación: ¿estamos en vísperas de una guerra civil en plena escala, precipitada por el vacío de poder que el escándalo de la campaña ha producido en el centro del sistema político? Intentar una respuesta exige precisar algunos temas escabrosos, que no pueden eludirse por más tiempo si queremos tener los ojos abiertos al caminar, como estamos haciéndolo, por el borde del precipicio de una gran crisis de gobernabilidad.

La estrategia real del sistema político para afrontar la expansión de las guerrillas ha consistido, desde 1981, bajo el gobierno compartido de Julio Cesar Turbay Ayala y el general Luis Carlos Camacho Leyva, en la promoción y apoyo de autodefensas privadas en regiones de alta presencia guerrillera, como Magdalena, sur del Cesar, Sucre, Magdalena Medio (Boyacá, Antioquia y Santander), Bajo Cauca (Antioquia y Córdoba), sur de Córdoba, Urabá (Antioquia y Chocó), Meta, sur de Casanare, norte del Valle y medio Putumayo. Las autodefensas han recibido el apoyo financiero de las mafias y algunos grandes propietarios, y han contado con la tolerancia y a veces la abierta cooperación de la fuerza pública. Por esa razón la opinión pública los denomina paramilitares.

Las guerrillas inician su ocupación territorial presentándose como abanderadas de causas populares en situaciones de conflicto social, y por tanto, buscan algún grado de legitimidad en el derecho del pueblo a lograr el cambio estructural. Los paramilitares aparecen como reacciones organizadas de las víctimas de las guerrillas, de preferencia grandes propietarios y empresarios, pero también amplios sectores medios y populares, contra los abusos autoritarios, el secuestro y la extorsión practicados por las guerrillas. Su legitimidad deriva del derecho a la defensa. Tales los casos de Puerto Boyacá, la región santandereana del Chucurí y de Córdoba.

La sustitución progresiva de la política por la guerra

Si la *justicia reivindicativa* y los *impuestos de guerra* de las guerrillas afectan a los ricos de cada región, la reconquista emprendida por los paramilitares se dirige contra aquellos líderes y activistas populares de quienes se sospecha sirven de apoyo a las guerrillas, o de enlace entre los movimientos populares y las guerrillas. Las guerrillas decapitan el liderazgo de las élites regionales, y los paramilitares el liderazgo de las organizaciones populares. El resultado, en uno y otro caso, confluye en uno solo: la desarticulación, mediante la fuerza y el terror, de la población no combatiente, de arriba y de abajo. En ambos casos se busca que la población civil se polarice en apoyo de los adversarios armados. Esta polarización se lleva por delante los derechos humanos de los combatientes y con mayor razón de los no combatientes.

Las guerrillas y los paramilitares ocupan hoy las regiones donde se han acumulado los grandes conflictos estructurales del sector rural colombiano, como el reparto de la tierra y la distribución de beneficios de las riquezas colectivas, como el petróleo, las esmeraldas, el banano, los cultivos de coca y el oro. Unas y otras han crecido a expensas del poder del Estado para dirimir esos conflictos. Por lo tanto, han reducido el sistema político a los rituales formales de la elección de los gobernantes y legisladores.

El colapso de la capacidad del Estado para arbitrar conflictos y gobernar abre la puerta ancha para reemplazar el servicio público por la corrupción y el favoritismo personal. Esto sumió a la sociedad colombiana en una complicada trampa de deshonestidad, de la cual sólo puede salirse a mediano plazo y con muchos esfuerzos sostenidos de la administración y la justicia.

Los gobernantes, aún sin corrupción, encuentran que su poder es sólo nominal. El poder real de la sociedad para reformarse y dirigirse a sí misma, mediante la resolución de sus conflictos y la competencia democrática de sus movimientos sociales, que se expresa en sus órganos decisorios, ha sido erosionado por la violencia de uno y otro signo. Esa violencia, sin embargo, no es capaz de generar nuevo poder en reemplazo del que ha sido destruido. El resultado es la impotencia generalizada del Estado y la sociedad civil, no sólo para conducirse, sino también para superar la violencia de los adversarios armados. El presidente Belisario Betancur, quien inició su mandato con la tregua y los diálogos de paz y lo terminó con las llamas del Palacio de Justicia en Bogotá y el campo sembrado de paramilitares, aprendió dolorosamente esa lección.

La fuerza pública es incapaz de superar la violencia

La fuerza pública ha quedado atrapada en los términos del dilema entre la erosión del poder y la violencia generalizada. Como lo expresó con lucidez en alguna ocasión el General Rafael Puyana, a la fuerza pública le ha correspondido la tarea ingrata de reprimir el desbordamiento de la protesta popular, expresado en movilizaciones sociales y acciones subversivas. Como la fuerza pública es la encargada de defender un poder civil cada vez más ineficaz, sus instrumentos, que descansan en la fuerza, no pueden compensar la pérdida de poder del Estado. En consecuencia, sólo pueden oponer violencia a la violencia que se ejerce para destruir o reemplazar al Estado. Y como el enemigo practica la guerra irregular, confundido con el pueblo, la estrategia militar también incluye la fuerza preventiva o retaliatoria contra la población civil, que se usa de manera irregular, con lo cual se cierra el círculo vicioso de la violencia.

La violencia sólo genera más violencia. La fuerza de las guerrillas se alimenta de las equivocaciones de la fuerza pública que afectan a la población, como los registros, detenciones, retenes y allanamientos indiscriminados. Por eso la terapia de usar más fuerza pública o más paramilitares contra ellas sólo ha conducido al escalamiento simbiótico de la violencia y al terror generalizados.

Las fortunas de las mafias alimentan a todos los participantes en la guerra

Los procesos anteriores han sido dramáticamente aumentados de escala por el enriquecimiento de las mafias de las esmeraldas y las drogas, y por su alianza, al crear sus propios paramilitares, contra las guerrillas. Con mucha rapidez los caudales de dinero generados por las mafias fueron distribuidos, además, entre los restantes participantes en la guerra, incluidas las guerrillas por la vía tributaria, con lo cual todos financiaron la ampliación de su logística y capacidad militar. Por otro lado, la distribución ampliada de beneficios de las esmeraldas y las drogas a otras capas sociales y a las autoridades de control y decisión política, permitida por la tolerancia interesada hacia los nuevos ricos, profundizó la corrupción privada y pública hasta límites muy difíciles de reducir.

La rápida acumulación de capitales en manos de las mafias concentró la propiedad hasta niveles que segregaron más al país entre los muy ricos y los muy pobres. En 1995, una encuesta realizada por el autor con expertos en el mercado de tierras en todo el país encontró que había compras significativas de fincas rurales por narcotraficantes en 400 municipios, que representan el 39% de los municipios del país. En muchas regiones los observadores locales señalan que los narcotraficantes han comprado las mejores tierras. Eso significa que en sus manos está concentrada la definición de las pautas de inversión rural y por tanto una parte importante de la seguridad alimentaria del país. La preferencia generalizada de uso de la tierra es la ganadería extensiva, poco intensiva en administración.

La compra de tierras por narcotraficantes ha agravado la naturaleza del problema agrario y ha escalado la violencia en el país.

Cuando comenzaron a comprar latifundios a fines de los setenta, los narcos se relacionaron con una clase en la que predominan los grandes propietarios ausentistas, que han dedicado parte de las mejores tierras a la ganadería extensiva, evaden impuestos y ofrecen poco empleo. Los grandes propietarios han sido confrontados por los movimientos campesinos en demanda de tierras y asediados por el secuestro y la extorsión de las guerrillas.

Estas clases rentistas han fracasado en la tarea de impulsar un desarrollo modernizador que irrigue bienestar a la población rural. Su negocio no es la producción, que genera desarrollo, sino la especulación con el valor de la tierra monopolizada, que reproduce el atraso. Como la producción agraria no es el negocio central de los narcos, su acceso al control de la tierra refuerza la tendencia especulativa que crea ganancias por valorización.

El negocio del narcotráfico es independiente de las restricciones que condicionan la rentabilidad en los restantes sectores de la economía, pues las ganancias están garantizadas por la prohibición del mercado de drogas y la represión estatales. Igualmente, la inversión de ganancias le asigna prelación a la legalización de capitales sobre su rentabilidad. Eso explica el premio, representado en sobreprecio y comisiones, que los narcotraficantes están dispuestos a pagar por la legalización de sus ingresos mediante la compra de fincas rurales y propiedades urbanas.

En medio de la prolongada crisis agraria del país, la compra de tierras no es una opción muy avanzada desde la perspectiva empresarial, por la sobrevaluación generalizada de las buenas tierras respecto de su rentabilidad. Más bien puede afirmarse que la apropiación de tierras tiene la lógica económica de ser un ahorro a largo plazo, que se valoriza con la inversión pública, y la lógica social de representar uno de los fundamentos principales del dominio regional. Por eso el mercado de tierras en el cual han intervenido los narcotraficantes es el de los grandes fundos de propietarios ausentistas, que atesoran improductivamente los recursos naturales.

Al vender a los narcos, los dueños de latifundios les transfirieron también los conflictos a los que había conducido su atesora-

miento de los recursos agrarios. La presión campesina por la tierra, con muchas haciendas ocupadas ilegalmente, o en disputa
entre poseedores y dueños, y la dominación guerrillera, fueron
los retos asumidos por los nuevos propietarios territoriales.

Para afrontar esos retos, muchos narcoterratenientes se vincularon a la iniciativa de organizar grupos de autodefensa, propuesta
desde 1981 por las Fuerzas Armadas, y los convirtieron en ejércitos privados, destinados a la contrainsurgencia, la seguridad del
negocio y la limpieza de territorios. Su participación armada contra las guerrillas les garantizó las complicidades necesarias para
su negocio: seguridad frente a la fuerza pública e impunidad frente
a la justicia. Durante los años ochenta hubo guerras regionales en
las que la fuerza pública, los paramilitares y las guerrillas aterro-
rizaron a la población civil en el Guaviare, Meta, Caquetá,
Putumayo, el sur del Magdalena Medio (Boyacá, Caldas,
Antioquia, Santander), Córdoba, Urabá, Magdalena, Valle y norte
del Cauca. Durante los noventa se han agravado las guerras territoriales en Urabá, el norte del Magdalena Medio, Casanare, Sucre,
Chocó y el sur del Cesar.

El conflicto agrario, en condiciones locales de guerra, alimenta
la polarización de posiciones de los adversarios sociales -campe-
sinos y grandes propietarios-, quienes no pueden articular el conflicto por vías institucionales y políticas. Los empresarios rurales
han perdido la seguridad mínima indispensable para invertir y
los campesinos sin tierra o en conflicto por ella han sido aterroriza-
dos y desplazados a los tugurios urbanos o a los cultivos ilegales.

Hoy puede dibujarse un detallado mapa de dominaciones armadas en muchas regiones del país. En algunas las guerrillas son
el aparato de control policivo de la población rural y cobran tributo de guerra a la producción legal e ilegal. En otras todo depende
de la voluntad de los señores privados de la guerra, que ejercen la
defensa y la justicia sobre sus territorios y también recaudan contribuciones por sus servicios. Otras regiones están en las fronteras
de seguridad de guerrillas y paramilitares, y en ellas la población
es víctima de prácticas de terror por unas y otros.

La violencia ha erosionado el poder del Estado y de las organizaciones gremiales de la población civil. En estas condiciones, la solución del problema de distribución de la tierra, que en últimas es un problema de distribución del poder y las oportunidades entre clases sociales para dinamizar el desarrollo, ha quedado indisolublemente unido a la superación de la violencia. No es posible hacer una reforma agraria seria si no se ha hecho la paz con guerrillas y paramilitares, y no es posible hacer la paz sin tomar en cuenta el deterioro estructural de las condiciones campesinas de vida, ocasionado por la concentración de la propiedad en manos de narcos y grandes latifundistas. La sustitución de empresarios y campesinos por narcos, paramilitares y guerrillas ha sido una formidable transformación regresiva del campo colombiano en las dos últimas décadas.

De corregir las consecuencias de esa transformación tendrán que encargarse, más pronto que tarde, los dirigentes del país. Por las dimensiones del problema y los costos exorbitantes que traería no enfrentarlo, nunca como ahora el estado colombiano, cuando recobre la plena legitimidad, ha estado más obligado a dar una solución de fondo al problema de la inequitativa distribución de la propiedad rural y el atraso productivo del agro, exagerados por la compra de tierras por los narcos.

La reforma agraria debe establecer límites a la extensión que puede poseerse y debe eliminar el monopolio improductivo en manos de grandes propietarios y narcos. Democratizar la propiedad rural es la manera más eficiente de reducir la pobreza y la única forma de lograr que el gasto social no concentre el ingreso en los más ricos, sino que lo distribuya en más empleos y mayor productividad para los pobres.

La extinción del dominio privado sobre las tierras adquiridas por enriquecimiento ilícito, y su reparto entre los campesinos sin tierra, apunta a la solución simultánea de tres grandes problemas nacionales: la reducción del poder feudal desmedido de los capos del narcotráfico; la reducción de la pobreza rural, que opera como freno del desarrollo; y la superación de la violencia, en cuanto la reforma agraria sería uno de los contenidos materiales de la negociación de paz con las guerrillas. Esa decisión, por supuesto, sólo sería posible dentro del marco de una seria política de lucha contra las mafias del narcotráfico, que tienda a corregir las mayores distorsiones estructurales causadas por la acumulación ilícita de capitales.

Lo que puede ocurrir en Colombia

En estas condiciones, la debilidad política del gobierno de Ernesto Samper, y la del sucesor, abre una ventana de vulnerabilidad para que se profundicen varias guerras de posiciones entre las guerrillas y los paramilitares, la primera de las cuales está haciendo su entrada en Urabá. Lo que puede suceder a continuación, con o sin acuerdo nacional contra la violencia y con o sin declaratoria de conmoción interior, es que en regiones como el Magdalena Medio, el sur de Casanare, el Ariari, la zona bananera del Magdalena y el norte del Chocó, donde la hegemonía territorial entre las guerrillas y los paramilitares está en disputa, los adversarios armados quieran definir quién controla el territorio. Para lograrlo no tienen otro camino que imponer su ley sobre la población no combatiente, alineando a su favor a los indecisos y expulsando por el terror a los demás. De hecho, las últimas dos décadas de violencia han desplazado a 600.000 campesinos de sus lugares de residencia, según el estimativo de un estudio hecho por la Conferencia Episcopal.

Al aumentar la violencia guerrillera, el ejército y las capas ricas de la población buscarán reforzar la alianza con los paramilitares, ahora transformadas nominalmente en *asociaciones de seguridad rural,* Convivir, por el ex-ministro de Defensa Fernando Botero, para lo cual deberán refrendar la actual colaboración financiera de las mafias de las esmeraldas y las drogas, aún al costo de exponerse al mayor aislamiento respecto de los Estados Unidos y a sanciones económicas internacionales.

Parar la escalada de la guerra que puede avecinarse exigirá, primero, reconstruir el poder del Estado, lo que supone superar las tres crisis que se han precipitado sucesivamente: de credibilidad, legitimidad y gobernabilidad. Cuando esto se logre, el sucesor de Samper deberá reconocer la existencia de los adversarios armados -guerrillas y paramilitares- y negociar con ellos su desmovilización, con o sin dejación de las armas durante un período de transición, para reconstruir luego la política, cuya condición esencial es la garantía de sobrevivencia para sus participantes, independientemente de su pasado en la confrontación armada.

Conseguido lo anterior, el país tendrá que abocar la decisión de repartir la tierra acumulada por las mafias, para reordenar la población en el territorio y resolver los conflictos acumulados.

Entre más tiempo tome resolver la crisis desatada por la financiación mafiosa de las campañas electorales de 1994, mayores las probabilidades de que Colombia se precipite a una guerra civil, que devolvería el reloj de la historia a la década de los años cincuenta.

XI
Origen, desarrollo y desenlace del Caligate

Fernando Cepeda Ulloa

Introducción

Mucho antes de la revelación de los narco casetes, el Gobierno de los Estados Unidos había prevenido al equipo de la campaña de Samper sobre los riesgos de infiltración de dineros calientes. Antes de la posesión del Presidente Samper le aseguraron que esos dineros habían ingresado. A partir de ese momento se ha recorrido un verdadero viacrucis. Ahora, la pregunta es ¿cuál es el desenlace? ¿Crucifixión?

Los políticos todavía contemporizaban

El Fiscal Valdivieso en entrevista para la *revista Estrategia* considera que el narcotráfico en Colombia ha pasado por cinco etapas: tolerancia; favorabilidad; contemporización; prevención; y rechazo. Pues lo que estamos viviendo es el rechazo a la infiltración de los dineros de la droga y de los *intereses* de los carteles que explotan ese multibillonario y criminal negocio, no sólo en la vida política sino en la economía y en la sociedad. El fiscal, el símbolo más admirado de esta lucha, ha repetido hasta la saciedad que es la hora de romper esos vínculos para rescatar así a la política, a la economía y a la sociedad de las manipulaciones y de los intereses inconfesables de ésta y otras organizaciones criminales.

Todo parece indicar que mientras buena parte de la opinión pública y de las autoridades gubernamentales evolucionaban hacia la etapa de rechazo, un sector importante de nuestra clase política todavía se movía, unos, dentro del esquema de tolerancia, otros, en el campo de la favorabilidad y, no pocos, en el de la contemporización. Lo que ha escandalizado a la opinión pública nacional y a la internacional es que después de las atrocidades cometidas por los Carteles, un grupo de políticos hubiera podido concertarse para recibir un apoyo formidable en términos económicos por parte de una organización criminal señalada y perseguida por la comunidad internacional y por los gobiernos anteriores. Particularmente los del Presidente Barco y el Presidente Gaviria. Que después de inenarrables sufrimientos, magnicidios, actos terroristas monstruosos, fenómenos de corrupción y el enorme daño que internacionalmente todo ello le causaba a Colombia, se aceptaran sumas tan significativas de dinero para una campaña presidencial es algo que no cabía en la cabeza. Ello puede explicar la resistencia a creer en el contenido de los narco casetes y de otras revelaciones. Un país básicamente decente se negaba a aceptar semejante barbaridad. Las investigaciones del fiscal De Greiff solicitadas por el propio Presidente Samper contribuyeron a despejar las dudas. Las declaraciones de un senador norteamericano, todavía durante la Administración Gaviria, acusando a Colombia de ser una narcodemocracia y, luego, la decisión unánime de una de las Cámaras del Congreso norteamericano de suspender la ayuda a Colombia, habían creado un sentimiento de que había una gran injusticia de los Estados Unidos hacia Colombia. Posteriormente, ya posesionado el Presidente Samper, las declaraciones del director de la DEA contra quienes habían sido sus aliados en la lucha contra el narcotráfico en la Policía Nacional y en el DAS generaron, también, perplejidad e indignación. Los ministros de la Administración Samper, particularmente los de Defensa, Justicia y Relaciones Exteriores, iban a Washington y regresaban, unos con más optimismo que otros. El primer semestre pasó en medio de muchos rumores. El segundo semestre lo abrió el discurso del Embajador Frechette, desde Nueva York, en el cual anunciaba las dificultades que tendría el Proceso de la Certificación.

Certificación 1994 y captura del cartel

El tema de la *certificación* era desconocido para buena parte de los dirigentes y para la opinión pública, en general. De la misma manera no había mucha claridad sobre la forma como el tema de las drogas había ido convirtiendo a Colombia en una especie de enemigo de los Estados Unidos. No solamente había muy poca información sobre la figura de la certificación sino que, en general, se confiaba en los viejos lazos de amistad con los Estados Unidos. La reciente participación del Presidente Samper en la Cumbre de Miami y la manera como nuestra cancillería había colaborado en crear un ambiente favorable para esa histórica reunión dejaban la sensación de que la relación Colombia-Estados Unidos había retornado a la ruta del entendimiento.

Por ello el debate sobre la *certificación* se hizo más sobre el desempeño del embajador Lleras de la Fuente o sobre el comportamiento del embajador Frechette en Colombia. La teoría del vampiro, de alguna manera, simboliza la naturaleza de este debate. Pero había mar de leva. La cuestión era mucho más delicada. *Estrategia* había publicado una serie de artículos elaborados por reconocidos expertos en la materia, Bruce Bagley y Juan Tokatlián. Ellos daban las voces de alarma sobre lo que estaba ocurriendo y llamaban la atención, particularmente éste último, sobre la manera como el tema había pasado a ser una cuestión de preocupación vital para los organismos de seguridad y de inteligencia en los Estados Unidos. Como para que no hubiera dudas, el profesor Tokatlián ilustraba sus artículos con listas que muchos consideraban exageradas y hasta innecesarias de los estudios que se publicaban en revistas que no eran leídas en Colombia. Allí se recogían interpretaciones elaboradas por expertos de inteligencia y de seguridad cuyos nombres eran desconocidos totalmente en nuestros círculos académicos y, sobra decirlo, en los diplomáticos. La verdad es que se había producido un cambio radical en la política antidrogas de los Estados Unidos con respecto a Colombia. Ya no se trataba del tema de la interdicción o de la erradicación. La política de seguridad nacional de Estados Unidos, en su capítulo sobre Colombia, claramente contemplaba la captura de los miembros del cartel de Cali como un aspecto vital de la lucha y de las relaciones entre Colombia y Estados Unidos.

A este respecto no existía mucha claridad entre los colombianos. Y en Cali los medios de comunicación y su clase dirigente no se percataban del significado de esta nueva política. Tampoco se daban cuenta de que el destino de Colombia estaba ligado a lo que sucedía en Cali. Cualquiera que revise las páginas de los periódicos caleños durante 1994 y parte del 95 llegaría a la conclusión de que allá todo ocurría como si el Cartel de Cali no existiera. Es un testimonio de que, todavía, la etapa del rechazo público por lo menos no existía en esa sociedad. Hoy la situación es bien diferente, por fortuna.

Los éxitos de la administración Samper

Al debate sobre la certificación y al impacto que produjo una certificación por razones de interés nacional, no obstante el Plan Antidrogas ambicioso y casi utópico adoptado por la administración Samper en febrero, siguió una sucesión asombrosa e inesperada de éxitos de la administración Samper en la lucha contra el cartel de Cali. Las utopías se hacían realidad. Semana tras semana iban cayendo o se iban entregando figuras claves del cartel. La ofensiva gubernamental que dirigían el Ministro de Defensa, Fernando Botero Zea y el Director de la Policía Nacional, recién nombrado, General Serrano, dejaban boquiabierta a la opinión internacional y a la colombiana. El gobierno de los Estados Unidos no podía pasar por alto semejantes hazañas. Las felicitaciones no se hicieron esperar. El Presidente Samper se sintió aliviado de un peso insoportable. El mismo lo dijo: *es como quitarse un piano de encima.*

Exitos opacados

Pero al lado de éxitos tan rotundos, los rumores cundían por todas partes y surgían documentos y filtraciones que intranquilizaban a la opinión. El más dramático de todos, quizás, una conversación privada entre el Presidente Samper y Elizabeth Montoya de Sarria, a partir de entonces llamada la monita retrechera, publicada por la revista *Semana* al otro día de la captura espectacular de Miguel Rodríguez Orejuela, que prácticamente cerraba el círculo de éxitos del gobierno. En estos dos episodios como que se sintetiza el drama que se vivió en 1995. Cada éxito espectacular era opacado por una revelación o por una filtración. Esta conversación privada le quitó casi todo significado a la captura de Miguel Rodríguez, la cual en cualquier otra ocasión habría sido un triunfo suficiente como para consagrar toda una obra de gobierno. Así era el tamaño de la crisis. Los éxitos por rotundos que fueran, a la vuelta de unas cuantas horas, ya no significaban nada.

El proceso 8.000

El Fiscal Valdivieso ha dicho que el proceso lleva otro número. Eso a nadie le importa. Para todos se trata del *proceso 8.000*. Si es un número cabalístico o no, eso lo ignoramos. A medida que iban cayendo o se iban entregando los miembros más destacados del cartel, la Fiscalía iba recolectando información documental sobre los vínculos del cartel de Cali con la política y con la sociedad. Fue así como se encontró evidencia que dio lugar al anuncio dramático que hizo la Fiscalía sobre las investigaciones contra un grupo de congresistas, contra el Contralor y el Procurador y contra el periodista conservador, Alberto Giraldo y el exsenador y exembajador liberal, Eduardo Mestre. El revuelo fue indescriptible. El alivio que habría podido traer la captura de la cúpula del cartel ya era historia patria. Pronto, Eduardo Mestre y Alberto Giraldo serían capturados, el primero con mayor dificultad porque resolvió esconderse para escribir lo que malamente se llamó un diario cuyas revelaciones, estremecieron, también, a la opinión.

De la satanización a la exaltación

Desde entonces hemos ido de perplejidad en perplejidad. Y nuestra capacidad de asombro no ha dado señales de agotamiento. Todo lo que parecía improbable se tornaba cierto. Inclusive la declaración que hizo el Vicepresidente Gore en la histórica reunión de Ministros de Defensa del Continente en la amable ciudad de Williamsburg. Allí ante los encargados de la política de seguridad del Continente, o sea de la lucha contra las drogas, que sustituía la lucha contra el comunismo una vez terminada la *guerra fría,* fenómeno que todavía no terminamos de entender cabalmente, el Vicepresidente Gore hizo un descomunal elogio del Ministro Fernando Botero, a quien calificó como héroe de esta lucha. Habíamos pasado de la satanización a la exaltación heroica. Pero como estamos viviendo una tragedia griega, esa declaración al igual que las capturas del cartel no sobrevivió ni siquiera unas cuantas horas. Casi simultáneamente, el extesorero de la campaña liberal, Santiago Medina cambiaba las declaraciones que había hecho ante el Fiscal De Greiff; cambiaba, también, de abogado y pasaba a ser de acusado principal a la condición de acusador clave y testigo fundamental. Esta situación produjo un gran sacudimiento. Fernando Botero anticipó su viaje de regreso. Se iniciaba una nueva etapa aún más crítica que las anteriores. Ahora la suerte del Presidente Samper, la de Fernando Botero y la de otros dirigentes pasaba a manos de la Fiscalía. En cuestión de horas un buen lunes del mes de agosto, tanto el Ministro de Gobierno, Horacio Serpa como el Ministro de Defensa, Fernando Botero, en una rueda de prensa rechazaban con vehemencia las afirmaciones de Medina que habían conocido, según dijeron, por la vía de un documento anónimo que resumía su testimonio en el cual comprometía en forma grave la conducta del Presidente, la de Fernando Botero, etc. El vértigo se apoderó de un proceso tan tortuoso. Dos o tres días después el Ministro Botero en una ceremonia impresionante, no desprovista de dramatismo y de llamadas telefónicas de última hora, presentó renuncia de su cargo. Por la forma como lo hizo dejó una conmovedora impresión en buena parte de la opinión pública. Mujeres que no lo conocían lloraron ante los televisores, en los salones de belleza, en las tiendas, y dejaron saber su solidaridad y su admiración por el joven Ministro que a riesgo de su vida y la de su familia había encabezado la lucha exitosa que había conducido a la captura del Cartel de Cali y que se había mostrado, también, como un duro en la tarea de enfrentar la guerrilla y de recuperar la seguridad ciudadana.

El Presidente da la batalla por su inocencia

La reacción inmediata del Presidente Samper fue la de dirigirse a la nación para negar su responsabilidad con respecto a cualquier infiltración de dineros calientes en su campaña. No solamente, argumentaba, había creado una estructura para impedir que ello ocurriera, la cual incluía un Comité Financiero, un Código Etico y un Fiscal Etico, sino que había prescindido del aporte electoral de varios jefes políticos regionales por razón de vinculaciones así fueran solamente sociales con personas relacionadas con el criminal negocio de las drogas. Fue rotundo en afirmar que si la infiltración de dineros había ocurrido, habría sido a sus espaldas. Inmediatamente solicitó que la Comisión de Acusación e Investigación de la Cámara, su Juez natural, asumiera la investigación con base en las informaciones que tenía la Fiscalía. Después vendrían otros testimonios. De la misma manera, anunció su apoyo a la Fiscalía y a la Comisión, para que los responsables recibieran la correspondiente sanción. Así arrancó el segundo semestre de 1995.

Que si me voy, que no me voy

Semejante acusación contra la Campaña Presidencial Liberal generó aparte de las obvias perplejidades, debates en el Partido Conservador, consultas por parte de los dirigentes que tenían aspiraciones presidenciales y controversias en el interior de gremios, asociaciones, medios de comunicación, familias, etc.

El golpe de gracia, el más sentido por la familia presidencial, lo dio la Embajadora en Londres, Noemí Sanín de Rubio, amiga íntima e interlocutora de todas las horas del Presidente Samper. La sorpresa de su decisión de renunciar, comunicada públicamente, desató un debate que la hizo vulnerable. Luego, más adelante, y comprobando anuncios prematuros, vendría una renuncia más discreta pero no menos significativa, la de Gloria Pachón de Galán. Sus efectos quedarían compensados con la presencia en el gabinete del hermano de Luis Carlos Galán, en el Ministerio de Salud y con la aceptación del novedoso puesto de Zar Antisecuestro del esposo de la hermana de la Embajadora, Alberto Villamizar, figura clave en la aprobación de la Ley Antiestupefacientes y, también, en el sometimiento de Pablo Escobar a la justicia.

Con todo, Noemí Sanín, no solicitaba ni la renuncia, ni la licencia del Presidente de la República. Simplemente, se colocaba en actitud crítica y reflexiva. Juan Manuel Santos, ya lo había hecho mucho antes cuando le había retirado su lealtad al Presidente. Tan solo Andrés Pastrana insistía en que el Presidente debía solicitar una licencia temporal para que la investigación siguiera su curso.

Defensa, atentados e inhibición

El resto del segundo semestre de 1995 está más fresco en nuestra memoria. No hay para qué entrar en detalles. La Comisión de Acusación inició su trabajo sin que mediara una denuncia del Fiscal. Es un aspecto importante en este proceso que no se debe pasar por alto. Ello quiere decir que la Fiscalía no tenía en ese momento, como no lo habría tenido al terminar el año 95, un acervo probatorio que le permitiera acusar al Presidente de la República. Ello habla bien de la prudencia del Fiscal.

En medio de discusiones sobre su legitimidad y su credibilidad y sobre la persona del investigador principal, el representante Heyne Mogollón, el debate adquirió un carácter eminentemente jurídico. Los elementos políticos, aunque siempre presentes en este debate, fueron sobrepasados por la judicialización del mismo. El abogado Antonio José Cancino pasó a ser un protagonista principal. El Presidente Samper tramitaba su defensa en el terreno político pero judicializando el proceso. Es algo que ha venido caracterizando la política contemporánea en Italia, en Francia, en Venezuela, en los Estados Unidos. Hay amagos de violencia. Ocurren asesinatos en el Valle y en Bogotá. Pero hay dos atentados que vuelven a sacudir a una nación ya suficientemente conmocionada: el atentado contra el defensor del Presidente cuando regresaba de dejar a su hijo en la Universidad Externado de Colombia; y el asesinato del dirigente conservador Alvaro Gómez Hurtado, cuando salía de dictar su clase en la Universidad Sergio Arboleda. Al mismo tiempo ocurren fenómenos extraños al interior de las Fuerzas Armadas. Uno de ellos lleva a la renuncia y a las denuncias del Jefe de Inteligencia, el General Urbina, y para asombro de todos algunos tratan de implicarlas en el magnicidio de Alvaro Gómez. Surge el grupo de los decentes en el Congreso encabezados por Enrique Gómez Hurtado. El Ministro de Gobierno, Horacio Serpa, a lo largo del semestre se debate como un tigre en el Senado, en la Cámara, en los medios, donde lo pongan, donde lo dejen. El país recupera palabras ya olvidadas del vocabulario político: *mamola,* por ejemplo. Los jóvenes ven por primera vez en la televisión el ejemplo de una oratoria encendida que no por pasada de moda deja de ser eficaz. La Corte Suprema de Justicia, juez natural de los congresistas y del Procurador y del Contralor, hace su trabajo discretamente y comienza ya al final del año a dictar resoluciones acusatorias. Dos figuras destacadas del liberalismo, Rodrigo Garavito y Alberto Santofimio son objeto de medidas de aseguramiento. La Comisión de Acusación, sin que se produzcan filtraciones, adelanta su trabajo en medio de un duro cuestionamiento. Finalmente, en diciembre, después de largas sesiones y trasnochadas y en medio de intimidaciones y amenazas de muerte, produce un fallo inhibitorio que da lugar a una gran controversia. Simultáneamente, el Senado tramita un *Narcomico* que busca una exoneración penal para todos los implicados en el proceso. El escándalo es mayúsculo. La Cámara no tiene alternativa diferente a la de revocar esta decisión. Y lo hace por unanimidad. El Congreso se salva a medias. ¿Y por qué tanta desesperación? Semanas antes el Consejo de Estado en una reñida decisión y luego de un debate tortuoso en el que el expediente iba de sala en sala había tomado una decisión clave que había dado lugar a manifestaciones de gobierno y a una carta del propio Vicepresidente de la República, Humberto De la Calle: se trataba nada menos que de establecer, de una vez por todas, si el Fiscal podía continuar o no en el ejercicio de la Fiscalía más allá del mes de marzo. El año está terminando. Los colombianos están exhaustos. Una rueda de prensa le permite al Presidente ventilar su caso con serenidad y eficacia ante la opinión pública. Pero el proceso no había terminado. Es más, al parecer todo estaba por ocurrir. La crisis de verdad no había comenzado.

Annus horribilis: 1996

Este relato se escribe el 29 de enero. Durante estos días del primer mes del nuevo año han ocurrido cantidad de hechos sorprendentes. Como que tenemos la sensación de que ya vamos mas allá de la mitad del año y como que anhelamos que ya pudiera comenzar otro. Este pinta como un *annus horribilis* recordando la expresión que usó Su Majestad, la Reina Isabel para referirse a aquel durante el cual hasta el Castillo de Windsor se incendió. Para el Presidente Samper el año se iniciaría con un nuevo gabinete y con un importante viaje a la ciudad de Davos en Suiza, donde el Presidente ya liberado de inculpaciones, hablaría en un panel, al lado de nadie menos que el legendario Fiscal italiano Antonio Di Pietro, sobre el tema de la corrupción. También hablaría sobre la integración latinoamericana. Habría también una visita a Francia y una reunión de embajadores colombianos acreditados en Europa, en la ciudad de Madrid que estaría organizada por el Vicepresidente, Humberto De la Calle. Una oportunidad para un nuevo diálogo entre Presidente y Vicepresidente y para diseñar una estrategia de recuperación de la imagen de Colombia y de acción efectiva en el terreno económico.

El destino implacable hizo que las cosas fueran radicalmente diferentes. El escepticismo que había dejado la decisión de la Comisión, sumado a la indignación que produjo el narcomico aprobado en el Senado y lo que Pedronel Ospina llamó el *Sampermico*, incorporado a la Ley Estatutaria de la Justicia y que inútilmente pretendía darle carácter de cosa juzgada al fallo inhibitorio de la Comisión con respecto a la situación jurídico-política del Presidente, alimentaron la decisión de muchos durante las vacaciones de entrar en serio a producir un remezón político tan pronto como fuera posible.

La crisis se vino

Bien pronto, cuando apenas comenzaban a hacerse las maletas para el regreso, *El Tiempo*, con despliegue inusitado, publicó un informe elaborado por los profesores del Instituto de Estudios Políticos de la Universidad Nacional que al plantear diversas opciones para la crisis que se venía tramitando desde junio de 1994, cuando Andrés Pastrana puso en marcha el mayor escándalo político de que tengamos noticias en nuestra Patria, relanzaba la crisis. Curiosamente, el lunes inmediatamente siguiente un editorial del mismo periódico descalificó el documento. Y como si éste fuera palabra de Dios, nadie se tomó el trabajo de comentarlo o discutirlo. Es como si jamás se hubiera escrito. Había otros hechos mucho más complicados. Captura de la hermana de los Rodríguez Orejuela. Hoy es ya un hecho olvidado. Casi insignificante. Caen puentes, también. Pero más grave que eso cae la seguridad de la cárcel más notoria del mundo. Como si no existiera ningún dispositivo de seguridad, un buen día, mientras el Ministro de Justicia saliente, asistía a la posesión del Ministro que lo sucedía, ocurría un hecho de imprevisibles consecuencias, que ponía todo patas arriba, la fuga o simplemente la salida tranquila y sin sobresaltos de uno de los más peligrosos miembros del cartel, José Santacruz Londoño. El hecho se conoció tardíamente. El recuerdo del episodio de La Catedral, ocurrido, también, si no al tiempo que se daba el cambio de Ministros de Justicia, sí pocos días después, dejaba estupefacta a la opinión nacional e internacional. Se trataba de un escándalo inocultable. Quedaba en evidencia la incapacidad para garantizarle al mundo y a los colombianos que los tristemente célebres miembros del Cartel estaban a buen recaudo. La reacción en los Estados Unidos no se hizo esperar. El tema de la *certificación*, o mejor, el de la *decertificación*, reapareció con todo su vigor y esta vez tenía algo mucho más que la simple figura de un vampiro. De allí pasamos a un breve debate sobre la extradición. Y, pronto, en una edición dominical de *El Tiempo*, en la primera página, Juan Manuel Santos, precandidato y exdesignado, invitaba a Fernando Botero a hablar, pero sobre todo, a decir la verdad. Se trataba de una entrevista, la mejor que Santos ha dado hasta ahora, en la cual modificaba su posición en varios aspectos, así: reconocía la legalidad de la decisión de la Comisión de Acusación; reconocía la legalidad de la sucesión por parte de Humberto De la Calle y radicalizaba su posición frente al Presidente de la República a tal punto que se distanciaba de la del Presidente Gaviria al sostener que el sólo hecho de que se supiera que había dineros del narcotráfico en la campaña de Samper era razón suficiente para que éste presentara su renuncia. Las denuncias que al parecer había hecho María Izquierdo, una senadora de Boyacá, parecían confirmar esta hipótesis que el Presidente aún en diciembre se negaba a aceptar. Para el Presidente Gaviria en su declaración , por allá en el mes de septiembre, la renuncia del Presidente era inevitable si éste había sabido y consentido el ingreso de esos dineros.

Se reventó desde adentro

Los medios de comunicación en este comienzo del año 96 estaban colgados. Ya no lideraban el proceso. El edificio se estaba reventando desde adentro. Por primera vez comenzaban a aflorar testimonios creíbles por parte de los beneficiarios, como María Izquierdo, sobre la presencia notoria de dineros calientes. Se reactivaba el bloque de búsqueda para capturar a Santacruz, Pacho Herrera ya rehusaba entregarse, el Director de la CIA venía en una visita misteriosa. Un grupo de exfuncionarios de la administración Gaviria reforzados por el Senador Eduardo Pizano, presentaba la Agenda 96 que aparecería publicada el lunes siguiente a las declaraciones de Juan Manuel Santos. Su impacto sería, apenas, flor de unas cuantas horas. *El Tiempo* en su editorial del propio domingo, había prevenido contra lo que denominó *La Ofensiva*. La mañana y la tarde del lunes eran de expectativa, ansiedad. En la Escuela de Caballería había movimiento. Entraban cámaras y periodistas extranjeros. Llegaba también el Ministro de Justicia. El exministro y exdirector administrativo de la campaña, Fernando Botero Zea, iba a hablar. Ya lo había hecho en ampliación de indagatoria ante la Fiscalía. Ahora su abogado era otro: un conservador pastranista, de expresión fácil y carácter fuerte, Fernando Londoño Hoyos. Los teléfonos repicaban. Había que ver los noticieros de las 9:30.

Sí sabía...

En un reportaje con Yamid Amat, un Fernando Botero más delgado, tranquilo, adolorido, le cuenta al país y al mundo lo más grave que podría escucharse en este proceso: que el Presidente sí sabía sobre el ingreso de los dineros calientes a su Campaña. Peor aún: que el Presidente estaba seriamente comprometido. En un gesto inédito en nuestra historia, Fernando Botero le pidió una y otra vez perdón a sus conciudadanos por su omisión, por su negligencia, por no haber obrado como ahora él consideraba que debió hacerlo. Los televidentes estaban conmovidos. Y no pocos sintieron escalofríos. Y la simpatía que habían sentido por Fernando Botero cuando renunció quedó reforzada. Un obispo, Monseñor Castrillón diría después *que había visto el resplandor de la verdad en su rostro*. Una absolución episcopal inusitada, hecha por la televisión luego de una confesión pública hecha por Botero sin reclamar el sigilo de la confesión. Estamos en la era de la televisión. En la sociedad de la información.

La reacción del Presidente Samper fue dura: pasadas las once de la noche en una alocución desmintió de frente y sin miramientos a Fernando Botero. Entre la rudeza del Presidente y la bondad de Fernando Botero la gente, según lo mostraron las encuestas de los días subsiguientes, optó por expresar su admiración y por darle credibilidad al exministro Botero.

Testigo y no juez

Los canales de televisión internacionales habían lanzado la

noticia a todo el mundo. Las primeras páginas de los principales periódicos las recogerían y pronto los columnistas y editorialistas pasaron a emitir un juicio sin contemplaciones contra el Presidente Samper. Fue la voz del expresidente López Michelsen la que más adelante diría que se trataba tan sólo de un testimonio y no del veredicto inapelable de un juez de última instancia.

La gobernabilidad

El tema de la gobernabilidad se convierte en el centro de la discusión. Un Consejo de Ministros interminable anuncia medidas de gobernabilidad. Una de ellas, la que ocupó el debate durante toda la semana, desplazó todas las demás preocupaciones fue la decisión gubernamental de convocar una Consulta Popular. Semejante instrumento era desconocido por casi todo el mundo. Los medios de comunicación hicieron muy pasajeras referencia a la Ley Estatutaria que reglamentó estos mecanismos de participación y, aún menos, a la decisión de la Corte Constitucional que revisó y modificó algunas de sus artículos e incisos. Igual se hablaba de un Referendum que de un Plebiscito, que de una Consulta Popular. Por el camino, y tan sólo a medias se fueron estableciendo algunas diferencias. El debate se ha ido haciendo en abstracto sin conocer el texto real de la pregunta o preguntas que serían sometidas a la decisión popular que es obligatoria y que debe ser adoptada mediante Ley, Decreto, Resolución u Ordenanza, y, que, en ningún caso, puede modificar la Constitución. La realidad verdadera de la Consulta Popular está por verse. Solamente cuando se conozca la pregunta o preguntas que se le van a formular a los ciudadanos podrá haber claridad sobre el debate constitucional. Por ahora, no se le ve viabilidad.

La sucesión es automática

El debate sobre la sucesión del Presidente Samper no tiene sentido. Fue un error político y -por supuesto jurídico- haber sostenido que el tiquete presidencial estaba manchado por los dineros calientes y que por lo tanto la sucesión de Humberto De la Calle no era posible. Con esta argumentación se creó un vacío que facilitó el apoyo de muchos sectores al Presidente Samper. La perspectiva de un Presidente que fuera el producto de una componenda en el Congreso no era atractiva para nadie. La legalidad de la elección presidencial de 1994 no estaba en discusión. Nunca se discutió, ni siquiera por parte de su principal denunciante en junio de 1994, antes y después de la segunda vuelta, el candidato derrotado Andrés Pastrana. Habría podido hacerlo pero no lo hizo. ¿Por qué? Nadie sabe y, más interesante aún, nadie lo ha preguntado.

Opinión tolerante

La opinión pública ha sido tolerante frente a la situación del Presidente. Las encuestas dicen que la mayoría cree que entraron dineros del narcotráfico y que, además, el Presidente lo sabía. Con todo, esa misma opinión no era partidaria, en forma mayoritaria, de la renuncia del Presidente. Esta aparente contradicción la explicaban muchos con la argumentación de que ello era así porque la opinión era consciente de que no era la primera vez que ocurría; otros añadían que no era justo convertir al Presidente en el chivo expiatorio de una situación con respecto a la cual había habido, para decirlo en palabras del Fiscal, *tolerancia, favorabilidad y contemporización* y, también, se decía que lo importante era que el Presidente había mostrado su rechazo a la infiltración de los carteles en la vida económica, política y social con la eficacia de su Plan Antidrogas, particularmente con la captura del Cartel, el programa de erradicación de cultivos y su política en contra del lavado de dólares.

La opinión cambia

Pero esa situación cambió radicalmente en las encuestas menos elaboradas pero significativas que se realizaron después de las declaraciones de Botero y de las contradeclaraciones del Presidente Samper. La credibilidad del Presidente se derrumbaba, la de Botero se magnificaba y la opinión en favor de la renuncia del Presidente no solamente crecía en las encuestas hasta hacerse mayoritaria sino que encontraba eco en las voces de los principales dirigentes del sector privado, en las de dirigentes políticos que antes no la habían solicitado, y en manifestaciones de estudiantes y señoras que aunque no fueran masivas, de todas maneras, ambientaban un sentimiento que comenzaba a generalizarse. Contra estas expresiones populares el Gobierno planteaba una Consulta Popular. Y al respecto, las opiniones se dividían. Y las situaciones volvían a ser paradójicas. Los que se manifestaban en las plazas y en las calles se oponían a la Consulta.

Los precandidatos también

La legitimidad de la vocación presidencial de Humberto De la Calle no admite dudas. En esa opinión comenzaron a concurrir aún quienes habían sostenido lo contrario el año pasado. Y esta noción se hizo mucho más sólida cuando el Presidente Samper planteó la indisolubilidad del matrimonio entre el Vicepresidente y el Presidente, en una respuesta a María Isabel Rueda. Hasta García Márquez consideró que debía hacer público su desacuerdo. Ya a la altura del domingo, el Presidente buscaba una interpretación diferente para sus palabras. No hay duda. La sucesión es automática. Así lo dice la Constitución. Así es.

La polarización

Hacía mucho tiempo que la opinión pública en todos sus estamentos no experimentaba una división como la que ha sufrido durante los últimos dieciocho meses. Peor aún, no teníamos un ejemplo reciente de enfrentamiento entre la familia colombiana, como lo describió el expresidente López Michelsen y como ya lo habían vislumbrado de tiempo atrás algunas personas. Algo de eso se vio en la plaza de Bolívar. La publicación de la Agenda 96 dio pábulo para que el Gobierno pudiera darle más credibilidad a interpretaciones que fueron la comidilla de esta intensa semana de enero (21 al 28). ¿Acaso habíamos olvidado que era año bisiesto?

Los de arriba y los de abajo

La Agenda 96 le permitió al Gobierno sostener que sí había una conspiración, que a ella estaban ligados los exfuncionarios de la Administración Gaviria que suscribían el documento y hasta el propio Gaviria y que de lo que se trataba era de un enfrentamiento entre modelos económicos, de una conspiración ingeniada desde Washington, apoyada por supuesto por los Estados Unidos, para desestabilizar un gobierno que estaba haciendo una política social en favor de las provincias y de los sectores más débiles.

El Ministro de Trabajo, dirigente sindical, así lo repitió al responder la decisión del Directorio Conservador, uno de los tantos hechos de esta semana. En efecto, el Ministro Obregón, expresidente de la Confederación Unitaria de Trabajadores en una declaración escrita del 23 de enero había dicho: *Lo que está en juego es el futuro de la democracia, el avance de la justicia social, el logro de la paz y la defensa de la soberanía y dignidad nacional.* Y más adelante: *Desde el comienzo de este Gobierno se escucharon las voces de los opositores del nuevo Modelo de Desarrollo Social y Económico que se implementaría en el país* y luego: *Los concordatos, cierres definitivos o temporales de empresas y las solicitudes de despidos colectivos han sido motivados en gran medida por la aplicación del modelo neoliberal y la apertura económica indiscriminada..... Como sindicalista defendí al Sena, a los Seguros Sociales, a Prosocial, a Telecom, a Ecopetrol, y a otras entidades del Estado de las pretensiones de los defensores del neoliberalismo.* Y finalmente: *La situación la quieren aprovechar los defensores de las tesis y políticas de sentido neoliberal que pretenden la suspensión de los programas sociales, la no búsqueda de la solución política del conflicto armado y la imposición de una contrarreforma constitucional, preferencialmente en los derechos fundamentales y sociales.*

Este planteamiento eminentemente ideológico, en un país que raramente se engarza en este tipo de debates, alimentó, expresado en las más diversas formas y por variadas personalidades, el enfrentamiento entre los de arriba y los de abajo que luego se haría evidente en bellísimas fotografías y tomas de televisión que así lo ilustraba. El expresidente López, con su acostumbrada capacidad de anticipar los acontecimientos ya lo había visto venir cuando previno contra los riesgos que una Consulta Popular tramitada en este ambiente podría generar. No tuvo reparos en anunciar que podría ser el camino hacia una Guerra Civil. El escándalo que había comenzado en unos narco casetes de oscura procedencia ya iba en la posibilidad de una confrontación clasista o de otro tipo que podría ensangrentar a un país que había padecido sufrimientos indecibles durante los últimos quince años por cuenta de los carteles de la droga y de lo que ello había significado para la naturaleza de la propia guerrilla.

Desbandada parcial

Al final de la semana el Presidente buscaba reemplazo para los ministros y embajadores que habían renunciado. Y Santiago

Medina y María Izquierdo alimentaban los noticieros internacionales con explosivas declaraciones que buscaban comprometer aún más al Presidente. Y los militares se reunían y conversaban en ocasiones con el Presidente o con el Ministro de Defensa, y, finalmente, entre ellos. Había que reemplazar también a un general que renunciaba para no incurrir en insubordinación. ¡Que semana!

No todo es negativo

Hubo, por lo menos, dos noticias positivas: una compañía americana compró a sobreprecio, oh sorpresa!, la participación de Ecopetrol en Promigas, paquete que no se habría podido vender en intentos anteriores. *El Washington Post* que había regado un rumor de esos que se repiten y se repiten y que, finalmente, confirmó el vocero de la Casa Blanca pero desconfirmó nadie menos que el Subsecretario de Estado para América Latina, el Embajador Alexander Watson, ahora, en domingo, solicitaba con buenos argumentos, aunque se pueden presentar mejores, que Colombia debería recibir la *certificación*, así fuera por interés nacional, por parte del Gobierno y del Congreso norteamericanos. El Presidente de la República aceptó más reportajes que los que seguramente dio en el año anterior. Y, la verdad sea dicha, lo hizo bien, con serenidad y agudeza.

La última semana...de enero

En ese ambiente se inició la última semana de enero y la primera de febrero. El martes 30 de enero (1996), se reunía el Congreso convocado a sesiones extraordinarias mediante el Decreto Nro. 0200 (¿cuál será el sentido cabalístico de tantos ceros?). Se trataba de una convocatoria para tan sólo quince días y para que éste se ocupara exclusivamente *de la función de control político que le es propia y de las funciones de investigación, acusación y juzgamiento.*

¿Qué falló?

Tolerancia, favorabilidad, contemporización, esas fueron las grandes fallas de la sociedad colombiana. La pelea no se dio a tiempo. Y cuando se hizo el costo fue muy alto. La sociedad se ablandó. Contra la voluntad de la administración Gaviria, la Constituyente hizo inaplicable la extradición. La política de sometimiento mal aplicada le dio alas al Cartel de Cali. Creyeron que estaban al otro lado a un costo insignificante. En ese ambiente se adelantó la Campaña Presidencial. Para la clase política era una cuestión de pragmatismo aceptar los dineros del cartel. Algunos no veían diferencias entre éstos y los que provenían de los grupos económicos. La legislación sobre financiación de campañas se quedó corta. Sus topes y controles eran como para un país donde no existían los carteles. Como que se asumía que éstos no estaban interesados en financiar la política. Hoy existe claridad de que la financiación de la política debe ser estatal. Colombia no se puede permitir el lujo de poner en entredicho su clase dirigente, política y económica. Francia así lo entendió en diciembre de 1994 y por ello prohibió en vísperas de Navidad las contribuciones de las personas jurídicas a las campañas. Esa propuesta ya está sobre el tapete en Colombia. Pero hay que ir más allá. Las campañas tienen que ser financiadas por el Estado y para ello hay que reducirlas en el tiempo y en sus costos.

Es paradójico que la campaña presidencial haya derivado en el mayor escándalo político de nuestra historia. Como nunca antes hubo significativas contribuciones del Estado; una nueva Ley de financiación; un Consejo Nacional Electoral que tenía la obligación de verificar el respeto a los topes establecidos; presencia de auditores; Veedor; y en el caso de la Campaña Liberal, tenía además un Código Etico y un Fiscal Etico.

El desenlace

Al iniciarse la última semana de enero el país se debatía entre dos tesis: la de la renuncia inmediata del Presidente o la del juicio político en el Congreso. En realidad se trataba de una renuncia seguida de un juicio en el Congreso que podría llegar hasta la Corte Suprema de Justicia o de un juicio en el Congreso que podría concluir en una renuncia o en la destitución, en la indignidad y en un eventual traslado del proceso a la Corte Suprema de Justicia. El Fiscal tenía todo el naipe en las manos. Todo va a depender de la manera como formule la denuncia ante la Comisión de Acusación e Investigación de la Cámara. Hasta ahora, y eso habla en favor de la decisión tomada por la Comisión en diciembre, el

Fiscal no había contado con elementos suficientes para formular una denuncia contra el señor Presidente de la República. Ahora con elementos de juicio, quizás coincidentes, de tanta significación como los del tesorero y contador del cartel de Cali, el tesorero de la campaña de Samper, el director de la campaña y algunos de los congresistas, beneficiarios de los dineros calientes; y con otras evidencias que algunos dicen conocer y otros imaginan, el Fiscal estaría en capacidad de construir un caso sólido contra el Presidente.

Pase lo que pase

Y pase lo que pase, la investigación en la Comisión seguirá su curso con Samper en la Presidencia o Samper renunciado. Pocos dudan que en esta ocasión la acusación va a ser inevitable. Y que la Cámara al recibirla y considerarla tendrá que someterla al Senado y allí el solo acto de admitirla tendrá la consecuencia inescapable de la suspensión del Presidente en sus funciones. Entonces, vendrá lo peor. El fallo del Senado que podrá ser de destitución, indignidad y suspensión de derechos políticos y, si es del caso, de traslado del material probatorio a la Corte Suprema de Justicia. En el caso improbable de que el Presidente sea absuelto su renuncia, si no se ha producido todavía, sería inevitable porque la gobernabilidad del país, aún en esas circunstancias, sería imposible en cabeza del Presidente Samper. Así es de dramática la situación. Y esto será tan sólo el comienzo de un proceso que en Italia ya lleva más de siete años y, entre nosotros, podría ser igual de doloroso y dispendioso.

¿Y el trofeo para quién?

Lo que ahora está en la feria de las vanidades es quién cobra el trofeo de la cabeza del Presidente. Por fortuna voces serenas y experimentadas como las del expresidente López, el expresidente Gaviria, entre otras, han reclamado que el proceso se tramite por la vía institucional claramente establecida en la Constitución que es la que le garantiza al Presidente un juicio justo y al país una salida, la menos traumática.

Transparencia democrática

Por ello, la preocupación predominante en algunos círculos es la de asegurar un proceso transparente y creíble y, por lo tanto, legítimo en la Comisión, en la Cámara y en el Senado. Las propuestas que salen de diversos lados son de este estilo: que el Fiscal auxilie a la Comisión en la investigación a su cargo; que los congresistas que están envueltos en el proceso 8.000 (cualquiera sea su número), despejen el camino para que entren los suplentes; que como lo plantea la Agenda 96 y lo dijeron desde el año pasado algunos de sus firmantes, se solicite la pérdida de investidura de los congresistas que votaron en beneficio propio el *narcomico;* que las sesiones plenarias del Congreso y si fuere posible (lo que no parece), las de la Comisión, se transmitan en directo por la televisión, seguramente con repetición para que todo el mundo tenga la posibilidad de seguir en forma directa este proceso. Surgirán más fórmulas. Como lo afirmó el Presidente Gaviria en una declaración ampliamente difundida, ante pruebas contundentes no habrá lealtades partidistas ni de otro orden que puedan prevalecer. Más pronto que tarde, medios de comunicación que nos han denigrado en el exterior no encontrarán palabras para elogiar la solidez de la democracia colombiana y para reconocer que no todo estaba podrido en Dinamarca.

Perplejidades sin despejar

Toda esta dolorosa experiencia que ha dividido a los colombianos enfrenta varias perplejidades que no están resueltas y que los colombianos aspiran a que sean clarificadas en las próximas semanas. ¿Cómo es posible que el Presidente que habría recibido una suma descomunal de dinero para la etapa final y decisiva de su campaña se dio el lujo de perseguir y capturar al Cartel de Cali en un breve lapso y en una operación limpia, en la cual no se disparó un tiro? La perversidad de algunos llegó hasta decir que todo había sido una comedia y que ello había sido posible gracias a un pacto. Hasta un periódico de indiscutible prestigio internacional así llegó a sostenerlo. Con todo, el propio Presidente Clinton ante la sesión más solemne en la historia de las Naciones Unidas, y con la presencia de más de cien Jefes de Estado, proclamó ante el mundo que la hazaña de la captura del cartel había sido el resultado de la cooperación eficaz entre las autoridades norteamericanas y las colombianas. No precisó nombres, pero así, de un tajo, quedaba desautorizada la teoría del pacto. A no ser que se dijera en un país que ya no sabe en qué y en quién creer que el Presidente Clinton lo decía así para cobrar dividendos que mejoraran su posicionamiento en la campaña presidencial. Un documental de la reconocida cadena CNN iría más lejos: la captura del cartel había sido obra de la DEA y de la CIA. No es la primera vez que le niegan méritos a Colombia.

Otro interrogante se refería a Fernando Botero. ¿Cómo era posible que el Ministro de Defensa que exultante registraba la captura de cada uno de los miembros del Cartel, que había estado expuesto a atentados reales y a otras amenazas, que se proyectaba como una estrella radiante en el panorama político colombiano renunciara al Ministerio, quedara desprotegido, y saliera a defender la limpieza de la actuación del Presidente, la suya, la de sus compañeros de dirección de la campaña, aunque no la del tesorero, Santiago Medina? Esa actitud se derrumbaría antes de que se cumplieran ciento sesenta días de encarcelamiento. ¿Qué pasó? ¿Por qué?

La salida honorable

Ya desde el 5 de agosto de 1995 *The Miami Herald* propuso en su primer editorial que el Presidente Samper, considerara -pronto- una renuncia que fuera una salida honorable y que implicara que se le garantizaba la inmunidad con respecto a cualquier proceso judicial. Es la fórmula que le permitió a Nixon obtener el perdón que le otorgó el Presidente Ford. Los comentaristas extranjeros y buena parte de la opinión nacional cree que una salida de ese estilo es posible en Colombia. Pero nuestra Constitución no lo permite. Por eso cuando distintos dirigentes hablan de una salida digna, o justa, u honorable al parecer quedan en deuda con la opinión pública al no bosquejar siquiera una fórmula. Se reconoce que no es fácil identificarla y que si existe alguna es mejor preservarla. Lo grave sería que esta fórmula no existiera. La revista *Semana* en su edición No. 717 plantea con audacia su posición a este respecto: *La posibilidad de que un primer mandatario sea procesado penalmente y que termine pagando por ello una pena privativa de su libertad es una perspectiva que, así emocione las mentes de algunos antisamperistas furibundos y revanchistas, no es para nada deseable para un país que ha pretendido siempre diferenciarse en materia*

*de su civilización política y jurídica de algunos de sus vecinos del trópi-
co. Aunque es verdad que la ley es para todos y que nadie debe estar por
encima de las normas, también lo es que debe ser considerado del mayor
interés nacional darle a todo este lamentable episodio que ya bastante
daño le ha causado a Colombia, un epílogo menos dramático y más digno
para todos los protagonistas.*

Lo que debe estar claro es que el proceso del Presidente en el
Congreso se va a cumplir de todas maneras y eso es lo que corresponde. Así se garantizan todos sus derechos constitucionales. El
juicio en el Congreso, si es transparente, si obtiene la publicidad
que el Presidente ha prometido y si está rodeado de otras mecanismos que aseguren transparencia, es la salida institucional que
por serlo va a darle tranquilidad a la opinión nacional e internacional con respecto a la decisión que finalmente se adopte.

Lo que los colombianos tenemos que hacer ahora es demos-
trarle al mundo que nuestros procedimientos democráticos son
serios, confiables y funcionan. Y que en forma democrática estamos dispuestos a corregir los vicios y los errores que, en mala
hora, han venido deformando esta misma democracia. No sobra
recordar, como se repitió hasta la saciedad en momentos muy difíciles durante la Administración Barco que los problemas de la
democracia se curan con más democracia y no con menos. Ese es
el espectáculo que Colombia ha venido dando en la última década. Recordemos que fue, precisamente, a raíz del Fujimorazo en
Perú cuando el Departamento de Estado puso a Colombia como
ejemplo de un país que en medio de las mayores adversidades
recurría a procedimientos democráticos para superar o aliviar sus
dificultades. Sería impensable, y sobre manera injusto, que la comunidad internacional no reconozca los esfuerzos que hemos
hecho para erradicar el flagelo de la droga en todas sus manifestaciones y los que ahora estamos realizando, a un costo altísimo,
para romper, ojalá de una vez por todas, los vínculos nefastos entre la droga, la política, la economía y la sociedad.

Pero en último término es el Presidente de la República, en su
fuero interno, el que sabe de que se trata.

¿Y lo que sigue?

Existe otra ilusión que conviene despejar a tiempo. Muchos creen que la renuncia del Presidente o la destitución por parte del Senado le pone término a estos escándalos. La verdad es que, como en Italia, Colombia está expuesta a sufrir durante varios años un proceso de esta naturaleza. No se supera en cuestión de meses lo que ha sido una telaraña de interrelaciones entre las mafias y el resto de la sociedad, vieja ya de veinte años o más. Tampoco podemos pretender que esta tarea nos resulte barata o cómoda. Por delante tenemos varios años de sufrimiento. Pero bien valen la pena si al final recobramos la sociedad limpia que debe caracterizarnos. Para ello, tenemos que sincronizarnos en la etapa del rechazo absoluto a la droga y a sus manifestaciones. Y ponerle fin a las actitudes que todavía existen en algunos sectores de tolerancia, favorabilidad o contemporización con el fenómeno mafioso.

Encubrimiento y mentiras

La opinión pública comienza a darse cuenta de que hubo encubrimiento, obstrucción de la justicia y muchas mentiras. Por eso, su actitud ha cambiado. El clamor, ahora, es por la verdad; y, ahora, es inmenso el rechazo a la droga, a sus criminales empresarios, a los vínculos entre éstos la política, la economía y la sociedad.. ¡Por fin! ¡Ya no más! ¡Basta ya!

El Fiscal tiene todo el respaldo. Su responsabilidad es inmensa. No se puede desaprovechar la oportunidad para que Colombia limpie su nombre y le ponga fin, de una vez por todas, a la infiltración de los dineros de la droga y a la influencia de los Carteles en nuestra vida política, económica y social.

Denuncia del fiscal, revocatoria del fallo inhibitorio, preclusión y continuación de la crisis

La segunda etapa del proceso se inicia, realmente, con la decisión de la Comisión de Investigación y de Acusación de revocar el auto inhibitorio en virtud del cual había cerrado la investigación contra el Presidente Samper, solicitada por él mismo. Entre la decisión de diciembre y la del 20 de febrero, habían pasado dos meses durante los cuales el Presidente, en vano, trató de dar por cerrado el caso. El mayor desafío a ese intento lo constituyó la decisión de Fernando Botero de rectificar totalmente su testimonio en defensa del Presidente para sustituirlo con uno abiertamente incriminatorio tanto del Presidente como del propio Botero y de algunos de sus compañeros de campaña y de gobierno. Botero fue explícito en precisar que no había solicitado ningún beneficio especial de la Fiscalía a cambio de su confesión.

A la confesión de Botero siguió, como ya se describió, una explosión que luego se calmó. Y así se fue abriendo un nuevo capítulo en el cual hubo más presencia de la sociedad civil pero en el cual la centralidad del proceso tuvo como escenario el Congreso. En torno de él operaron los principales actores en busca de influir lo que iba a ser una decisión, esta vez sí, definitiva (a no ser que en el futuro surjan hechos nuevos sobre un tema diferente). Por ello, esta parte más que un relato cronológico busca describir el comportamiento de estos actores.

Actores fuertes y débiles

El *annus horribilis* va a tener como protagonistas principales a una multitud de actores que irán mostrando por el camino su fortaleza o fragilidad. Unos desaparecerán, otros se debilitarán. Al final de cuentas, cuando se escriben estas Reflexiones (junio 29 de 1996) no quedaban sino: El Gobierno, el Congreso, Estados Unidos y el Fiscal. Habría que esperar los nuevos desarrollos para saber si los estudiantes, las señoras y los sindicatos resucitan; si el Consejo Gremial o el hermanastro que le apareció en el proceso (La Unión Intergremial), los empresarios de Antioquia, Bogotá y Cali se reactivan; si los precandidatos reaparecen; si la guerrilla tiene algo que decir o prefiere continuar agazapada a la espera del momento que le permita dar un zarpazo que tan sólo serviría para disparar un golpe de Estado. ¿Y los protagonistas nacionales de peso real? Los Expresidentes? ¿Los cuatro grandes dueños de los grupos económicos y de los principales medios de comunicación modernos? ¿Y personalidades, como García Márquez o Hernando Santos?

El Congreso es el escenario

Retomemos el hilo de los acontecimientos y situémonos en Febrero de 1996, cuando ya las expresiones públicas de estudiantes y amas de casa comenzaban a mostrar prematuros signos de agotamiento.

Desde febrero, es patente que esta vez las cosas van a ser bien diferentes. Lo ocurrido a finales de 1995 en la Comisión de Investigación y Acusación era tan sólo un ensayo de una pieza más larga y, esta vez, más definitiva. Ahora, el Congreso, principalmente la misma Comisión de Investigación y Acusación y la Cámara de Representantes en pleno serían el escenario central de este drama.

Los medios de comunicación, ya no tenían mucho que añadir. A no ser su propia autocrítica. Y, al lado del Congreso, el Gobierno que para estos efectos quedaba reducido al Presidente Samper, al Ministro del Interior Horacio Serpa y al nuevo Director del DAS, Marco Tulio Gutiérrez, político de Bogotá y ex-notario. Y, al lado de Congreso y Gobierno, Washington D.C., que para estos efectos estaba encarnado en Robert Gelbard, Subsecretario de Estado y el Senador Helms, Presidente de la Comisión de Relaciones Exteriores del Senado. Y al lado de ellos el Fiscal General de la Nación, Alfonso Valdivieso y su equipo más cercano, Adolfo Salamanca, Armando Sarmiento y otros. Y la Sala Penal de la Corte, que ha venido jugando un papel discreto y decisivo. Los demás actores nunca lograron generar decisiones o cambios radicales en el ambiente. Tampoco pudieron crear el clima para lo fundamental: asegurar un proceso transparente y creíble, cualquiera fuera su resultado. Tal vez, la excepción notoria es la Comisión Ciudadana de Seguimiento (inaugurada el 11 de abril) que promovió *Viva la ciudadanía,* una activa organización no gubernamental dirigida por Pedro Santana; Fernando Botero, desde su celda, se impondría una disciplina para jugar el papel de jefe de una oposición que no se hallaba; jerarquía eclesiástica, estudiantes, sindicatos, ciudadanía, partidos tradicionales, nuevos partidos, etc., unos con más fuerza que otros aparecían y se desvanecían sin mayores consecuencias. Valga la pena anotar desde ahora que una oposición institucionalizada y articulada con una bancada parlamentaria

eficaz nunca cuajó realmente. Apenas comprensible en una sociedad que abomina de la oposición y que ha jugado por décadas al
unanimismo. La jefatura de la oposición (una figura que se mira
con máxima sospecha como lo reveló el debate a este respecto en
julio de 1995) la compartieron sin disputársela, Fernando Botero
desde su celda, el Arzobispo de Bogotá, Monseñor Pedro Rubiano
(su mayor aporte fue la metáfora del elefante, un animal ajeno a
nuestra fauna), la Fiscalía (según declaraciones del propio
Vicefiscal para la Revista Cromos) y, ya al final, don Hernán
Echavarría Olózaga, un exitoso y respetado empresario
antioqueño, retirado hacía décadas de las luchas partidistas pero
siempre interesado en los asuntos públicos, en particular la Administración de Justicia, y ya en sus 85 años.

Revocatoria, Denuncia, Investigación

Veamos como se desenvolvió este proceso en sus rasgos más
protuberantes.

Todo se inicia en el Congreso. Y alrededor de esta institución
va a girar buena parte de toda la acción. El Presidente Samper
solicita a la Comisión la reapertura de la investigación y convoca
a sesiones extraordinarias con el único propósito declarado de
discutir y aprobar unas reglas de juego que aseguraran transparencia y le dieran credibilidad al así llamado juicio del siglo contra el presidente. En realidad, se cumplieron otros dos objetivos:
una defensa anticipada hecha por el propio presidente y comple-
mentada por el ministro Horacio Serpa; y una advertencia al Fiscal General para que no excediera sus facultades constitucionales, o sea, para que se limitara a hacer una denuncia y no una
acusación y para que incluyera en la misma tanto lo favorable
como lo desfavorable. La televisión transmitió las respectivas pre-
sentaciones que, la verdad sea dicha, fueron bien recibidas por un
apreciable segmento de la opinión pública. Paralelamente, la Comisión revocó el auto inhibitorio el 20 de febrero y hasta el 23 de
mayo, la Comisión continuó allegando información, testimonios,
evidencias. Fernando Botero se negó a concurrir y no pasó nada.
Prefirió, mas bien, publicar un informe semanal con análisis y
denuncias contra el Presidente y sus colegas de gabinete y compañeros de luchas en la campaña presidencial.

Siendo el Congreso el escenario de este nuevo capítulo, la acción política de unos y de otros se concentra en deslegitimarlo, legitimarlo y relegitimarlo. Y en esa tarea no hay coherencia. Algunos lo descalificaban con vehemencia ayer y, de pronto, descubrían que, tal vez, la Cámara estaba integrada por personalidades heroicas que en diciembre de 1995 habían negado por unanimidad -qué proeza- el famoso narcoproyecto que le quitaba al enriquecimiento ilícito su carácter de delito autónomo para condicionarlo a una sentencia previa sobre los propietarios de los mismos. Otros creían que presiones individuales en el nivel regional bastarían. Los más activos pensaban que la clave estaba en descalificarlos por medio de recursos judiciales que dieran lugar a declaraciones de impedimentos, recusaciones, inhibiciones. Muchas se concentraron en buscar la descalificación de más de cincuenta senadores que habían votado el narcoproyecto de marras en diciembre de 1995. Fue una estrategia estéril que se prolongó hasta el penúltimo instante. La Revista *Semana* (#722, marzo 5-12) con tres meses de anticipación relató casi con perfección el resultado del 12 de junio.

En este mismo sentido y con similar esterilidad, habrían operado los rumores sobre las listas que pronto revelaría el Departamento de Estado y que al conocerse, dado que afectarían a más de cien congresistas, dejarían al juez natural del Presidente desmantelado, deslegitimado, postrado. Esas listas jamás aparecieron. Y los rumores, éstos y otros, tan sólo sirvieron para aumentar la incredulidad y alimentar la confusión.

Lo propio ocurrió con los intentos de descalificar, una vez más, al investigador principal y a los miembros de la Comisión de Investigación y Acusación. Al final de cuentas, los rumores, eximieron a unos y a otros de la tarea elemental y bien necesaria de saber quiénes eran los miembros de la Comisión: ¿De dónde venían? ¿Qué experiencia? ¿Qué profesión? ¿Qué edad? ¿Qué trayectoria en el Congreso? ¿Cómo habían financiado su campaña?, etc. Nada. La emotividad no dejaba espacio para un trabajo riguroso, profesional. Se confiaba en la eficacia de los rumores.

En contraste, la propuesta de que la Comisión comprara credibilidad y transparencia por la vía de hacer uso de la autorización constitucional (Art. 178 #5) que le permitía contar con el auxilio de otras autoridades para realizar su investigación jamás encontró eco, ni siquiera para hacer evidente que la Comisión rehusaba contar con experticio independiente y de solvencia reconocida.

El hecho realmente novedoso y grave fue la denuncia formal del Fiscal Valdivieso contra el Presidente, basada principalmente en la tipificación de conductas delictivas resultantes de la violación de los topes de gastos electorales fijados por el Consejo Nacional Electoral mediante la Resolución 109 del 18 de mayo de 1994, modificada durante la segunda vuelta el 7 de junio.

Hay que abonarle al Fiscal Valdivieso que hubiera tomado la decisión de presentar esta denuncia sin mayor despliegue publicitario, porque de haberlo hecho de otra manera, habría desatado -en mi opinión- una situación cuasi-inmanejable. Fue una contribución valiosa a la preservación de la vía institucional. Por ello no se produjo una conmoción igual o mayor -como era de esperarse- a la resultante de las declaraciones de Fernando Botero.

Altibajos en la vía institucional y la tentación de las vías de hecho

Diferentes situaciones, unas generadas por el propio Presidente Samper y otras producto de apariencias y rumores, llevaron a diferentes evaluaciones de lo que estarían pensando los congresistas. Y ello originó cambios en el ritmo de la investigación que sufría aceleraciones y desaceleraciones. La más notoria habría sido la ocasionada por las declaraciones del Presidente Samper, en favor de una anticipación de las elecciones presidenciales. Los medios las interpretaron como seguramente quería el Presidente: que su retiro sería seguro después de su absolución. Así, los grupos más recalcitrantes contra el Presidente se engarzaron en la tarea, menos necesaria y urgente, de pensar en eventuales candidaturas, en determinar la suerte del Vicepresidente, las formas constitucionales de la sucesión. El Presidente, en ésta como en otras ocasiones, ganó tiempo vital para su causa. Pero, al parecer, su apoyo en la Cámara se erosionó. Cualesquiera que fueran las evidencias, favorables o no al Presidente, los Congresistas no estaban, precisamente, dispuestos a ganar mayor desprestigio para defender -en justicia o no- una causa que estaba perdida de antemano, según el anuncio presidencial. Por ello, pronto el Presidente Samper recogió velas y, para sorpresa de muchos, se endureció: aquí estoy y aquí me quedo, dijo. Y luego, el 1o. de mayo así lo ratificó. Todo cambió. Todos se endurecieron. La polarización fue mayor. Las solicitudes de renuncia eran más escuetas: el Consejo Gremial, los empresarios de Cali y, luego, los antioqueños y miembros de la jerarquía eclesiástica. Así la confusión era mayor. Mientras se tramitaba el caso del Presidente por la vía institucional con denuncia del Fiscal General y un acervo probatorio proporcionado por la Fiscalía, esta vez sustentada en declaraciones y documentos proporcionados por Fernando Botero, la congresista María Izquierdo y Pallomari, las fuerzas del establecimiento que por décadas habían defendido la legalidad, jugueteaban con las vías de hecho. Pronto regresarían, aunque no siempre con la claridad necesaria, a ubicarse en la vía institucional que fue la que, finalmente, prevaleció.

El actor duro: Estados Unidos

El gobierno de los Estados Unidos jugó duro aunque prudente en la acción. El trabajo duro se lo delegó a los gremios económicos y a los empresarios quienes no lograron el objetivo por obvias razones: falta de experiencia; ausencia de profesionalismo; diversidad regional; contradicciones internas; carencia de asesoría política permanente. Y muchos dicen que estaban entre la rubia y la morena, expuestos a las presiones de Estados Unidos y a las del Gobierno colombiano...

El golpe más contundente fue el de la decertificación declarada por el Presidente Clinton en su informe al Congreso el 1o. de marzo. Lo que ocurrió antes de la decertificación fue parte importante del efecto político que se buscaba producir con ella. Rumores, visitas de dirigentes gremiales a Washington, declaraciones negativas que ponían la responsabilidad en cabeza del Presidente Samper y anuncios desoladores de lo que ocurriría inmediatamente después: imágenes de televisión mostraban, una y otra vez, como se arrancaban las matas de flores, como los vuelos se suspenderían, como las transacciones bancarias quedarían prohibidas, las inversiones extranjeras huyendo. Era tétrico. Fue el propio Embajador Frechette quien días después de la decertificación puso las cosas en su punto y tranquilizó a los propios dirigentes gremiales que habían terminado por asustarse ellos mismos, por meterse pánico. La verdad es que nada grave pasó en materia financiera, de comercio o de transporte. Es más, una decisión que habría podido afectar al gremio azucarero no ocurrió gracias al propio gobierno americano.

El informe de decertificación era implacable. Dividía el gobierno entre buenos y malos. Buenos: el Fiscal Valdivieso, la Policía Nacional y su Director, General Rosso José Serrano, y algunos elementos de las Fuerzas Armadas. Así se creaba o se pretendía crear una tensión entre la Policía y las Fuerzas Armadas; entre el Ejecutivo, el Legislativo y el Poder Judicial. Se desconocía la realidad del proceso de decisiones constitucionales para afirmar que ni el General Rosso José Serrano ni el Fiscal habían contado con el apoyo del Gobierno. Ello quedaría desmentido en declaraciones ante la Comisión de Investigación y Acusación. No se ve la razón de este tipo de distorsiones: innecesarias y fácilmente rebatibles. La revelación de un memorándum, filtrado inicialmente por el gobierno para perjudicar a Fernando Botero ante la Fiscalía y la publicación posterior del documento completo divulgado por el propio Botero, que descubría ante la opinión un complot para que el Consejo de Estado le pusiera término al período del Fiscal quedó en nada cuando el Presidente reconoció que había recibido el documento pero no había hecho nada, como lo acreditaban el resultado en favor del Fiscal, el pronunciamiento público del Ministro del Interior en carta al Vicepresidente De la Calle y las declaraciones de los Consejeros de Estado.

Más adelante, y manteniendo la espada de Damocles de las sanciones económicas, el gobierno de Washington buscó debilitar al Congreso, con las siguientes acciones: suspensión de la visa americana tanto al Procurador General de la Nación como al Contralor General (con rumores de una pronta acción similar que afectaría congresistas y ministros claves); las afirmaciones reiteradas por parte del Subsecretario Robert Gelbard dirigidas a mostrar que Samper había sido advertido en varias ocasiones de los riesgos de penetración de dineros calientes en su campaña y ello, ya desde 1993 (después de la decisión del Congreso Samper reconocería que así fue; pero argumentó que no recibió evidencias) y, luego, las declaraciones del Embajador Frechette que descalificaban a los miembros de la Comisión, lo cual fue ratificado por el vocero de la Casa Blanca tan pronto se reconoció la decisión de la Comisión en favor del Presidente Samper.

Declaración que no se reiteró cuando el Congreso decidió precluir la investigación contra el presidente por la obvia razón que haberlo hecho así abría las puertas para el desconocimiento del Estado de Derecho en Colombia y la utilización de las vías de hecho. Estados Unidos hizo, por fortuna, una pausa. Pronto, las negociaciones sobre la ruta Bogotá-Nueva York-Bogotá en detrimento de los intereses de Avianca, es decir, del Grupo Santodomingo, un soporte decisivo del Presidente Samper, anunciaron que el verano caliente había llegado. Unas declaraciones contra el Embajador americano y su gobierno, absurdas y carentes de toda diplomacia, rechazadas por el Canciller Rodrigo Pardo, del Director del DAS, Marco Tulio Gutiérrez, escudadas en una renuncia irrevocable que inicialmente no se hizo efectiva, no dieron lugar a ninguna reacción retórica en Washington. Simplemente señalaron un plazo de 48 horas para su retiro.

El lunes 24 de junio la señora Janet Reno, Attorney General, envió al Ministro de Justicia una carta en la cual le anunciaba que su gobierno solicitaría formalmente la extradición de Gilberto y Miguel Rodríguez (presos), de Francisco Herrera (fugitivo) y de un nuevo barón de la droga: Juan Carlos Ramírez Abadía, alias chupeta (preso).

Hacía más de cinco años que el gobierno americano no hacía uso del Tratado, declarado inconstitucional el 12 de diciembre de 1986 por la Corte Suprema de Justicia. ¿Por qué? ¿Para qué? Se sabía de antemano la respuesta del gobierno que ya había declarado desde febrero que este asunto no estaba en su agenda. El gobierno, inmediatamente, se comportó como lo anticipaba el gobierno americano: no abrió una rendija, ni por un minuto. En Nueva York, en la Reunión del Consejo Económico y Social, Ecosoc (ONU) sobre drogas se encontraban los Ministros de Relaciones Exteriores y de Justicia. Respondió el de Justicia. El Canciller Rodrigo Pardo se reservó. Habló el viernes, 28 de junio después de la reunión de la Comisión Asesora de Relaciones Exteriores. ¿Qué quería Estados Unidos? Sin duda (escribimos el 30 de junio) poner contra las cuerdas al gobierno de Samper. Mostrar que el test, la prueba reina de la cooperación en la lucha contra el narcotráfico no estaba incluida en la declarada voluntad de lucha del Presidente Samper contra el fenómeno mafioso. ¿Por qué? Ese interrogante y la duda que él generaba era lo que le interesaba al gobierno estadounidense. Y, dejar sentada la base para eventuales sanciones más fuertes. La filtración en el *Washington Post* de un memorándum confidencial del Embajador Frechette (30 de junio/96) no dejaba dudas sobre los verdaderos objetivos: salir de Samper o hacerlo invisible.

Y apretarle las tuercas a Colombia y lograr que los europeos hicieran lo mismo.

Por ahora, las decisiones de Washington no afectaban directamente la economía. Tan sólo servían como un factor de irritación. Al finalizar la semana anunciaron que la visa del ex-Fiscal y, ahora, Embajador en México, Gustavo de Greiff había sido suspendida. Y en los rumores, había más nombres incluido el del Presidente de la República, que sufrirían igual humillación. En el memo confidencial de Frechette esto significaba la muerte política.

Un informe especial de la Revista *Semana* que comenzó a circular el domingo 30 de Junio (No. 739) presentaba una variada agenda de veinte puntos que incorporaba desde los cinco temas que servían de base al informe sobre la decertificación hasta quejas sobre el comportamiento del ex-canciller Julio Londoño en la ONU con los No-Alineados o contra el ex-Embajador en Washington Carlos Lleras de la Fuente pasando por el tema del banano, la propiedad intelectual, las inversiones americanas, el DAS, etc.

La Unión Europea

Entre tanto la Unión Europea y países del viejo continente, individualmente, adoptaban una posición menos condenatoria de Colombia. En un Diálogo Europa-Estados Unidos sobre América Latina, celebrado en Washington cuatro días después de la decertificación de sólo un país latinoamericano, Colombia, no obstante las graves fallas de México y otros países en la lucha contra las drogas, se dijo que la decisión respondía *en gran medida a imperativas políticas internas* -según Cynthia Arnson, del Woodrow Wilson Center- *pensando en la opinión pública y en el Congreso*. Al mismo tiempo se sugirió de parte de políticos norteamericanos que *desde una perspectiva política interna era sumamente difícil tomar una decisión diferente respecto a Colombia*. Se comentó que decertificar a México resultaba completamente imposible por razones políticas y económicas. Washington, dice la memoria sobre esta reunión publicada por el Instituto de Relaciones Europa-América Latina (IRELA) *partió la diferencia; penalizando plenamente a Colombia para proteger de lleno a México*. El propio Parlamento Europeo aprobó una resolución que reconoció el buen desempeño de Colombia en la lucha contra las drogas y que criticaba la decisión americana. Países como Gran Bretaña, España, Francia, estrecharon las relaciones y se abrieron nuevas oportunidades.

Judicialización del proceso y la decisión de precluir la investigación

Quizás la principal característica de lo que ocurrió en esta segunda fase del proceso formal contra el Presidente (¿habrá una tercera?) fue la total judicialización del proceso. Esta conversión de un proceso político en un juicio penal la había iniciado el Presidente cuando designó al penalista Antonio José Cancino como su defensor. Su estilo confrontacional lo convirtió en una celebridad periodística, lo cual contribuyó a la judicialización. Y como se sabe el derecho y sus laberintos ejercen una rara fascinación entre los colombianos. No en vano se ha dicho que aquí se presume que todos somos abogados mientras no se demuestre lo contrario. Ahora, para la nueva etapa, el Presidente escogió a Luis Guillermo Nieto, un abogado conservador, de estirpe y talante Alvarista, Constitucionalista y ex-Constituyente. Así este partido proporcionaba los abogados para los dos principales contendores en esta batalla; Fernando Londoño Hoyos, especialista en Derecho Económico, hijo de un dirigente conservador, cercano al viejo Ospinismo, asumió la defensa de Fernando Botero.

A la judicialización contribuyeron no tanto estos abogados sino los tribunales, la denuncia de la Fiscalía, la aprobación de la Ley 273 del 22 de marzo de 1996, que acomodó el proceso a los requerimientos del Código de Procedimiento Penal (!). Posteriormente, una decisión de la Corte Suprema de Justicia y otra de la Corte Constitucional judicializaron en tal forma el proceso que plantearon la posibilidad de prevaricato y distinguieron entre dos juicios: el penal y el político. Para el primero los miembros de la Cámara obraban, como calificadores de la investigación y deberían atenerse a las evidencias del expediente so pena de incurrir en prevaricato. Y en el otro, el político, obraban según su leal saber y entender sin estar ligados a ningún procedimiento estricto o tarifa probatoria.

Para el Congreso fue una jornada intensa. Una sesión extraordinaria y una sesión ordinaria. Todo culminó con un fatigante debate, bien llevado por el Presidente de la Cámara, Rodrigo Rivera, que el 12 de junio precluyó la investigación por una apabullante votación (111 contra 43) a la cual concurrieron un número mayoritario de los miembros de la bancada conservadora. Así se hizo realidad lo que he venido denominando el partido presidencial que es la agrupación predominante que se constituye alrededor del Presidente, más allá de los resultados electorales, las distancias ideológicas y los desacuerdos y fricciones transitorios propias del proceso político.

En el debate así judicializado jugaron un papel crucial dos decisiones de máxima importancia. La primera, fue la adoptada por la Sesión Quinta del Consejo de Estado que a petición del ciudadano Libardo Aguilar García, suspendió el 9 de mayo las resoluciones del Consejo Nacional Electoral (109 del 18 de marzo de 1994 y 178 del 7 de junio de 1994) que establecían los topes electorales y las condiciones y requisitos para reintegrar o reembolsar los gastos de las campañas. Para ello, apenas tuvo que confrontar los textos de las resoluciones con la ley que ellas decían estar aplicando (vigente en el caso de la primera resolución, derogada en el caso de la segunda en virtud de la ley 130 del 23 de marzo de 1995). Fue un trabajo sencillo, el que por alguna razón misteriosa dejaron de realizar 20 Consejeros Electorales pertenecientes a dos períodos diferentes. Esta suspensión dejó sin piso jurídico buena parte de la denuncia del Fiscal.

La segunda fue la adoptada por el fiscal Jaime Camacho Flórez, el 21 de mayo de 1996 que en su opinión dejó sin piso los cargos contra los Ministros Serpa, Pardo y Turbay. Esta decisión le quitó el momentum que se estaba construyendo para ambientar la acusación de la Cámara contra el Presidente. ¿Como podría precluirse una investigación sobre una campaña presidencial en la cual todos sus directivos estaban presos con excepción del principal beneficiario?

Lo absurdo de todo es que aparte del inexplicable error del Consejo Nacional Electoral, el propio Presidente del mismo había declarado públicamente en la televisión por allá en el primer semestre de 1994 que los topes no estaban vigentes, según él, porque las resoluciones no habían sido oportunamente publicadas. Nadie siguió el asunto, ni para verificar y analizar esta irregularidad o ilegalidad ni para cerciorarse de otras. Así, pues, durante más de un año se hizo el juicio del siglo sobre algo bien endeble jurídicamente, en este país de abogados y en un proceso judicializado ¡Loado sea el Derecho! Lo que está por verse es si la judicialización de la política ha implicado una politización de la justicia. Es bien claro que los políticos que buscaban la renuncia o destitución del Presidente prefirieron delegarle esta función a la Fiscalía y a los tribunales. No es un fenómeno colombiano. Una nueva literatura documenta la ocurrencia de este fenómeno en otros países, en particular, en los Estados Unidos.

Las Fuerzas Militares

Las Fuerzas Militares, aunque se volvieron más deliberantes en privado y en público, han mantenido su lealtad al gobierno. Por primera vez, estaban creadas varias condiciones para un golpe de Estado, que el propio Fernando Botero solicitó desde su celda en una Brigada Militar (!). Por fortuna, el detonante decisivo no ha ocurrido hasta ahora, gracias a las advertencias que al respecto se han hecho en voz alta. La pausa que mal que bien siguió a la decisión de la Cámara contribuyó a despejar temores inmediatos sin que, todavía, se descarte del todo ese riesgo. El ruido de sables se dio a raíz del relevo del Comandante del Ejército General Zúñiga y ahí paró. Eran las vísperas de los "idus de Marzo".

El caso del coronel Osorio

A raíz del asesinato de Elizabeth Montoya de Sarria, popularmente llamada *la monita retrechera*, surgieron toda una serie de versiones sobre los vínculos entre ella, su esposo Jesús Sarria, preso y acusado de ser una de las personas más importantes en el mundo del narcotráfico, y la campaña presidencial. Hay testimonios de Medina, Botero, sobre el papel que ella pudo jugar como enlace entre la campaña y el cartel de Cali y otros narcotraficantes. La designación del coronel Osorio, como Agregado de Policía en la Embajada ante el Quirinal en Roma, ha alimentado las sospechas y enredado aún más el asunto. Al terminar este escrito, el Coronel no había regresado a Colombia pero en muchos círculos se estimaba que sus testimonios podrían desatar nuevos escándalos y controversias. El asunto más preocupante tiene que ver con el número apreciable de llamadas que por el teléfono celular habrían entrado y salido para comunicar a Osorio con la señora de Sarria o con el propio Jesús Sarria. Este es un tema para el segundo semestre de 1996.

Las guerrillas

Las guerrillas no han parado de hacer declaraciones para deslegitimar al gobierno y justificar así su reticencia a realizar conversaciones de paz. Durante los dos primeros meses del año estuvieron casi inactivas. Mientras tanto, el gobierno ratificó el Protocolo II de los Convenios de Ginebra con el propósito de humanizar la guerra y de atender un clamor de organizaciones internacionales de Derechos Humanos y de satisfacer una insistente demanda del Ejército de Liberación Nacional (E.L.N.). Como nunca, sus prescripciones humanizadoras han sido violadas. Uno de los casos más flagrantes fue el secuestro en Abril del arquitecto Juan Carlos Gaviria, hermano del ex-Presidente César Gaviria. Por qué? ¿Para qué? Las explicaciones más perversas fueron difundidas a este respecto. Una oportuna gestión del ex-Presidente Gaviria en vísperas de la decisión final de la Cámara, con la buena voluntad de Fidel Castro y una arriesgada operación de la Policía Nacional permitieron su rescate el mismo día que la Cámara votó la preclusión. Resultó que los secuestradores pertenecían a una célula o frente del E.L.N., dirigido desde la cárcel Modelo por uno de sus miembros, al parecer responsable también del atentado contra Antonio José Cancino, en septiembre de 1994. ¿Qué buscaban? Garantías contra la extradición si Samper salía del Gobierno? ¿Asegurar la condena de Samper en el Congreso? ¿Liberar al principal cabecilla de esta célula, preso en *La Modelo?* Todo el episodio es bien confuso. Lo que no deja dudas es que el trato que recibió el secuestrado es quizás el más inhumano de que se tenga noticia hasta ahora. El debate sobre su liberación en lugar de girar en torno de este punto, se hizo sobre la posibilidad de que algún inciso o parágrafo de alguna ley, vieja o nueva, hubiera sido violado. Cualquiera creería que vivimos en una sociedad en donde el imperio de la ley es riguroso y no en una en la cual son muy pocas las normas que se aplican y donde la impunidad es rampante.

Los ministros

Los Ministros han mantenido su lealtad al Presidente y el gabinete del Presidente Samper ha sido uno de los más estables, no obstante las arremetidas judiciales nunca antes vistas. Los conservadores se retiraron del gabinete después de las declaraciones de Fernando Botero. Este retiro afectó a dos Ministros. Lo propio hizo el Ministro de Salud, liberal, hermano de Luis Carlos Galán: Augusto Galán Sarmiento. Dos conservadores continuaron en el Gabinete: Rodrigo Marín, en nombre de la Alianza por Colombia; y Orlando Obregón, antiguo pastranista, en nombre de los sindicatos. Y uno nuevo ingresó como Ministro de Obras Públicas, según se dice, en representación de la bancada conservadora que decidió seguir apoyando al Presidente, comandada por Isabel de Celis, política de Norte de Santander, Vicepresidente de la Cámara. Las crisis ministeriales se rumoran, les ponen fechas y no ocurre nada. Cuando esto se escribe siguen las apuestas y se divulgan nombres para los diferentes ministerios. Es un ejercicio que ya, por rutinario, no interesa a casi nadie.

El hecho equivalente a la renuncia de Noemí Sanín, en la primera etapa, o peor según algunos, fue la renuncia del Ministro Perry conocida el lunes 29 de Abril, el mismo día que los dirigentes gremiales se dirigieron al Palacio Presidencial para solicitar la renuncia del Presidente. El Ministro alegaba que así podría defender el proyecto político que él había ayudado a construir durante quince años y a mediar para lograr una solución institucional. Su renuncia, aunque no era de aceptación inmediata, inclusive el Ministro en declaraciones radiodifundidas habló de permanecer hasta cuando la Comisión o el Congreso decidieran la suerte del Presidente, fue tramitada con demasiada celeridad y José Antonio Ocampo, quien se encontraba en Londres aceptó pasar de la Dirección del Departamento Nacional de Planeación a la cartera de Hacienda. El Banco Mundial designó días después a Guillermo Perry como Chief Economist para América Latina.

El Canciller Pardo, en uso de vacaciones, se retiró temporalmente para facilitar la acción de la Unidad de Fiscales de la Corte Suprema de Justicia. Su comportamiento fue elogiado por todos los sectores.

¿La crisis continúa o apenas comienza?

¿Y qué pasó una vez conocida la decisión de la Cámara en favor del Presidente? A pesar de que se trataba de una preclusión anunciada, hubo entre los que se movieron, mayor o menormente, contra el Presidente, desilusión, desencanto, desconcierto. Unos se refugiaron en el escepticismo; otros en la fatiga; no pocos se fueron de vacaciones para el verano americano o europeo; y algunos resolvieron replantearse la estrategia para seguir con la crisis.

En realidad, los factores de la crisis seguían intactos con tendencia a agravarse. Las denuncias, testimonios y rumores contra el Presidente continúan. Se ven, ahora, aliviados por el escándalo que manchó la campaña de Andrés Pastrana cuando la Fiscalía dictó auto de aseguramiento por lavado de dólares, días antes de la decisión de la Cámara, contra un judío, ampliamente conocido, amigo íntimo del candidato, de su campaña y financiador de la misma. Lo propio ocurrió con el Presidente de Panamá y con políticos americanos como el Senador Kerry y el Vicepresidente Gore, según informes de El Tiempo (30 de junio, 1996). El caso del exedecán del Presidente, Coronel Osorio, a raíz de sus vinculaciones con la familia Sarria, al parecer donantes e intermediarios para la obtención de recursos para la campaña Samper, han resucitado el tema que amenaza con acompañarnos por muchos meses adicionales. A su turno, la ex-Congresista María Izquierdo ha hecho revelaciones que, si fueran ciertas, comprometerían gravemente al Presidente y a algunos de sus Ministros. Todas las han desmentido en forma radical. El Presidente envió una carta al Fiscal exigiéndole guardar la reserva sumarial y no permitir que se juegue más con su honra. El Fiscal respondió diciendo que su acción no estaba guiada por presiones, ni halagos, ni amenazas. El Vicefiscal, el día anterior, desde Cali (27 y 28 de junio, 1996) declaró que lo que estaba pasando con Estados Unidos le recordaba la situación de Noriega y que eso nos pasaba por tener un Presidente como Samper. El gobierno no reaccionó.

Así las cosas, ya se verá qué ocurre en julio, agosto y después. Todo parece estar reducido a tres actores: el Presidente, el Fiscal y los Estados Unidos. El Presidente ha ofrecido un paquete legislativo para convencer a los Estados Unidos que su compromiso contra el fenómeno mafioso es más grande que el de cualquier antecesor suyo. Estados Unidos toma nota de la promesa y observa que hay un vacío: la extradición. Ahí resuelve hacer el primer *test* sobre la voluntad de cooperación. En principio, gana en toda la línea. Y sigue apretando.

El sector empresarial deja la sensación de que delega, ahora, en Estados Unidos la tarea de *tumbar* al Presidente así sea al precio de las sanciones económicas. El gobierno americano establece una fecha límite: el 30 de septiembre. Quiere ver, dice el embajador Frechette, que los 111 votos de la Cámara apoyan el paquete legislativo anti-drogas. Para Samper todo lo que signifique ganar tiempo es ganancia. En Washington no hay embajador colombiano a partir del lunes 1o. de julio ni Ministro Plenipotenciario. La tarea queda en cabeza del tercero a bordo, Mauricio Echeverri, antiguo galanista y ex-viceprocurador. El Gobierno colombiano confía en que el General Mc.Caffrey, Director del Programa Nacional de Drogas, se interesará más por ganar la guerra contra las drogas que en tumbar a Samper o hacer sufrir a los colombianos. Eso está por verificarse.

Mientras tanto los barones de la droga, la cúpula del cartel de Cali, guarda silencio. Y se mantiene alerta sobre lo que pueda ocurrir con la extradición.

Y la opinión pública, según las encuestas, parece no haber registrado los altibajos de este tortuoso y doloroso proceso. La última encuesta publicada el domingo 30 de Junio por *Semana* es dramática. El mayor índice de desfavorabilidad es el de Andrés Pastrana, el principal aunque no muy activo contradictor del Presidente. Le sigue Noemí Sanín. El mayor índice de favorabilidad lo tienen, en primer lugar, su Vicepresidente y embajador en España y eventual sucesor Humberto de la Calle. Le sigue Horacio Serpa, su Ministro del Interior y principal defensor.

Las lecciones de la crisis

Este proceso de dos años ha mostrado la pobreza del derecho en Colombia, la inexistencia de liderazgo político por fuera del partido presidencial y la precariedad de nuestra cultura política. Ha mostrado, también, las virtudes de nuestras Fuerzas Armadas y la eficacia de la Constitución de 1991 que permitió que, por fin, el tema del fenómeno mafioso se afrontara judicialmente y que, gracias a la descentralización y a la existencia de la Junta del Banco de la República, aseguró la gobernabilidad que tantos cuestionaron sin penetrar en el verdadero significado y sentido del concepto. El tema de la responsabilidad política nunca tomó fuerza. Es el que puede permear las acciones del inmediato futuro. Pero es bien probable que la ausencia de estrategia, característica de las fases anteriores, y la pasión por los incisos, parágrafos y jurisprudencias, vuelvan a enredar todo. O que Estados Unidos insista en desatar una corriente de no apoyo al Presidente Samper con decisiones que son percibidas como injustas por la generalidad de la opinión pública, incluidos amigos y enemigos de la continuidad del Presidente Samper.

El Presidente y Colombia

El Presidente obtuvo lo que anhelaba: una solución personal digna. Ha propuesto una solución política digna: el paquete legislativo anti-drogas y la reforma política. Su suerte y la de Colombia están ligadas al contenido real de estas propuestas y a su pronta adopción.